D1207975

Topkapi

Qui sont ces clients dont Arthur Abdel Simpson conduit la Cadillac à Istanbul ? Et que trament-ils ? Tout se dévoile peu à peu, au cours de maintes péripéties dramatiques à travers Istanbul, et Simpson se voit confier une mission dont il se serait bien passé...

Deux portraits inoubliables dans ce livre haletant : celui de Simpson, benêt et pourtant sympathique, avec un mélange de rouerie et d'innocence, et celui d'Istanbul, de ses palais, et du Bosphore. Dans ce décor prestigieux, dans cette atmosphère balkanique corrompue, une action sans cesse rebondissante et qui justifie le titre que l'on a décerné à Eric Ambler, à l'occasion de ce livre, aux USA : « Le prince du suspense. »

Le roman d'Eric Ambler a été porté à l'écran par Jules Dassin avec Melina Mercouri, Peter Ustinov et Maximilien Schell.

Eric Ambler est né à Londres en 1909. Entre 1936 et 1940, il écrit six romans qui deviendront des classiques ; parmi eux, Frontières des ténèbres, La Croisière de l'angoisse, Épitaphe pour un espion, Le Masque de Dimitrios. *Après un intermède de six années passées dans l'armée britannique, suivies de quelques autres à écrire des scénarios et à produire des films, son ami Noël Coward réussit à le convaincre de revenir au roman d'espionnage, genre dont il demeure le maître incontesté. Une quinzaine de titres ont été publiés depuis 1951 et salués unanimement par le public et la critique. L'auteur a également publié son autobiographie,* Ci-gît Eric Ambler.

Du même auteur

AUX MÊMES ÉDITIONS

L'Héritage Schirmer
roman, 1984

dans la collection « Points Roman »

Le Masque de Dimitrios, *n° 136*

N'envoyez plus de roses, *n° 153*

Épitaphe pour un espion, *n° 169*

Les Trafiquants d'armes, *n° 186*

La Croisière de l'angoisse, *n° 197*

L'Affaire Deltchev, *n° 217*

Frontières des ténèbres, *n° 237*

Énergie du désespoir, *n° 261*

Complot à Genève, *n° 294*

Le Levantin, *n° 317*

L'Héritage Schirmer, *n° 376*

Les Visiteurs du crépuscule, *n° 478*

à paraître

Une sale histoire

Le Brochet

Eric Ambler

Topkapi

(LA NUIT D'ISTANBUL)

roman

TRADUIT DE L'ANGLAIS
PAR R. C. DUCASSE

Éditions du Seuil

La première édition en langue française de cet ouvrage
a été publiée par les Éditions Plon en 1964.

TEXTE INTÉGRAL

EN COUVERTURE : illustration Floc'h

Titre original : *The Light of Day*
Éditeur original : William Heinemann

ISBN 2-02-013470-5

I

L'HISTOIRE pourrait se résumer ainsi : si je n'avais pas été arrêté par la police turque, je l'aurais été par la police grecque. Je n'ai eu d'autre possibilité que de faire ce que Harper m'a demandé. A lui seul incombe la responsabilité de ce qui m'est arrivé.

J'ai cru qu'il était américain, à en juger par sa taille, son costume clair, ample, sa cravate mince, les revers de son col retenus par des boutons, son visage glabre et ses cheveux en brosse. Et puis, il parlait aussi comme un Américain, ou en tout cas comme un Allemand qui aurait vécu longtemps en Amérique. Je sais maintenant qu'il n'est pas américain, mais à coup sûr, il en donnait l'impression. Ses bagages, par exemple étaient typiquement de là-bas : plastique façon cuir, et serrures imitation or. J'identifie ces bagages au premier coup d'œil. Malheureusement je n'ai jamais pu voir son passeport.

Il a débarqué à l'aéroport d'Athènes, de l'avion en provenance de Vienne. Il aurait pu venir de New York, de Londres, de Francfort ou de Moscou et arriver par le même avion — ou venir seulement de Vienne, allez donc savoir. Il n'y avait pas la moindre étiquette d'hôtel sur ses bagages. J'ai supposé qu'il venait de New York. C'est une erreur que n'importe qui aurait pu commettre.

Inutile de continuer sur ce ton. J'ai l'impression de protester trop haut de ma bonne foi, comme si j'avais quelque chose à me reprocher en secret ; en fait, j'essaie simplement d'expliquer ce qui s'est passé, en toute franchise et sans rien omettre.

Je n'ai pas soupçonné une minute qu'il pût être différent de ce qu'il paraissait. Je l'ai abordé tout naturellement à l'aéroport. La location de voitures constitue une de mes activités secondaires — la principale étant le journalisme — mais Nicki, sur un ton larmoyant avait fait allusion à la nécessité d'enrichir sa garde-robe, et je devais acquitter le montant de mon loyer avant la fin de la semaine. J'avais besoin d'argent, cet homme donnait l'impression d'en avoir. Est-ce un crime de gagner de l'argent ? A la façon dont certaines personnes vous le reprochent, on pourrait le croire. La loi c'est la loi, et je ne veux pas me plaindre, mais je ne peux supporter le bla bla bla et l'hypocrisie. Un type fréquente, seul, la maison close de son choix, personne n'y trouve à redire. Qu'il s'avise d'y entraîner un ami ou une connaissance pour lui rendre service, on crie au scandale. Je trouve cette façon de faire absolument intolérable. S'il y a quelque chose dont je sois fier, c'est de mon esprit logique ainsi que de mon sens de l'humour.

Je m'appelle Arthur Simpson.

Non ! Je vous ai dit que je serai tout à fait franc, je vais donc vous le prouver. Je m'appelle en réalité Arthur Abdel Simpson. Abdel, parce que ma mère était égyptienne. Je suis né au Caire. Mais mon père était officier de carrière dans l'Armée britannique, et je me sens anglais jusqu'à la moelle des os. J'ai reçu d'ailleurs une éducation typiquement britannique.

Mon père est sorti du rang. Il était sergent-major dans les Buffs [1] à ma naissance, mais en 1916 il fut promu lieutenant du Train des équipages. Nous occupions à Ismaïlia, un des logements réservés aux officiers mariés, lorsqu'il fut tué un an plus tard. J'étais trop jeune à l'époque pour que l'on me donnât des détails. Je pensais tout naturellement qu'il avait

1. Régiment du Kent reconnaissable à la couleur chamois des parements de l'uniforme. — Note du traducteur.

été tué par les Turcs ; mais maman me dit plus tard qu'il avait été renversé par un camion militaire en rentrant un soir du mess des officiers.

Bien entendu, maman toucha une pension, mais une bonne âme charitable lui conseilla d'écrire au Comité d'Entraide pour les pupilles de guerre. C'est ainsi que j'entrai à l'école anglaise du Caire. Ma mère ne cessa pas pour autant de tenir le Comité au courant de mes études. Lorsque j'eus neuf ans, ce même Comité l'assura de son intention de pourvoir aux frais de ma scolarité en Angleterre, si quelque parent pouvait se charger de m'héberger. Une sœur mariée de mon père demeurait à Hither Green, dans la banlieue sud-est de Londres. Elle accepta de me recevoir, lorsque le Comité d'Entraide lui eut assuré qu'il paierait ma pension, soit 12 shillings 6 pence par semaine. Ce fut un grand soulagement pour ma mère ; désormais elle pouvait épouser M. Hafiz, qui, depuis que je l'avais surpris au lit avec elle et dénoncé à l'Iman, me vouait une antipathie vigilante. M. Hafiz était restaurateur et gras comme un goret. C'était dégoûtant pour un homme de son âge de coucher avec maman.

Je partis pour l'Angleterre, à bord d'un convoi de troupes, et fus confié à l'infirmière-major. J'étais heureux de partir. Je n'aime pas rester là où je me sens indésirable. La plupart des hommes à l'infirmerie avaient la vérole ; je les écoutais bavarder entre eux. Ils m'apprirent une foule de renseignements utiles, jusqu'au jour où l'infirmière qui n'était qu'une vieille garce, sauf votre respect, s'en émut et me confia à un instructeur pour le reste de la traversée. Ma tante, à Hither Green, était une garce elle aussi, mais mon arrivée chez elle était la bienvenue, car elle avait épousé un comptable qui chômait la moitié du temps et les 12 shillings 6 pence hebdomadaires de ma pension tombaient donc à point. Elle n'osa pas être trop vache, car de temps à autre un inspecteur de l'Œuvre venait voir comment cela se passait. Si je lui avais dit la vérité, il m'aurait retiré de chez elle immédiatement ! Comme la plupart des garçons de cet âge, j'étais, je crois, ce que l'on appelle un enfant terrible.

L'école était située sur le versant Lewisham de Blackheath, et affichait en lettres d'or sur un grand panneau :

INSTITUTION PRIVÉE CORAM
POUR JEUNES GENS
Fondée en 1781

Au-dessus du panneau, on voyait le blason de l'école et sa devise : *Mens æqua in arduis*, le professeur de latin disait que c'était une citation d'Horace, mais le professeur d'anglais aimait la traduire à la manière de Kipling : « Si tu peux garder ton sang-froid quand tous les autres le perdent... tu seras un Homme, mon fils. »

Ce n'était pas tout à fait une grande *public school* comme Eton ou Winchester — nous étions tous externes — mais les principes d'éducation étaient les mêmes. Vos parents ou (comme c'était le cas pour moi) votre correspondant, devaient payer des frais d'écolage. Il y avait bien quelques boursiers venant d'écoles municipales — je crois que nous étions tenus de les accepter en échange d'une allocation consentie par le ministère de l'Éducation nationale — mais il n'y en eut jamais plus d'une vingtaine en tout. En 1920 on nomma un nouveau directeur. Il s'appelait Brush et nous le surnommâmes « le Crin »[1]. Il avait déjà dirigé une *public school*, aussi savait-il à quoi s'en tenir. Il apporta une foule d'innovations. Après sa venue, nous jouâmes au rugby au lieu de jouer au football, nous eûmes des « cours » et non plus des « classes », et nous apprîmes à parler comme des jeunes gens bien élevés. Un ou deux des anciens professeurs furent renvoyés, et « le Crin » obligea tous les autres à porter leur toge le matin pour les prières. Comme il le disait, Coram était une école aux excellentes traditions, et quoiqu'elle ne fût pas aussi ancienne que Eton ou Winchester, elle l'était bien plus que Brighton ou Clifton. Tout le bachotage du monde est inutile si on n'a pas de la classe et des traditions. Il nous interdit de lire des bêtises comme *Gem* et *Magnet*, et nous aiguilla vers

1. Brush signifie Brosse. — Note du traducteur.

des livres d'auteurs valables comme Stevenson et Talbot Baines Reed.

J'étais trop jeune quand mon père fut tué pour bien me le rappeler et pourtant quelques-unes de ses expressions préférées sont restées gravées dans ma mémoire; peut-être parce que je les ai entendu répéter si souvent à maman ou à ses amis. L'une de ces phrases favorites était : « Ne te porte jamais volontaire », et une autre : « Tiens ta langue au chaud. »

Ce ne sont guère là les principes de vie d'un officier ni d'un homme qui se respecte, direz-vous. Eh bien, je n'en suis pas si sûr que cela, mais inutile d'en discuter. Tout ce que je peux dire c'est qu'ils constituaient la ligne de conduite d'un soldat de métier ayant quelque sens pratique et qu'à Coram ils avaient du bon. Par exemple, je découvris très tôt que rien n'irritait plus les professeurs qu'une écriture négligée. Bien plus, pour certains d'entre eux, une réponse fausse mais bien écrite était presque aussi bien notée qu'une réponse correcte mais mal écrite ou tachée d'encre. C'est pour cette raison que j'ai toujours soigné mon écriture. De même quand un professeur posait une question et disait : « Levez le doigt, ceux qui savent la réponse » vous pouviez toujours lever le vôtre, même si vous ne la saviez pas, du moment que vous laissiez les naïfs pressés lever le doigt les premiers et que vous arboriez un sourire entendu, c'est-à-dire un sourire aimable, ni affecté ni railleur. Les professeurs vous importunaient peu si vous aviez l'air d'avoir la conscience tranquille.

Je m'entendais assez bien avec mes camarades. Parce que j'étais né en Égypte ils m'appelaient « le Métèque », mais comme j'étais blond comme mon père, cela ne me troublait pas. Ma voix mua très tôt, quand j'eus douze ans. Peu après je me mis à fréquenter Hilly Fields la nuit avec un grand appelé Jones IV qui avait quinze ans et nous prîmes l'habitude de courir les filles — « soulever les pépées » comme on dit dans l'armée. Je découvris assez vite que certaines ne se formalisaient pas du tout, si on glissait la main sous leur jupe et même un peu plus haut. Parfois nous rentrions très tard. Ce qui fait que je pris l'habitude de me lever tôt pour faire mes devoirs, ou de demander à ma tante de m'écrire un mot d'excuse prétextant que j'avais dû me coucher de bonne heure à cause d'un vilain mal de tête accompagné de fièvre. Si les choses tournaient mal, je pouvais toujours m'enfermer dans les cabinets et copier les devoirs d'un garçon du nom de Reese. Il avait beaucoup d'acné et cela lui était égal que l'on copiât sur lui. Je crois même qu'il aimait ça. Mais il fallait faire très attention. Ce garçon avait toujours le nez dans ses livres et ne faisait jamais la moindre faute dans ses devoirs. Si on copiait mot à mot, on risquait d'éveiller les soupçons du professeur. Un jour, j'eus dix sur dix en chimie et le professeur m'administra une belle correction pour avoir triché. Je n'avais jamais pu sentir cet homme et je me vengeai quelque temps après en versant un tube à essai d'acide sulfurique sur la selle de sa bicyclette. Je n'ai pas oublié la leçon que cet incident m'enseigna : n'essayez jamais de vous faire passer pour meilleur que vous n'êtes. Je ne l'ai plus jamais tenté, croyez-le bien.

On sait que le but de l'éducation dans une *Public School* anglaise est de former le caractère, de donner au garçon le sens des valeurs morales, de lui apprendre à accepter les heures pénibles de la vie comme les plus agréables, d'en faire vraiment un homme.

Coram m'enseigna tout cela et quand je jette un regard en arrière je devrais probablement lui en être reconnaissant. Cependant je puis dire que je n'appréciais pas les méthodes employées. La boxe, par exemple, était considérée comme un sport très viril ; si vous ne l'aimiez pas, on vous traitait de « froussard ». Je ne crois pas que ce soit être poltron que de se refuser à recevoir sur le nez un coup de poing qui vous fera saigner. Malheureusement, quand je renvoyais coup pour coup, je me foulais toujours le pouce ou m'écorchais les phalanges. A la fin je découvris que la meilleure méthode de combat était de se servir de son cartable, surtout si on laissait dépasser une plume ou une règle coupante ; mais vraiment, je n'ai jamais aimé la violence, d'où qu'elle vînt.

C'est comme pour l'injustice. Mon dernier trimestre à Coram, dont j'aurais dû jouir pleinement, vu qu'il était le dernier, fut complètement gâché par la faute de Jones IV. A cette époque il avait déjà quitté l'école et travaillait chez son père qui possédait un garage, mais de temps à autre, je montais encore à Hilly Fields avec lui. Un soir il me montra un long poème tapé sur quatre grandes pages. C'est un client du garage qui le lui avait donné. Cela s'appelait *l'Enchantement*, était soi-disant l'œuvre de lord Byron et commençait ainsi :

« Par une sombre et sinistre journée
Sur un lit de mansarde où j'étais allongé
Mes pensées, car j'étais à demi éveillé,
Par un rire argentin furent soudain secouées
Il emplit brusquement mon oreille alertée
Sonnant haut et clair et bien trop rapproché. »

Ce rire arrivait à travers un trou du mur derrière le lit ; notre héros regarda par ce trou.

« Un jeune homme et sa belle occupaient la demeure
Vêtus du seul éclat de leur jeunesse en fleur. »

Puis venait la description de ce que ce jeune homme et sa belle faisaient ensemble dans la demi-heure qui suivait : Oh ! c'était très poétiquement décrit, mais il n'y manquait pas un détail. C'était vraiment pimenté. J'en fis d'abord une copie que je fis circuler parmi mes camarades. Puis je leur demandai quatre pence pour recopier le texte. Cela me fit pas mal d'argent, jusqu'au jour où un élève de quatrième en oublia un exemplaire au fond d'une poche de son blazer où sa mère le découvrit. Son père l'envoya au « Crin » avec une lettre indignée. Celui-ci interrogea alors les garçons les uns après les autres et remonta ainsi jusqu'à moi. Je dis que c'était un élève qui avait quitté l'école le trimestre précédent qui me l'avait donné — « le Crin » ne pouvait pas vérifier mes dires — mais je suis sûr qu'il ne me crut pas. Il restait là, assis, tapotant son pupitre du bout de son crayon, répétant inlassablement « Quelle infamie ! ». Il avait le visage tout rouge, comme s'il était vraiment embarrassé. Je me rappelle m'être demandé s'il n'était pas « bizarre ». En fin de compte il me dit qu'il ne me renverrait pas de l'école, puisque c'était mon dernier trimestre, mais que je devrais me tenir dorénavant à l'écart des jeunes élèves. Il ne me battit pas, et à mon grand soulagement n'informa pas le Comité d'Entraide, mais ce fut quand même une sale expérience qui me bouleversa. Je lui dois certainement mon échec au bachot.

A Coram on vous rebattait les oreilles de ce bachot. A les en croire on ne pouvait trouver un emploi respectable dans une banque ou une compagnie d'assurances si on ne le décrochait pas. Je ne désirais nullement un emploi de ce genre. M. Hafiz étant mort, maman voulait que je revienne près d'elle pour apprendre le métier de restaurateur — mais ce fut tout de même une déception d'être recalé. Je suis sûr que si le « Crin » avait été plus large d'esprit et plus compréhensif, s'il ne m'avait pas donné le sentiment d'avoir commis un crime, les choses eussent été différentes. J'étais un garçon susceptible et j'accusai Coram de m'avoir en quelque sorte laissé tomber. C'est pourquoi je n'ai jamais voulu m'inscrire au club des « Anciens de Coram ».

Évidemment, je peux maintenant considérer toute cette affaire de loin et avec le sourire. Mais ce que je désire prouver, c'est que les gens qui détiennent une autorité quelconque — les directeurs d'école, les officiers de police — peuvent faire beaucoup de mal rien qu'en refusant de comprendre le point de vue des autres.

Comment aurais-je pu savoir le genre d'homme qu'était ce Harper ?

Je l'ai expliqué plus haut, je n'étais venu en voiture à l'aéroport d'Athènes qu'en quête d'un client. Je remarquai cet homme à la douane et vis qu'il glissait son billet dans un étui de l'*American Express*. Je refilai deux drachmes à l'un des porteurs pour qu'il me donne le nom que l'individu mettrait sur sa déclaration de douane. Je demandai ensuite à une jeune hôtesse en uniforme de lui remettre ma carte avec un message indiquant que « la voiture attendrait M. Harper à la sortie ».

C'est un truc que j'ai utilisé très souvent et qui a presque toujours bien marché. Peu d'Américains ou d'Anglais savent le grec ; une fois qu'ils ont passé la douane, surtout lorsqu'il fait très chaud, qu'ils ont été harcelés par les porteurs et bousculés de droite et de gauche, ils sont trop contents de quitter les lieux en compagnie de quelqu'un capable de les comprendre et de s'occuper des pourboires. Ce jour-là, il faisait vraiment très chaud et très humide.

A sa sortie de la douane, je l'abordai :

— Par ici, M. Harper.

Il s'arrêta pour me dévisager. Je lui adressai un sourire qui le laissa froid.

— Un instant, dit-il sèchement, je n'ai pas commandé de voiture !

Je feignis l'étonnement.

— Je suis envoyé par l'*American Express*, monsieur, l'agence m'a assuré que vous désiriez un chauffeur parlant anglais.

Il me fixa à nouveau, puis répondit avec un haussement d'épaules :

— Bon, d'accord. Je descends à l'hôtel *Grande-Bretagne*.

— Très bien, monsieur. Tous vos bagages sont-ils là ?

Quand nous eûmes pris la porte du littoral par Glyfada, il se mit à m'interroger : N'étais-je pas anglais ? — j'éludai cette question selon mon habitude. « La voiture m'appartenait-elle ? » — c'est toujours un détail qui les intéresse. Elle m'appartient en effet, et j'ai deux réponses à cette question — la voiture est une Plymouth 1954. Si c'est un Américain, je vante le nombre de milliers de kilomètres qu'elle a fait sans panne ; si c'est un Anglais, je fais allusion, en esquissant une moue très digne, à la nécessité de l'échanger contre une Austin Princess, ou une vieille Rolls Royce, ou toute autre voiture de classe, dès que j'aurai mis un peu d'argent de côté. Pourquoi refuser aux gens le plaisir de leur dire ce qu'ils souhaitent entendre ?

Harper parut apprécier mon histoire, qu'il écouta avec attention en poussant des grognements de temps à autre. Lorsqu'on se rend compte qu'on commence à les ennuyer,

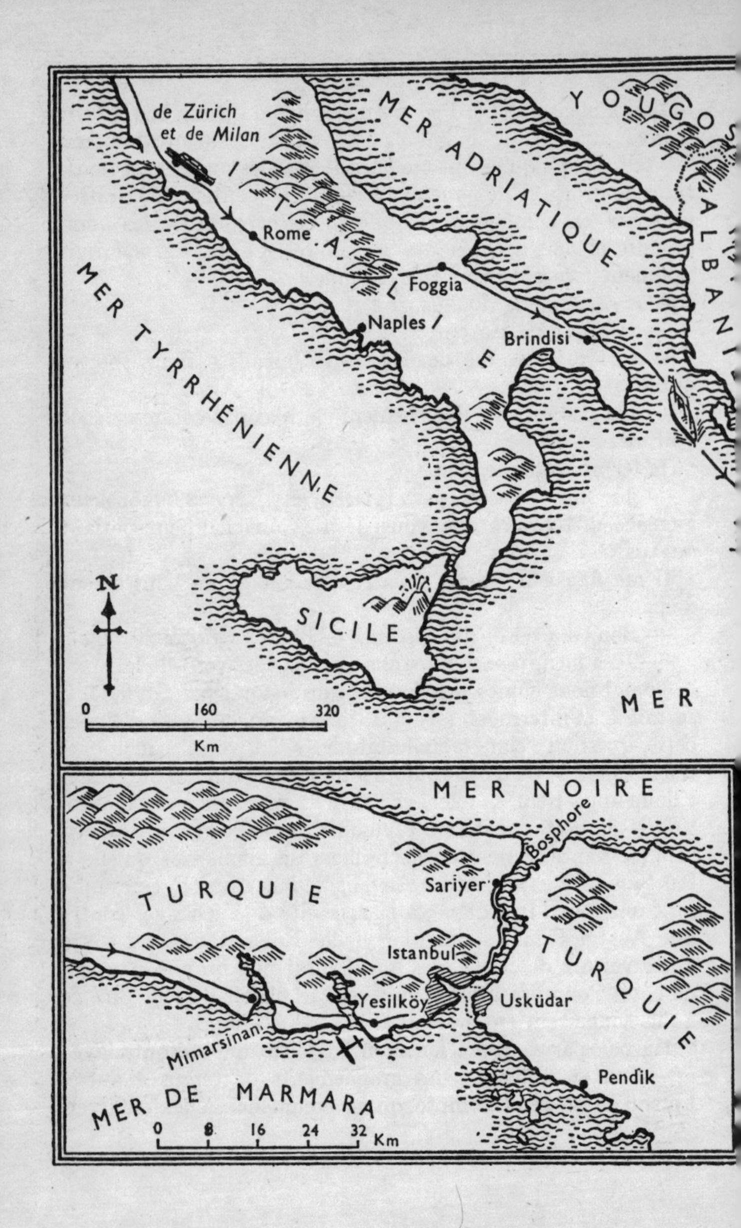

de Zürich
et de Milan
MER ADRIATIQUE
YOUGOS
ALBANI
I T A L I E
Rome
Foggia
Naples
Brindisi
MER TYRRHÉNIENNE
SICILE
N
0
160
320
Km
MER
MER NOIRE
Bosphore
TURQUIE
Sariyer
Istanbul
TURQUIE
Yesilköy
Usküdar
Mimarsinan
Pendik
MER DE MARMARA
0
8
16
24
32
Km

BULGARIE
MER NOIRE
Edirne
Çorlu
Istanbul
Üsküdar
Silivri
Salonique
GRÈCE
TURQUIE
MER ÉGÉE
Athènes
Patras
CRÈTE
MÉDITERRANÉE
ROUTE DE MISS LIPP
AUDREY FREW

c'est habituellement aussi le moment où l'on comprend que tout va marcher à souhait ; alors on s'arrête. Il ne m'a pas demandé dans quelles circonstances j'étais venu vivre en Grèce et y travailler ; ce qu'ils font généralement. Je pensai que la question viendrait sans doute plus tard, si toutefois je devais le revoir, c'est ce qu'il me restait à découvrir.

— Vous êtes à Athènes pour affaires, monsieur ?

— Probablement.

Au ton de sa voix, j'aurais dû comprendre qu'il souhaitait que je ne me mêlasse pas de ce qui ne me regardait pas ; je n'en avais cure et continuai :

— Je vous pose la question, monsieur, parce que dans le cas où vous auriez besoin d'une voiture et d'un chauffeur pendant votre séjour, je pourrais me mettre à votre disposition.

— Ah oui ?

La réponse n'était pas très encourageante, je lui indiquai cependant le tarif à la journée et les différentes excursions possibles à Delphes et ailleurs.

— J'y réfléchirai, répondit-il. Comment vous appelez-vous ?

Par-dessus mon épaule je lui fis passer une de mes cartes de visite, puis l'observai dans le rétroviseur pendant qu'il la lisait. Il la glissa dans une de ses poches.

— Vous êtes marié, Arthur ?

La question me surprit. Habituellement, ils ne s'intéressent pas à votre vie privée. Je lui parlai de ma première femme, de la façon dont elle avait été tuée par une bombe au cours des incidents de Suez en 1956. Je ne fis pas état de Nicki, je ne sais pas pourquoi, peut-être parce que je n'avais pas envie de penser à elle.

— Vous m'avez bien dit que vous étiez anglais, n'est-ce pas ?

— Mon père était anglais, monsieur, et j'ai été élevé en Angleterre répondis-je avec une certaine froideur — je déteste ces contre-interrogatoires. Il n'en continua pas moins.

— Mais de quelle nationalité êtes-vous donc ?

— J'ai un passeport égyptien.

Ce qui était parfaitement vrai, d'ailleurs, bien que cela ne le regardât pas.

— Votre femme était-elle égyptienne ?

— Non, française.

— Avez-vous des enfants ?

— Non, malheureusement, monsieur. Mon ton de voix était devenu très froid à présent.

— Ah oui, je comprends.

Il se renfonça dans la banquette arrière et regarda par la fenêtre. J'eus l'impression qu'il m'avait totalement chassé de son esprit. Je me mis à songer à Annette et à la facilité avec laquelle j'en étais arrivé à dire qu'elle avait été tuée par une bombe. Je le croyais presque. Pendant que j'attendais aux feux rouges de la place Omonias, je me demandais ce qui avait bien pu lui arriver et si les beaux messieurs auxquels elle m'avait préféré, lui avaient donné les enfants que, disait-elle, elle désirait avoir. Loin de moi l'idée d'être mauvais joueur. Je ne suis pas rancunier de nature ; je ne pouvais m'empêcher d'espérer cependant qu'elle reconnaissait maintenant que c'était elle qui était stérile et non moi.

J'arrêtai devant le *Grande-Bretagne*. Pendant que les porteurs sortaient les bagages de la voiture, Harper se tourna vers moi.

— Eh bien, c'est entendu, Arthur. Je compte rester trois ou quatre jours ici.

Surpris, mais soulagé, je répondis :

— Merci, monsieur. Voudriez-vous visiter Delphes demain ? Pendant les week-ends il y a trop de touristes.

— Nous en reparlerons plus tard.

Il me regarda un instant puis ajouta avec un léger sourire :

— Ce soir je voudrais sortir. Vous connaissez quelques bonnes adresses ?

Il accompagna ces mots d'un clin d'œil complice qui ne me trompa pas.

Esquissant un sourire discret, je répondis :

— Mais certainement, monsieur.

— C'était bien ce que je pensais. Venez me prendre à neuf heures, d'accord ?

— Neuf heures, entendu, monsieur. Le portier téléphonera dans votre chambre, quand je serai arrivé.

Il était alors quatre heures et demi ; je me rendis à mon appartement, parquai la voiture dans la cour et montai.

Nicki était sortie, naturellement. Elle avait l'habitude de passer l'après-midi avec des amis — à l'en croire en tout cas ; j'ignorais avec quel genre d'amis et ne lui posais jamais trop de questions à ce sujet — je ne voulais pas qu'elle me racontât des histoires ; d'ailleurs si elle levait un amant au Club, je préférais l'ignorer. Lorsqu'un homme d'un certain âge épouse une jolie fille deux fois plus jeune que lui, il doit prendre son parti de certaines éventualités. Elle s'était changée et avait tout laissé en désordre sur le lit ; elle avait dû renverser un peu de parfum car la chambre était plus remplie de son odeur que d'habitude.

Je trouvai une lettre d'une revue anglaise de voyages à laquelle j'avais écrit. On me priait d'envoyer des extraits de mes articles à fin d'examen. Je déchirai la lettre. Presque trente ans de métier de rédacteur de revue et se voir traiter comme un amateur ! Envoyez-leur des articles, et ils vous voleront vos idées sans un sou de dédommagement. Cela m'est arrivé bien des fois, je ne veux plus m'y laisser prendre. S'ils veulent un article, qu'ils me fassent une offre ferme, paiement comptant à la réception, avec une avance, en plus, pour les dépenses.

Je donnai quelques coups de téléphone pour être sûr que la soirée de Harper se déroulerait sans anicroche, puis descendis au café prendre un verre. A mon retour, Nicki était là, elle se changeait encore une fois pour travailler au Club.

Je ne voulais pas qu'elle continuât à travailler après notre mariage, c'est elle qui avait insisté. Je suppose que certains hommes seraient jaloux de savoir que leur femme fait la danse du ventre, presque nue, devant d'autres hommes ; je ne suis pas aussi étroit d'esprit. Si cela lui plaît de se faire un petit supplément d'argent de poche, c'est son affaire.

Pendant qu'elle s'habillait, je lui parlai de Harper et de ses questions en les prenant à la rigolade. Cela ne l'amusa pas.

— Pas commode ce client, mon chou, dit-elle.

Lorsqu'elle m'appelle « mon chou », cela veut dire qu'elle est d'humeur câline.

— Il a de l'argent, et ne demande qu'à le dépenser.

— Comment le sais-tu ?

— J'ai téléphoné à l'hôtel et l'ai appelé à la chambre 232. La standardiste a rectifié, si bien que j'ai eu le vrai numéro de sa chambre. Je la connais. C'est un grand appartement à air conditionné.

Elle me regarda avec un léger sourire, et ajouta en soupirant :

— Tu aimes bien ça, n'est-ce pas ?

— J'aime quoi ?

— T'introduire dans l'intimité des gens.

— Déformation professionnelle de journaliste, ma chère, que veux-tu ?

Elle me jeta un coup d'œil pensif, j'aurais voulu lui répondre autre chose. J'ai toujours eu du mal à lui expliquer la raison pour laquelle certaines portes me sont désormais fermées. Rouvrir de vieilles blessures est aussi stupide que pénible.

Elle haussa les épaules en continuant à s'habiller.

— Tu l'amèneras au Club ?

— Oui, probablement.

Je lui versai un verre de vin, et en pris un moi-même. Elle but tout en finissant de s'habiller puis s'en alla après m'avoir tapoté la joue en passant mais sans me donner de baiser. Je n'étais plus son « chou ». « Un jour, me disais-je en moi-même, elle s'en ira pour tout de bon. »

Je n'ai pas l'habitude de broyer du noir. Si cela doit arriver, autant le prendre du bon côté. Je me versai un second verre de vin, allumai une cigarette et m'efforçai de découvrir le genre d'affaires que pouvait bien traiter Harper. Il me semble que dès ce moment-là, j'ai commencé à flairer quelque chose de louche.

A neuf heures moins cinq, je trouvai une place pour me garer dans l'avenue Venizelos, juste au coin de l'hôtel *Grande-Bretagne*. Je fis savoir à Harper que je l'attendais.

Il descendit dix minutes plus tard et je l'emmenai à l'angle de l'avenue, jusqu'à la voiture, tout en lui expliquant qu'il était difficile pour les voitures privées de parquer devant l'hôtel.

D'un ton assez déplaisant, il rétorqua :

— Ça m'est égal !

Je me demandai s'il n'avait pas bu. Nombreux sont les touristes qui, habitués chez eux à dîner de bonne heure, se mettent à boire de l'ouzo pour passer le temps. Vers dix heures, quand les Athéniens commencent à se mettre à table, les touristes, eux, ont parfois déjà trop bu pour se rendre compte de ce qu'ils disent ou font. Ce n'était cependant nullement le cas pour Harper, je m'en aperçus bien vite.

Arrivé à la voiture, j'ouvris la porte arrière pour lui permettre de monter. Mais il ouvrit délibérément celle de devant et s'installa à côté de moi. Belle preuve d'esprit démocratique. Je préfère cependant voir mes passagers s'asseoir sur la banquette arrière car je peux les observer à loisir dans le rétroviseur.

Je fis le tour de la voiture et m'installai au volant.

— Eh bien, Arthur, où m'emmenez-vous ?

— Dîner d'abord, monsieur, n'est-ce pas ?

— Un repas avec des fruits de mer ne me déplairait pas.

— Je vous emmène au meilleur restaurant, monsieur.

Je le conduisis au port des bateaux de plaisance à Tourcolimano. Il y a là un restaurant qui me donne une bonne commission. Le front de mer constitue un spectacle vraiment fort pittoresque, Harper l'apprécia en connaisseur. Je l'emmenai ensuite au restaurant et le présentai au cuisinier. Il commanda son repas, fit apporter une bouteille de Patras sec, puis me regardant :

— Vous avez déjà dîné, Arthur ?

— Oh, je mangerai un morceau à la cuisine, monsieur.

Ainsi mon repas serait porté sur sa note sans qu'il le sache et en plus, je toucherais ma commission.

— Venez donc manger à ma table.

— Ce n'est pas nécessaire, monsieur.

— Bien sûr mais puisque je vous le demande...

— Merci monsieur, avec plaisir.

Voilà qui devenait plus démocratique encore. Nous nous installâmes à une table sur la terrasse, au bord de l'eau et il se mit à me poser des questions sur les yachts à l'ancre dans le port, sur ceux qui appartenaient à des particuliers, ceux qui étaient à louer et sur les prix de location pratiqués.

Je savais qu'un des yachts était à louer. C'était un ketch de dix-huit mètres, à deux moteurs diesel. Je lui indiquai le tarif : cent quarante dollars par jour, avec deux hommes d'équipage, mazout pour huit heures de marche quotidienne, fournitures annexes comprises, à l'exception de la nourriture pour les affrêteurs et les passagers. Le prix réel était de cent trente dollars, mais si par hasard il parlait sérieusement, pensai-je, j'empocherais la différence comme commission de la part du courtier. Je voulais aussi me rendre compte de la façon dont il réagirait devant une telle offre, s'il se contenterait d'en rire comme le ferait un salarié ordinaire, ou s'il souhaiterait savoir le nombre de personnes que l'on pourrait loger à bord. Il se borna à hocher la tête, puis me demanda ce que coûterait la location d'un bateau à moteur sans l'équipage.

Comme devait le prouver la suite de mon aventure, cette demande revêt une importance toute particulière.

Je lui répondis que je me renseignerais. Il me demanda les adresses des courtiers en bateaux de plaisance. Je lui indiquai le nom de l'un d'entre eux que je connaissais personnellement en ajoutant que les autres n'étaient pas dignes d'intérêt. Je lui dis aussi que je ne pensais pas que les propriétaires de gros bateaux fussent disposés à les louer sans imposer leurs propres hommes d'équipage. Il ne fit aucun commentaire. Quelques instants plus tard il me demanda si les connaissements émis à Tourcolimano ou au Pirée n'avaient de valeur que dans les eaux territoriales grecques ou s'il était permis d'en sortir et de traverser l'Adriatique jusqu'en Italie par exemple. Demande significative elle aussi. Je lui répondis que je ne savais pas, ce qui était vrai.

Lorsqu'on apporta l'addition, il demanda s'il pouvait changer un chèque de voyage de l'*American Express*. Voilà qui devenait plus intéressant. Je lui dis que la chose était possible, et d'un carnet de dix chèques, il en détacha un de cinquante dollars. C'était le spectacle le plus prometteur qu'il m'avait été donné de contempler de toute la journée.

Un peu avant onze heures, nous partîmes et je l'emmenai au Club.

Le Club se pique d'être une copie du Lido de Paris en plus petit. Je présentai mon client à John, le propriétaire de la boîte et essayai de lui fausser compagnie un instant. Il avait encore l'esprit très lucide; s'il restait, il boirait davantage, pensais-je; peine perdue : je dus entrer et m'asseoir à sa table. Il était aussi collant qu'une femme. Cela me déconcerta. Si j'avais été un jeune homme fringant plutôt que le journaliste ventripotent que je suis, je ne dis pas que je l'aurais approuvé, je l'aurais du moins compris. Mais j'avais bien dix ou quinze ans de plus que lui...

Les tables du Club sont éclairées par des bougies, et l'on peut distinguer les jeux de physionomie des clients. J'observai ses réactions au moment du *floor-show*. Il regardait les filles — Nicki était du nombre — comme des mouches sur une vitre. Je lui demandai ce qu'il pensait de la troisième à partir de la gauche — c'était Nicki.

— Trop courte de jambes, dit-il. Je les aime avec des jambes plus longues. Est-ce celle que vous avez en vue pour moi ?

— En vue pour vous ? — Je ne comprends pas, monsieur.

Il commençait à me déplaire souverainement. Il me fixa.

— Ça va, laissez tomber, fit-il d'un ton sec.

Nous buvions un alcool grec; il s'empara de la bouteille pour se verser un second verre. Je voyais les muscles de sa mâchoire se crisper de colère. J'avais dû dire quelque chose qui lui avait déplu. Je faillis mentionner que Nicki était ma femme, mais je me retins. Je me rappelai juste à temps lui avoir parlé d'Annette et de la façon dont elle avait été tuée lors d'un bombardement.

Il avala d'un trait son verre d'alcool, puis me dit de réclamer l'addition.

— L'endroit ne vous plaît pas, monsieur ?

— Y a-t-il un second spectacle ? une séance de strip-tease plus tard ?

Je souris. C'est la seule réponse possible à ce genre de questions. De toute façon l'idée d'écourter la soirée n'était pas pour me déplaire.

— Je connais effectivement un autre endroit où le spectacle est plus épicé et plus intime, dis-je en pesant mes mots.

— Vous voulez dire un b... ?

— Pas tout à fait, monsieur.

Il se contenta de sourire.

— J'étais sûr que vous ne le présenteriez pas ainsi. Appelons donc l'endroit une maison de rendez-vous. Pas d'objection ?

— Chez Mme Irma, la discrétion et le bon goût sont de règle, monsieur.

Il secoua la tête, amusé.

— Vous savez, Arthur, en vous rasant de plus près et en vous faisant couper les cheveux, vous feriez un excellent maître de cérémonie.

Il m'était impossible de lire sur son visage s'il voulait m'insulter ou, ce que je préférai croire, plaisanter. Je lui demandai donc poliment :

— C'est là ce que vous appelez en Amérique mettre quelqu'un en boîte, monsieur ?

Ma question parut le divertir et il ricana d'un air hautain.

— O.K., Arthur, je vous suis, allons voir votre Mme Irma.

Sa façon d'ajouter « votre Mme Irma », n'était nullement de mon goût. Je fis semblant cependant de ne pas y attacher d'importance.

Irma tient une très belle maison sur la route de Kifissia.

Elle n'a jamais plus de six filles à la fois et qui ne restent chez elle que quelques mois. Ses tarifs sont élevés, c'est sûr, mais le client est bien soigné. Il entre et sort par deux portes différentes pour lui éviter des rencontres inopportunes avant et après. Les seules personnes auxquelles il a affaire sont Irma la patronne, Kira la caissière et naturellement la dame de son choix.

Harper parut impressionné. Je dis bien « parut » impressionné, car il se montra très poli envers Irma après que j'eus fait les présentations. Il la félicita même sur la décoration intérieure. Irma n'est pas désagréable à regarder, et elle aime les clients qui présentent bien. Comme je m'y attendais il n'était plus question que je fusse de la fête.

Dès qu'Irma lui eût proposé de boire quelque chose, il me congédia d'un coup d'œil, en disant :

— A tout à l'heure, mon cher.

Aucun doute, pensais-je, maintenant tout va aller à merveille. Je passai donc chez Kira encaisser ma commission et lui préciser la somme d'argent que Harper avait sur lui. Je lui dis que je n'avais pas encore dîné et que je m'absenterai donc un bon moment. Elle me répondit que les affaires étaient plutôt calmes ce soir-là et que je pouvais prendre tout mon temps.

Je retournai, sans plus attendre à l'hôtel *Grande-Bretagne,* parquai la voiture dans la rue qui fait l'angle, et entrai au bar boire quelque chose. Si par hasard quelqu'un me remarquait et se souvenait de moi plus tard, il me serait facile d'expliquer ma présence à l'hôtel. Je vidai donc mon verre, donnai au garçon un bon pourboire et me dirigeai vers l'ascenseur. C'est un automatique, il suffit d'appuyer sur un bouton pour le mettre en marche. J'atteignis donc le troisième étage. L'appartement de Harper donnait sur la cour intérieure, loin de la place Syntagmatos, et les portes ne se voyaient pas du palier. Les femmes de chambre de l'étage avaient fini leur travail. Le mien devenait donc d'une facilité enfantine. Comme d'habitude, j'avais caché mon passe-partout au fond d'un vieux porte-monnaie, mais comme d'habitude, je n'eus pas à m'en servir. Dans la partie ancienne de l'hôtel, la plupart des portes de salon s'ouvrent de l'extérieur sans clef, pour faciliter le travail des garçons d'étage lorsqu'ils apportent les plateaux. Très souvent la femme de chambre, après avoir fait le ménage, néglige de fermer à clef derrière elle. Pourquoi se méfierait-elle, je vous le demande ? Les Grecs sont réputés pour leur honnêteté et ils vous font confiance.

Ses bagages étaient tous dans sa chambre, je les avais déjà manipulés dans la journée, en les mettant dans la voiture à l'aérodrome, les empreintes que j'y laisserais n'avaient donc pas d'importance. Je m'approchai d'abord de son porte-documents. Il contenait toute une liasse de lettres d'affaires, l'une en particulier adressée à une Société suisse, la Tekelek, qui fabriquait des machines à calculer, et auxquelles je n'attachai guère d'intérêt. A côté se trouvait un portefeuille contenant des francs suisses, des dollars américains, des marks de l'Allemagne de l'Ouest et enfin des fiches jaunes numérotées de chèques de voyage, pour une valeur de plus de deux mille dollars. (Elles servent à faire opposition en cas de perte.) Je ne touchai pas à l'argent mais fis main basse sur les fiches. Quant aux chèques, je les découvris dans la poche intérieure d'une des valises. Il y en avait trente-cinq, de cinquante dollars chacun. Il s'appelait Walter, et son prénom commençait par un K.

Par expérience, je sais que les gens sont d'une négligence incroyable dans la tenue à jour de leur fichier de chèques de voyage. On ne leur demande une contre-signature que lors de l'encaissement d'un chèque, ils en déduisent que c'est la seule façon de le négocier. Et pourtant n'importe qui, à condition d'avoir une bonne mémoire visuelle, peut reproduire une signature. Cela n'exige pas une habileté extraordinaire ; la précipitation, la chaleur, une plume différente, un comptoir qui n'est pas à la bonne hauteur, le fait d'écrire debout et non assis, autant de raisons pour amener de légères différences dans la seconde signature. Personne ne songe à la faire vérifier par un graphologue. En règle générale, seuls les caissiers de banque vous demandent de montrer votre passeport.

Encore autre chose : d'habitude on connaît la somme d'argent que l'on a sur soi. Toutes les fois que l'on fait un achat, on se rend compte de ce qui reste. Rien de semblable pour les chèques de voyage. Tout ce que l'on voit quand on prend la peine de le regarder, c'est un carnet bleu contenant les chèques. Combien de fois prend-on la peine de les compter pour vérifier s'il n'en manque pas ? Supposons que quelqu'un détache le dernier chèque de votre carnet ? A quel moment vous en apercevrez-vous ? Dix chances pour une que ce ne soit pas avant d'avoir utilisé tous les chèques précédents. Il vous sera donc impossible de savoir exactement le moment où ce chèque a été dérobé, et si vous êtes en voyage, vous ne pourrez sans doute pas non plus préciser l'endroit où cela vous est arrivé. Vous ignorez donc et l'heure et le lieu ; allez donc deviner l'auteur du vol ! il est sûrement trop tard de toute façon pour pouvoir agir utilement.

Les gens qui laissent traîner derrière eux des chèques de voyage méritent de se les voir subtiliser.

Je me contentai de détacher six chèques, les derniers du carnet. Cela faisait un montant de trois cents dollars, je lui en laissai quinze cents ou presque. C'est une erreur de se montrer trop gourmand ; malheureusement j'eus un moment d'hésitation : si je prenais deux chèques de plus, s'apercevrait-il plus tôt de leur disparition ?

J'étais donc là, planté comme un imbécile, les chèques à la main, quand Harper entra.

II

Je me trouvais dans la chambre et lui était entré par le salon. Il avait dû ouvrir très doucement la porte du couloir, sinon je l'aurais certainement entendu. Je crois qu'il s'attendait à me trouver là. Le piège avait donc été adroitement tendu.

Je me tenais au pied de l'un des lits, il me barrait donc le passage, en restant sur place, un sourire moqueur aux lèvres, paraissant goûter fort le comique de la situation.

— Eh bien, Arthur, dit-il, vous deviez m'attendre ! c'était bien convenu, n'est-ce pas ?

— J'allais revenir.

C'était là une réponse idiote, mais tout ce que j'aurais pu dire à ce moment-là l'aurait été. Alors, brusquement, il me gifla du revers de la main.

J'eus l'impression de recevoir un coup de poing. Mes lunettes tombèrent. J'essayai de me réfugier derrière le montant du lit. Je levai les bras pour me protéger, mais il me frappa à nouveau de l'autre main. Quand mes genoux fléchirent, il me soutint pour mieux me rouer de coups. Il était comme fou.

Je glissai à terre et cette fois il me laissa tranquille. Mes oreilles bourdonnaient, j'avais l'impression que ma tête allait éclater, ma vue était brouillée, mon nez se mit à saigner. Je tirai mon mouchoir pour empêcher le sang de tacher mes vêtements, et cherchai à tâtons mes lunettes parmi les chèques étalés sur le sol. Je réussis à mettre la main dessus. Elles étaient légèrement tordues, mais pas cassées. Lorsque je les eus remises, je remarquai la semelle de ses souliers à moins d'un mètre de mon visage.

Il était assis dans le fauteuil, le dos appuyé contre le dossier et me dévisageait.

— Lève-toi, dit-il, et fais attention de ne pas tacher de sang la descente de lit.

Il se dressa d'un bond dès que je fus debout. Je crus qu'il allait me frapper à nouveau. Il me retint seulement par un pan de ma veste.

— As-tu un revolver ?

Je fis non de la tête.

Il palpa mes poches pour s'en assurer, puis me repoussa du bras.

— Il y a du papier hygiénique dans la salle de bains, va te laver la figure mais laisse la porte ouverte.

Je fis ce qu'il me disait. Il y avait bien une fenêtre dans la salle de bains mais même si j'avais pu m'échapper par là sans me casser le cou, je n'aurais pas essayé. Il m'aurait entendu. Et puis où m'enfuir ? Il n'avait qu'à prévenir le portier de nuit, et la police serait arrivée. Le fait qu'il ne l'avait pas déjà appelée me laissait une petite chance. Il était étranger et ne voulait sans doute pas être cité comme témoin. Après tout, il n'y avait eu que tentative de vol, et si je rampais à ses pieds, si même j'y allais d'une petite larme, il se déciderait peut-être à passer l'éponge, surtout après la correction qu'il m'avait infligée. C'était ce que je me disais, à tort, j'aurais dû me méfier. Un homme comme Harper était incapable de la moindre générosité.

Lorsque je sortis de la salle de bains, je vis qu'il avait ramassé le carnet de chèques et qu'il le remettait dans la valise. Cependant les chèques que j'avais détachés étaient restés sur le lit. Il les rassembla, me fit entrer au salon et verrouilla la porte d'entrée.

Contre le mur il y avait une commode à dessus de marbre avec un plateau, un seau à glace, une bouteille de brandy et des verres. Il en prit un, puis me regardant, me dit :

— Assieds-toi là.

La chaise qu'il me montrait se trouvait à côté d'un secrétaire sous la fenêtre. J'obéis, que pouvais-je faire d'autre ? Mon nez saignait toujours et j'avais mal à la tête.

Il me versa un peu de brandy dans un verre qu'il posa sur le secrétaire près de moi. J'eus une brève lueur d'espoir. Quand on se propose de faire arrêter un homme, on ne commence pas par le faire asseoir et par trinquer avec lui. Après tout, on allait peut-être régler cette affaire d'homme à homme. Je n'ai qu'à lui raconter une histoire susceptible de l'apitoyer et à lui faire des excuses attendrissantes, me disais-je. Tout ému par sa magnanimité, il se déciderait — qui sait ? — à me laisser ma chance.

Ce ne fut là qu'un vain espoir bien vite dissipé.

Il se versa à boire puis, jetant un coup d'œil vers moi et mettant un glaçon dans son verre, me demanda :

— C'est la première fois que tu te fais pincer, Arthur ?

Je m'essuyai le nez pour empêcher le sang de couler, avant de lui répondre :

— C'est la première fois que je me laisse tenter, monsieur. Je ne sais pas ce qui m'a pris. C'est peut-être le brandy que nous avons pris ensemble, je n'ai pas l'habitude de boire.

Il se retourna pour me dévisager. Brusquement son visage changea d'expression, il pâlit, se mit à grimacer, sa bouche se tordit. J'ai déjà été témoin de scènes de ce genre, je me préparai donc à me défendre. Il y avait une lampe sur le secrétaire, près de moi. Je me demandai si j'aurais le temps de le frapper avant qu'il ne m'atteignît.

Mais il ne fit pas un geste. Son regard alla vers la chambre puis revint vers moi.

— Tu ferais mieux de ne pas me raconter d'histoires, Arthur. Je n'ai pas voulu être méchant, mais si je m'énerve tu quitteras la pièce sur un brancard. Et tu seras le seul à en pâtir. Je t'ai surpris en flagrant délit. Tu as essayé de t'enfuir coûte que coûte et j'ai dû me défendre. Ce sera la version des faits que l'on retiendra. Alors finis tes singeries, veux-tu ?

— Je m'excuse, monsieur.
— Vide tes poches, là sur cette table.
Je fis ce qu'il me demandait.
Il vérifia tous mes papiers, mon permis de conduire, mon permis de séjour et finit par découvrir le passe-partout au fond du porte-monnaie. J'en avais scié un bout, et j'avais fait une entaille sur le dessus pour pouvoir le faire tourner à l'aide d'une petite pièce de monnaie, mais il était encore trop long de cinq centimètres et c'est son poids qui lui en révéla la présence. Harper le regarda avec curiosité.
— C'est toi qui as fait ça ?
— La clef non, le reste c'est bien moi.
Inutile de lui mentir sur ce point.
Il hocha la tête.
— Voilà qui est mieux. Reprenons un peu l'affaire. Tu te fais entretenir et tu t'y connais pour piquer, à l'occasion, les chèques de voyage dans les chambres d'hôtel, ça nous le savons. Sais-tu aussi imiter les signatures ?
— Oui.
— Falsification de signatures par-dessus le marché. Dis-moi, tu as déjà été pris sur le fait ?
— Non, monsieur.
— Tu dis bien la vérité cette fois ?
— Je vous assure.
— As-tu un casier judiciaire chargé ?
— Ici, à Athènes ?
— Oui, commençons par là.
J'hésitai et finis par répondre :
— Pas précisément. Voulez-vous parler de contraventions ?
— Ce n'est pas ce que je te demande, tu le sais très bien, assez tergiversé.
Je me mis à éternuer, mon nez recommença à saigner. Il eut un soupir d'énervement, prit sur le plateau des boissons un paquet de serviettes en papier qu'il me lança au visage.
— Je t'avais déjà assez bien jugé à l'aérodrome, mais je ne pensais pas que tu puisses être aussi bête. Pourquoi as-tu raconté à cette Kira que tu n'avais pas dîné ?

Je haussai les épaules et répondis :

— Pour pouvoir venir jusqu'ici.

— Pourquoi ne pas lui avoir dit que tu allais faire le plein ? J'aurais probablement gobé ton histoire.

— Je n'ai pas cru que c'était important ; quelle raison aviez-vous de me soupçonner ?

Il se mit à rire.

— Oh là là, mon vieux, je sais ce que coûte ta voiture et le prix de l'essence. Avec le tarif que tu m'as demandé, tu ne pouvais pas t'en tirer. C'est vrai que tu touches une commission au restaurant, dans la boîte et à la maison close où tu m'as mené, mais ça ne fait pas beaucoup d'argent tout ça : tu as sûrement une autre combine. Kira ne la connaît pas exactement, mais elle sait que tu en as une, puisqu'elle t'a déjà aidé à encaisser un certain nombre de chèques de voyage.

— Elle vous l'a dit ?

J'étais vraiment atterré. Le moins qu'on puisse attendre d'une patronne de maison close, c'est la discrétion.

— Et pourquoi pas ? Tu ne lui as pas dit que tu les avais volés, n'est-ce pas ?

Il vida son verre de brandy.

— Il ne m'arrive pas souvent de soudoyer une fille, mais cette fois-ci je l'ai fait, je voulais en savoir davantage sur ton compte. Lorsque ces dames ont compris que je ne serais pas un ingrat, elles se sont montrées toutes les deux vraiment très complaisantes. Maintenant à toi de parler.

Je bus une gorgée de brandy.

— D'accord, j'ai été condamné trois fois.

— Pour quel motif ?

— Chaque fois pour m'être fait passer pour un guide officiel. En fait, je voulais seulement épargner à un ou deux clients des commentaires archéologiques assommants. Les guides officiels doivent les apprendre par cœur avant de passer l'examen. Les touristes aiment avoir des détails sur ce qu'on leur montre, à condition que ce ne soit pas ennuyeux.

— Que s'est-il passé ? Tu es allé en prison ?

— Mais non. J'ai dû payer une amende.

Avec un hochement de tête, il fit remarquer.

— C'est bien ce que pensait Irma. Continue sur ce ton, puisque tu parais décidé à ne plus me raconter d'histoires. Peut-être que nous tiendrons la police en dehors de l'affaire. Es-tu jamais allé en prison, purger une peine, par exemple ?

— Je ne vois pas pourquoi on m'aurait...

— Très bien, laisse tomber, coupa-t-il. Que s'est-il passé en Turquie ?

— En Turquie ? Mais pourquoi ?

— Y es-tu allé ?

— Oui.

— Tu as un casier judiciaire là-bas aussi ?

— J'ai dû payer une amende à Istanbul pour avoir fait visiter un musée à des clients.

— Quel musée ?

— Le Topkapi.

— Tu t'étais fait passer pour un guide officiel cette fois-là ?

— Les guides doivent avoir une licence, en Turquie ; je ne l'avais pas.

— Connais-tu la route d'ici à Istanbul ?

— Est-ce un délit ?

— Contente-toi de répondre à ma question.

— Oui je l'ai faite quelquefois. Certains touristes aiment y aller par la route. Pourquoi me demandez-vous ça ?

Au lieu de me répondre, il sortit une enveloppe du secrétaire et se mit à griffonner au crayon. J'avais une furieuse envie de griller une cigarette, mais j'avais peur de lui donner l'impression de prendre maintenant les choses à la légère. J'étais vraiment perplexe et ennuyé et je ne voulais pas qu'il en doutât le moins du monde. Je me contentai donc de boire mon brandy.

Il s'arrêta enfin de griffonner et me regarda :

— Très bien, Arthur. Voici un bloc de papier à lettres et un stylo. Écris ce que je vais te dicter. Ne discute pas. Fais ce que je te dis.

J'étais absolument abasourdi. Je pris le stylo.

— Tu es prêt ?

— Oui.

— Destinataire : « Commissariat central. Athènes. » Tu as entendu ? Maintenant tu continues. « Je soussigné Arthur A. Simpson » demeurant à... — tu mets ton adresse — reconnais par la présente m'être introduit le 15 juin au moyen d'un passe-partout interdit, dans l'appartement occupé par M. Walter K. Harper, à l'hôtel *Grande-Bretagne* et lui avoir volé des chèques de voyage de l'*American Express* pour un montant de trois cents dollars. Les numéros des chèques étaient...

Pendant qu'il fouillait sa poche pour les sortir, je commençai à protester.

— Monsieur Harper, il m'est impossible d'écrire ça. Je serais condamné sans pouvoir me défendre.

— Tu voudrais donc te défendre, maintenant ? Très bien, j'appelle la police et tu t'expliqueras sur ce passe-partout.

Il s'arrêta, puis reprit plus calmement :

— Écoute, mon garçon, peut-être serons-nous jamais les seuls toi et moi à lire cela, peut-être que dans une semaine il n'en sera plus question. Je te donne seulement une chance de te tirer d'affaire. Pourquoi la refuser ? Un peu de reconnaissance, voyons !

— Que demandez-vous en contrepartie ?

— Nous verrons ça plus tard. Continue à écrire. « Les numéros des chèques étaient P 89 664 572 jusqu'à P 89 664 577, de cinquante dollars chacun. Je me proposais de contrefaire la signature de M. Harper pour pouvoir les encaisser illégalement. J'ai déjà volé, contrefait la signature de bénéficiaires et encaissé d'autres chèques de cette façon-là. » Tais-toi et continue d'écrire. « Mais je vois à présent que je ne peux persévérer dans mon dessein. En raison de la grande bonté de M. Harper envers moi au cours de sa visite à Athènes et à cause de sa charité chrétienne, je me sens incapable de lui faire du tort. Je joins donc à cette lettre les chèques que je lui ai volés. En prenant cette décision j'ai l'impression de passer de l'obscurité à la lumière, je reconnais à présent que, pécheur de la pire espèce, ma seule chance de pardon est de confesser mes fautes, et d'en supporter les conséquences prévues par la loi. C'est mon unique espoir de gagner mon salut dans l'autre monde. » Maintenant signe !

Je signai.

— Date du 22, non plutôt du 23.

Je datai.

— Donne la lettre.

Je la lui donnai et il la relut deux fois. Puis il me regarda et fit en ricanant.

— Tu n'as plus rien à dire, Arthur ?

— J'ai écrit ce que vous avez dicté.

— D'accord. Essaie de te figurer à présent ce qui se passerait si j'envoyais cette lettre à la police.

Je haussai les épaules.

— Très bien. Voilà ce qui arriverait. D'abord ils penseraient avoir affaire à un cinglé ; d'ailleurs, je passerais pour tel à leurs yeux, moi aussi. Je ne les intéresse guère, je ne serais plus dans les parages de toute façon. Ils ne pourraient pas non plus étouffer l'affaire, à cause des chèques. Trois cents dollars ! Cela mérite considération. Ils commenceraient par aller voir à l'*American Express* et rechercheraient tous les chèques contresignés à faux dans les banques d'Athènes. Ensuite, ils viendraient te cueillir et te cuisineraient, alors que ferais-tu, Arthur ? Tu leur parlerais de moi et de la façon dont les choses se sont réellement passées ? Tu serais assez bête pour le faire, n'est-ce pas ? Alors ils te mettraient tout sur le dos, non, tu es trop malin pour ça. Tu jouerais d'une autre musique. Tu aurais des arguments de défense tout trouvés : confession volontaire, réparation, repentir sincère. Je parie que tu t'en sortirais avec une peine d'un an tout au plus et encore avec sursis !

— Merci bien.

Il ricana à nouveau.

— Ne te fais donc pas de souci, Arthur. Tout cela n'arrivera pas.

Il brandit les chèques et le papier que je lui avais signé.

— Ce n'est qu'un petit contrat d'assurance.

Il prit la bouteille de brandy et remplit mon verre.

— Tu vois, un de mes amis va te confier quelque chose qui a de la valeur.

— Quoi donc ?

— Une voiture que tu vas conduire à Istanbul. Tu toucheras cent dollars, plus les frais pour la course. C'est tout simple.

Un sourire vint tout de même sur mes lèvres :

— Si c'est aussi simple que cela, je ne vois pas le motif de tout ce chantage. Je ferais volontiers ce travail toutes les semaines, à ce tarif.

Il parut chagriné.

— Qui t'a parlé de chantage ? J'ai dit assurance. C'est une Lincoln qui coûte sept mille dollars, Arthur. Sais-tu ce qu'elle vaut en Turquie pour le moment ?

— Quatorze mille.

— Eh bien alors, n'est-ce pas clair ? Suppose que tu l'amènes dans le premier garage venu, et que tu la vendes ?

— Ce serait plutôt difficile.

— Arthur, tu as pris ce soir des risques énormes pour trois cents malheureux dollars. Pour quatorze mille tu ferais bien n'importe quoi, n'est-ce pas ? Allons essaie de comprendre ! Avec ce papier je n'ai pas à me faire de souci, mon ami non plus. Dès que je saurai que la voiture est arrivée à destination, je déchirerai cette petite confession et les chèques que voilà retourneront dans ma poche.

Je restais silencieux, ne croyant pas un mot de ce qu'il disait. Il n'était pas dupe, mais ne paraissait pas s'en soucier. L'air très satisfait, il m'observait.

Je finis par dire :

— C'est entendu, il y a cependant une ou deux choses que je voudrais demander.

Il fit un signe de tête approbatif :

— C'est bien ton droit, mais la seule condition exigée pour ce travail, Arthur, est de ne pas poser de questions.

Une autre réponse de sa part m'aurait surpris.

— Très bien, quand dois-je partir ?

— Demain. Combien de temps te faut-il pour aller à Salonique ?

— Six ou sept heures, environ.

— Voyons, demain c'est mardi. Si tu pars vers midi, tu peux passer la nuit là-bas, et celle de mercredi à Edirné. Tu devrais être à Istanbul jeudi après-midi. Ça ira.

Il réfléchit un moment.

— Dans la matinée, tu prépares un sac de voyage et tu viens ici en taxi ou en autobus. Sois en bas à dix heures.

— Où dois-je prendre la voiture ?

— Je te le dirai demain matin.

— D'accord.

Il tira le verrou de la porte.

— Reprends ton bric-à-brac, et file. Il faut que je dorme un peu.

Je mis mes affaires dans mes poches, et me dirigeai vers la porte.

— Hé là !

Je me retournai. Quelque chose me heurta la poitrine, puis retomba à mes pieds.

— Tu oublies ton passe !

Je le ramassai et partis sans lui souhaiter le bonsoir. Il n'y prêta aucune attention. Il finissait son verre.

Les pires souvenirs que je garde de l'école, ce sont les corrections que j'y ai reçues. Elles étaient administrées selon un rituel précis. Le professeur dont vous aviez poussé la patience à bout, ne vous tenait plus de beaux discours ou, s'il était d'un tempérament tranquille, ne serrait plus les dents, il vous disait simplement : « Portez ce billet au directeur ! » On savait ce que cela voulait dire. Le billet était toujours libellé de la même manière : « Demande d'autorisation pour sévir », suivie des initiales du professeur. Mais il le pliait soigneusement avant de vous le remettre. On ne devait pas en prendre connaissance, évidemment. Je me demande pourquoi ; peut-être parce que cela l'ennuyait d'avoir à demander cette autorisation.

De toute manière, il fallait bien aller chez « le Crin ». Parfois on le trouvait dans son bureau ; mais le plus souvent il faisait un cours de trigonométrie ou de latin aux grands. On devait alors entrer dans la classe et attendre qu'il veuille bien remarquer votre présence. Cela pouvait durer de cinq à dix minutes, selon son humeur. C'était un grand gaillard, taillé en force, avec des masses de poils noirs sur le revers des mains, et une figure rougeaude. Quand il faisait son cours, il parlait très vite, et au bout de quelques minutes apparaissaient de petits flocons blancs de salive aux coins de sa bouche. Quand il était de bonne humeur, il vous interpellait dès que vous entriez et vous lançait quelque quolibet du genre : « Ah, mon bon Simpson — pas si bon après tout — qu'y a-t-il pour votre service ? » Quelle que fût la plaisanterie cela mettait en joie toute la classe qui se tordait de rire, et plus les élèves riaient, plus il faisait durer le supplice : « Qu'avez-vous bien pu faire, Simpson, allons, dites-le-nous ! » Il fallait toujours lui expliquer ce que l'on avait fait — ou pas fait —(bâclé ses devoirs, menti, jeté des boulettes trempées dans l'encre), et pas question de lui cacher la vérité car il n'avait qu'à vérifier auprès du professeur. Quand il vous avait dûment ridiculisé il signait le billet et vous renvoyait.

Avant l'histoire de ce poème *l'Enchantement*, je crois qu'il m'avait plutôt dans sa manche, car je faisais semblant d'apprécier hautement ses plaisanteries même si j'en étais le triste objet. Quand il était de mauvaise humeur, il vous donnait du « monsieur », ce que je trouvais idiot. « Eh bien, monsieur, qu'est-ce qui vous arrive ? vous avez copié en cachette ? quel petit esprit, monsieur, quelle mesquinerie ! et maintenant sortez et ne me dérangez plus ! »

De retour dans votre classe, vous donniez au professeur le billet contresigné. Alors, il enlevait sa toge afin d'avoir les bras bien libres et il sortait la canne de son bureau. Toutes les cannes étaient de la même taille, quarante centimètres environ, et de bonne grosseur. Certains professeurs vous emmenaient au vestiaire pour vous administrer la correction, mais d'autres l'exécutaient sous les yeux de toute la classe. Il fallait se baisser et toucher ses orteils, et il vous frappait de toutes ses forces, comme s'il essayait de casser la canne. On aurait dit un fer rouge en travers de votre postérieur, et si le deuxième coup était appliqué exactement à la même place, on aurait dit une trique garnie de clous. Il s'agissait de ne pas pleurer et de ne pas faire d'embarras. Je me souviens d'un élève qui mouilla ses culottes après une telle séance et qu'il fallut renvoyer chez lui ; un autre rentra dans la classe et vomit, le professeur dut faire appeler le concierge pour nettoyer (on envoyait toujours chercher le concierge dans ces cas-là ; le type arrivait avec un seau et une serpillière et disait toutes les fois : « C'est tout ? » comme s'il regrettait que ce fût pas du sang). La plupart des garçons, cependant, encaissaient bien la correction, ils rougissaient violemment puis essayaient de regagner leur place comme si de rien n'était. Non par orgueil, mais pour s'attirer la sympathie des autres. Si un garçon se permettait de pleurer, on n'éprouvait aucune pitié pour lui. On se sentait seulement très mal à l'aise parce qu'il s'apitoyait sur lui-même et on lui en voulait de montrer ainsi au professeur que la punition avait porté. Une des choses les plus valables que Coram, et en particulier ses corrections m'ont enseignée, c'est la haine. Jamais je n'oubliais ni ne pardonnais une correction avant de m'être vengé du maître qui me l'avait administrée. Après nous étions quittes. S'il était marié, j'envoyais à sa femme une lettre anonyme disant qu'il était sodomite et qu'il s'intéressait de près aux petits garçons. S'il était célibataire, j'envoyais la lettre aux parents d'un élève en guise d'avertissement. En général, je ne savais pas si cela avait porté, mais en deux occasions au moins j'appris que les parents avaient interrogé leur fils et fait suivre la lettre au « Crin ». Je ne m'en vantais jamais, de peur qu'un camarade ne me chipât l'idée. Mon écriture étant aussi très habilement déguisée, jamais les professeurs ne purent découvrir d'où venaient les lettres. Tant qu'ils n'avaient que des soupçons mais pas de preuves, j'étais satisfait : ils savaient que je pouvais rendre coup pour coup, que j'étais un ami fidèle mais aussi un ennemi redoutable.

Telle était mon attitude vis-à-vis de Harper. Il m'avait infligé une correction mais au lieu de pleurnicher sur mon sort, comme quiconque l'eût fait, je me mis à chercher comment lui rendre la pareille. De toute évidence, tant qu'il avait en main ma « confession » je ne pouvais rien faire mais je savais une chose : c'est qu'il était un escroc. Quel genre d'escroc, je l'ignorais encore, mais je découvrirais des preuves un jour ou l'autre et alors, sans prendre de risques personnels, je le dénoncerais à la police.

Nicki était couchée lorsque je revins à l'appartement. J'avais espéré qu'elle dormirait parce que le côté de mon visage où j'avais été frappé était encore tout rouge, et je ne me sentais pas d'humeur à fournir des explications ; mais elle avait la lumière allumée et lisait une revue française de mode.

— Bonjour, mon chou, me dit-elle.

— Hello, répondis-je.

Et je me glissai dans la salle de bains pour me débarrasser du mouchoir taché de sang. Puis je revins dans la chambre et commençai à me déshabiller.

— Tu n'es pas resté longtemps au Club, fit-elle.

— Il voulait terminer la soirée chez Irma.

Cette précision de ma part ne lui plut pas, naturellement :

— En sais-tu davantage sur lui ?

— C'est un homme d'affaires, dans les machines à calculer, je crois. Il a un ami qui possède une Lincoln. Il veut que j'amène la voiture à Istanbul. Je pars demain. Il paie très bien — cent dollars américains.

Elle se redressa brusquement :

— Magnifique, n'est-ce pas ?

C'est alors qu'elle remarqua ma figure, c'était inévitable.

— Que t'est-il donc arrivé ?

— J'ai eu un petit accident. Un imbécile avec une Simca. J'ai dû m'arrêter brusquement.

— La police est venue ?

Depuis que j'avais été accusé une fois (à tort) d'avoir causé un accident en conduisant en état d'ivresse, elle avait la fâcheuse habitude de croire que tous les accidents de la circulation auxquels j'étais mêlé, attireraient sur moi des poursuites judiciaires.

— Ce n'était pas grave, dis-je.

Je m'éloignai un peu pour accrocher mes vêtements.

— Seras-tu absent longtemps ?

Elle paraissait avoir accepté la thèse de l'accident.

— Deux ou trois jours. Je reviendrai à l'improviste pour te surprendre dans les bras d'un joli garçon.

Je pensais ainsi la dérider un peu, mais elle n'esquissa même pas un sourire. Je me glissai dans le lit à côté d'elle et elle éteignit. Quelques instants plus tard, elle me demanda :

— Pourquoi un homme comme M. Harper désire-t-il aller dans une maison de rendez-vous ?

— Sans doute parce qu'il est impuissant partout ailleurs.

Elle resta silencieuse un moment. Puis elle me mit une main sur le visage.

— Que s'est-il vraiment passé, mon chou ?

J'eus un instant envie de tout lui raconter, mais cela m'aurait obligé à reconnaître que je lui avais menti au sujet de l'accident, aussi ne répondis-je rien. Un moment plus tard elle se tourna sur le côté et s'endormit.

Elle dormait encore, ou faisait semblant, quand je partis le lendemain matin.

Harper me fit attendre dix minutes, juste assez longtemps pour que je me rappelle avoir oublié de couper la batterie de ma voiture. Elle avait tendance à se décharger, de toute façon, et la pendule électrique la mettrait à plat avant que je sois de retour. Je me demandais si j'avais le temps de téléphoner à Nicki pour qu'elle prie le concierge de couper cette batterie, quand Harper arriva.

— Alors tu es prêt ?

— Oui.

— Nous prenons un taxi.

Il indiqua au chauffeur la rue Stele, au Pirée.

En route il ouvrit sa serviette et en sortit une grande enveloppe. Elle ne s'y trouvait pas la veille au soir, j'en suis sûr, et il me la tendit.

— Il y a là dedans tout ce dont tu as besoin, carnet de tourisme pour la voiture, carte verte de l'assurance, mille drachmes grecques, cent livres turques et cinquante dollars américains pour les imprévus. Le carnet a été contresigné pour te permettre de passer la voiture à la douane, mais tu ferais mieux de tout vérifier.

C'est ce que je fis. Le carnet indiquait que la voiture était immatriculée à Zurich et que son propriétaire, ou du moins la personne qui en avait légalement la charge, était une certaine Fraülein Élisabeth Lipp demeurant à l'hôtel *Excelsior*, Laufen, Zurich.

— Miss Lipp est l'amie dont vous m'avez parlé ?

— Oui.

— Nous allons la voir maintenant ?

— Non, mais tu la rencontreras peut-être à Istanbul. Si à la douane on te demande des explications, réponds que l'idée de faire quatorze cents kilomètres en voiture ne la tentait guère et qu'elle a préféré prendre le bateau.

— Elle voyage comme touriste ?

— Mais oui, c'est la fille d'un de mes associés à qui je fais une faveur. Au fait tu pourras te faire un petit complément si elle te demande de lui servir de chauffeur en Turquie. Elle te priera peut-être de ramener plus tard la voiture ici. J'ignore ses projets.

— Je comprends.

Pour quelqu'un qui m'avait prié de ne pas poser de questions, il devenait étrangement loquace.

— Où faut-il que je livre la voiture à Istanbul ?

— Nulle part. Tu descendras au *Park Hôtel* où on t'aura retenu une chambre. Installe-toi et attends les instructions.

— D'accord. A quel moment me rendrez-vous la lettre que j'ai signée ?

— Lors du paiement, en fin de mission.

La rue Stele longeait le port. Coïncidence curieuse, un navire de la Compagnie Denizyollari était à quai, et on embarquait justement une voiture. Je jetai un coup d'œil vers Harper pour voir sa réaction. Il paraissait n'avoir rien remarqué. Je ne fis aucun commentaire. Ce n'était pas à moi de lui fournir des précisions. S'il me croyait vraiment assez bête pour gober la version du voyage de Fraülein Lipp et des dispositions qu'elle avait prises, tant mieux. J'étais assez grand pour me débrouiller seul ; du moins le croyais-je.

Il y avait un garage à mi-hauteur de la rue avec un vieux pneu Michelin au-dessus de l'entrée, en guise d'enseigne. Il dit au chauffeur d'arrêter et de nous attendre. Nous nous dirigeâmes vers le bureau. L'homme qui se trouvait à l'intérieur sortit, en voyant Harper par le guichet. Il était mince, avait les cheveux noirs et portait un bleu taché de graisse. Harper et lui avaient l'air de bien se connaître ; malheureusement, ils parlaient allemand, langue que je ne comprends pas.

Une minute ou deux plus tard, l'homme nous conduisit à travers un petit atelier et par une cour remplie de carcasses de voitures, à une rangée de garages fermés à clef. Il en ouvrit un, celui de la Lincoln. C'était le modèle européen, à quatre portes. Elle était grise et ne devait pas avoir plus d'un an. L'homme tendit les clefs à Harper qui monta dedans, démarra et sortit du garage. La voiture paraissait immense. Harper descendit.

— Ça va, me dit-il. On l'a révisée, le plein a été fait, tu peux te mettre en route.

— Très bien. Je posai mon sac sur le siège arrière.

— Je voudrais auparavant donner un coup de téléphone.

Il fut immédiatement sur ses gardes.

— A qui ?

— Au concierge de mon immeuble pour lui dire que je dois m'absenter plus longtemps que je ne le prévoyais et lui demander de couper la batterie sur ma voiture.

Il hésita, puis me dit en hochant la tête :

— D'accord. Fais-le depuis le bureau.

Il échangea quelques mots avec l'homme en bleu et ils m'accompagnèrent tous deux.

Ce fut Nicki qui répondit. Je lui demandai de faire la commission. Lorsqu'elle commença à me reprocher de ne pas l'avoir réveillée pour lui dire adieu, je raccrochai. J'avais parlé en grec, mais Harper n'avait pas cessé de m'écouter.

— C'était une voix de femme, fit-il remarquer.

— C'était la femme du concierge. Ça vous dérange ?

Il dit quelques mots à l'homme en bleu, mais je ne pus saisir que *adressat*. L'autre avait sans doute voulu savoir si j'avais indiqué l'adresse du garage. Il hocha la tête négativement.

Harper me regarda :

— Ça ne me dérange pas, mais n'oublie pas qu'à partir de maintenant c'est pour moi que tu travailles.

— Vous serez à Istanbul, ou vous attendrez mon retour ?

— Tu verras bien. En route.

Je passai une minute ou deux à me familiariser avec le tableau de bord pendant qu'ils m'observaient. Puis je démarrai, revins sur Athènes et pris la route Thèbes - Larissa - Salonique.

Moins d'un kilomètre plus loin, je remarquai que le taxi qui nous avait amenés au garage me suivait. Je conduisais lentement pour me familiariser avec la voiture, il aurait dû me dépasser, mais sans doute Harper voulait-il s'assurer que je prenais la bonne direction.

Huit kilomètres environ après Athènes, je vis le taxi s'arrêter et faire demi-tour. J'étais enfin seul. Je roulai une quarantaine de minutes jusqu'au premier champ de coton où je pris une route transversale pour m'arrêter à l'ombre de quelques acacias.

Je passai une bonne demi-heure à fouiller la voiture. Les cachettes classiques d'abord : le fond du logement de la roue de secours, le dessous des sièges, le dos du tableau de bord. j'enlevai ensuite tous les enjoliveurs. Certains sont très profonds, surtout sur les voitures américaines. J'avais entendu parler d'un homme qui avait réussi à passer de cette façon-là deux kilos d'héroïne à chaque voyage. Mais les enjoliveurs étaient absolument vides. Je sondai également le réservoir à l'aide d'une longue baguette, dans le cas où on y aurait aménagé un compartiment à l'intérieur ou sur le dessus. C'est une bonne cachette, ça aussi. Peine perdue.

J'aurais voulu me glisser sous la voiture pour voir s'il n'y avait pas quelques récents points de soudure, mais elle était trop basse. Je décidai donc de m'arrêter dans une station de graissage à Salonique, et de la faire mettre sur le pont pour l'examiner. Il y avait aussi un aérateur sur la voiture, j'en dévissai le couvercle et y jetai un coup d'œil ; toujours rien.

L'ennui était que je n'avais pas la moindre idée de ce que je cherchais : bijoux, drogue, or, devises. Et pourtant, je sentais bien qu'il y avait quelque chose. Puis j'abandonnai, m'assis et fumai une cigarette tout en essayant de deviner ce qu'il pouvait être intéressant de passer en fraude de Grèce en Turquie. Je n'en savais rien. Je tirai le carnet de passage et détaillai l'itinéraire complet de la voiture. Elle venait de Suisse, via l'Italie et le ferry de Brindisi à Patras. Les souches montraient que c'était Fraülein Lipp qui l'avait conduite jusque là. Elle, au moins, avait l'expérience du transport des voitures par ferry. Cela rendait l'affaire encore plus mystérieuse.

Puis un détail me revint à l'esprit. Harper avait fait allusion à mon retour possible au volant de la voiture, Istanbul - Athènes. Si c'était ça le fond de l'affaire ? Je passe de Grèce en Turquie parfaitement en règle, sans la moindre anicroche. De chaque côté de la frontière, on aura remarqué la voiture et le chauffeur. Au retour, quelques jours plus tard les douaniers diront :

— Alors, content de votre petit séjour à Istanbul ? Toujours en forme ? Rien à déclarer ? Pas de magot caché dans les coins ? ça va mon ami, vous pouvez passer.

La voiture rentre au garage du Pirée, l'homme en bleu récupère les paquets d'héroïne dissimulés le long du châssis, sous les ailes et sous le carter de la boîte automatique. A moins qu'un salopard de Macédonien du côté grec ne cherche de l'avancement. En ce cas, te voilà avec une mauvaise affaire de contrebande sur les bras, toi, le chauffeur sans scrupules de la belle dame suisse aux mains pures, qui s'en tire sans se mouiller.

Il ne me restait plus qu'à ouvrir l'œil et le bon.

Je repris la route et atteignis Salonique vers six heures. Pour ne rien négliger, je m'arrêtai à un grand garage et donnai deux drachmes au garçon pour qu'il me la mette sur le pont. Je lui dis que je cherchais à localiser un bruit désagréable. Pas trace de soudure récente. Je n'en fus guère surpris, m'étant mis dans l'idée que ce serait au retour que la partie se jouerait.

Je trouvai un petit hôtel confortable, me payai un bon dîner et une bouteille de vin vieux à la santé de Harper et me couchai tôt. Je partis de bonne heure le lendemain. Il faut huit heures pour aller de Salonique, par la Thrace, jusqu'à la frontière turque près d'Edirné (l'ancienne Andrinople). Si on arrive tard, on trouve parfois le poste frontière fermé.

J'arrivai vers quatre heures et demie, franchis la douane grecque sans difficulté, mais à Karaagac, du côté turc, je dus patienter derrière quelques camions maraîchers. Mon tour arriva cependant, vingt minutes plus tard. J'entrai dans le poste, mon carnet de route et mes autres papiers à la main. Il était pratiquement désert.

Naturellement l'important était de passer la voiture. Je laissai donc mon passeport et ma déclaration de devises au contrôle de police et me dirigeai sans plus attendre vers le guichet de la douane pour y présenter mon carnet de passage.

Tout paraissait marcher à merveille. Un douanier m'accompagna à la voiture, fouilla rapidement mon sac et se contenta de jeter un coup d'œil à l'intérieur de la Lincoln. Il paraissait las et impatient de rentrer chez lui se mettre à table.

— Touriste ? me demanda-t-il.

— Oui.

Nous rentrâmes ; il tamponna le carnet pour l'entrée de la voiture et détacha le volet qu'il devait garder. Il venait de plier le carnet et de me le rendre lorsque quelqu'un me frappa sur l'épaule.

C'était le policier. Il avait mon passeport à la main. Je voulus le prendre, mais il fit non de la tête et se mit à l'agiter sous mon nez en parlant turc.

Je sais l'égyptien et il y a beaucoup de mots arabes en turc ;

mais les Turcs les prononcent d'une drôle de façon et y ajoutent bon nombre de mots en vieux turc et en persan. Je haussai les épaules, il s'expliqua alors en français et je compris. Mon passeport était périmé depuis trois mois.

Je réalisai tout de suite comment cela avait pu arriver. Quelques mois plus tôt j'avais eu des ennuis avec le consulat égyptien (ou de « République Arabe Unie » comme ils préfèrent qu'on l'appelle) et j'avais négligé de faire renouveler mon passeport. En fait, j'avais décidé que plutôt que de le faire prolonger, je déposerais une demande auprès du Consulat britannique pour recouvrer la nationalité à laquelle, qu'on le sache bien, j'ai parfaitement droit. Malheureusement j'avais été trop occupé pour trouver le temps de remplir tous les papiers nécessaires. Mon permis de séjour grec était encore valable et me suffisait en temps normal. Je trouve toute la réglementation actuelle réellement assommante. Naturellement avec la tension d'esprit que m'avait value mon histoire avec Harper, je n'avais pas pensé à vérifier le délai de validité de mon passeport. Si j'avais su qu'il était périmé, j'aurais veillé au grain, j'aurais lié conversation avec le préposé aux passeports pendant qu'il donnait le coup de tampon nécessaire, ou j'aurais trouvé un autre moyen. Je ne me suis jamais laissé prendre à l'improviste comme cela auparavant.

Telle qu'elle était engagée, l'affaire prit tout de suite des proportions catastrophiques en dépit de tous mes efforts. Le policier refusa de me tamponner mon passeport :

— Je devais, dit-il, retourner à Salonique, pour le faire renouveler par le vice-consul d'Égypte avant de pouvoir entrer en Turquie.

Cela m'était bien impossible, mais je n'eus même pas à leur expliquer pourquoi, car à ce moment-là le douanier vint se mêler à la discussion, agitant le carnet de passage et prétendant à grand renfort de voix que la voiture, elle, avait passé et était donc à présent et de par le règlement en Turquie. Comme moi je n'étais pas autorisé à mettre le pied sur le territoire turc pour le moment, comment m'autoriser à ressortir la voiture ? Quelle importance que le passeport fût périmé ? Faire tout un drame pour ces trois malheureux mois, allons donc ! Pourquoi ne pas tamponner tout bonnement le passeport, me faire entrer en Turquie et oublier l'incident ?

C'était ce que je crus comprendre à son flot de paroles, car ils se parlaient à nouveau en turc et s'accablaient d'invectives sans plus faire le moindre cas de ma personne. Si j'avais pu rester en tête à tête avec le policier, j'aurais essayé d'acheter sa bonne volonté, mais devant l'autre type qui ne paraissait pas décidé à s'en aller, c'était trop risqué. Finalement ils partirent en référer à un supérieur, me laissant planté là, sans carnet de passage ni passeport, mais par contre dans de très mauvais draps. Mon seul espoir alors, était de les voir accepter la suggestion du douanier, de ne pas tenir compte de la date indiquée sur mon passeport.

Avec un peu de chance cela aurait pu se passer ainsi. Je dis bien « un peu de chance » parce que cela n'aurait pas marché tout seul quand même on m'eût laissé passer. J'aurais dû acheter un timbre consulaire égyptien à Istanbul de toute façon et falsifier la date de renouvellement de mon passeport — pas facile tout ça — ou alors j'aurais dû me rendre au Consulat général de Grande-Bretagne à Istanbul, faire une déclaration de perte de passeport britannique et essayer d'obtenir un permis de séjour temporaire sans laisser à l'employé la latitude de procéder aux vérifications nécessaires — pas facile non plus. Mais du moins je me serais trouvé aux prises avec des difficultés qu'un homme placé comme moi dans une situation irrégulière pouvait comprendre et essayer de résoudre. Mais c'était autrement plus sérieux cette fois-ci que tout ce que j'avais déjà affronté.

Je restai au poste de douane dix minutes environ sous la surveillance d'un planton qui gardait la porte, revolver à la ceinture, décidé, semblait-il, à chercher le moindre prétexte pour me tirer dessus. Je m'efforçais de faire bonne contenance, sa présence cependant n'était guère rassurante, de plus, je commençais à souffrir de l'estomac.

Un moment plus tard, le policier revint et me fit signe de

le suivre le long d'un couloir sur lequel donnait une petite salle de garde.

— Et alors ? demandai-je en français.

— Le commandant du poste veut vous voir.

Il frappa à la porte du fond, et me fit entrer.

Dans le petit bureau, il n'y avait que quelques chaises dures, et au centre une table sur tréteaux couverte de feutre vert, près de laquelle se tenait debout le douanier. Un homme de mon âge, au visage blafard marqué de rides, était assis à la table. Il était en tenue d'officier et me semblait appartenir aux forces armées de police. Le carnet de passage et mon passeport se trouvaient devant lui sur la table.

Il me dévisagea, l'air sévère.

— C'est votre passeport ? Il parlait bien le français.

— Oui, monsieur, je suis navré de n'avoir pas remarqué qu'il était périmé.

— Vous m'avez causé beaucoup d'ennuis.

— Je m'en rends compte, monsieur. Ce n'est que lundi soir qu'on m'a demandé de faire ce voyage. Je suis parti hier matin. J'étais pressé. Je n'ai pas songé à vérifier mes papiers.

Il jeta un coup d'œil sur le passeport.

— Je vois que vous êtes journaliste. Vous avez dit au douanier que vous étiez chauffeur.

Il était donc méfiant, ce qui aviva mes craintes.

— Je sers de chauffeur, monsieur. J'ai été et je suis encore journaliste, mais il faut bien vivre et les choses ne sont pas toujours faciles dans ce métier.

— Pour l'heure, vous êtes chauffeur, c'est donc une irrégularité de plus sur votre passeport, hein ?

Il déformait les faits, je jugeai cependant préférable de ne pas le contrarier.

— Coup de sort, monsieur. A Athènes, j'ai ma propre voiture avec laquelle je fais le chauffeur de taxi.

Regardant le carnet de passage avec attention, il me dit en fronçant le sourcil :

— Cette voiture qui est indiquée ici appartient à Élisabeth Lipp. Êtes-vous à son service ?

— A titre temporaire, monsieur.

— Où est cette dame ?

— A Istanbul, je crois, monsieur.

— Vous n'en êtes pas sûr ?

— J'ai été engagé par son agent pour conduire sa voiture à Istanbul. Cette demoiselle s'y rend sans doute, mais elle préfère faire le voyage par bateau.

Il y eut un silence inquiétant. Il examina le carnet de passage à nouveau, puis me dévisageant, me demanda :

— Quelle est la nationalité de cette personne ?

— Je l'ignore, monsieur.

— Son âge ? pouvez-vous me la décrire ?

— Je ne l'ai jamais vue, monsieur. Je n'ai eu affaire qu'à son agent.

— Elle va donc d'Athènes à Istanbul par bateau, ce qui demande vingt-quatre heures, mais elle envoie sa voiture faire deux mille kilomètres par la route en trois jours. Si elle tient à avoir la voiture à Istanbul, pourquoi ne pas l'avoir mise sur le bateau avec elle ? ça n'est pas difficile et ça ne coûte presque rien.

Je ne le savais que trop bien. Je haussai les épaules.

— J'ai été payé pour conduire, monsieur, et même bien payé, et non pour discuter les plans de cette dame.

Il me regarda un moment l'air songeur, puis griffonna quelques mots sur une feuille de papier qu'il tendit au douanier. Ce dernier sortit rapidement en hochant la tête après les avoir lus.

Le commandant parut plus détendu.

— Ainsi vous ignorez tout de la dame à qui appartient la voiture. Parlez-moi un peu de son agent, appartient-il à un bureau de voyages ?

— Non monsieur, c'est un Américain, un ami du père de Fraülein Lipp.

— Comment s'appelle-t-il ? Où habite-t-il ?

Je lui dis tout ce que je savais sur Harper et les relations que j'avais eues avec lui. Je ne soufflai mot de l'histoire des chèques de voyage. Pourquoi l'aurais-je fait ?

Il m'écouta en silence, hochant la tête de temps à autre. A mesure que je racontais mon histoire, son attitude se faisait tout autre. Elle était devenue presque aimable.

— Vous connaissez le parcours ? me demanda-t-il.

— Je l'ai déjà fait plusieurs fois, monsieur.

— Avec des touristes ?

— Oui, monsieur.

— Jamais seul ?

— Non, monsieur. Les touristes aiment voir le mont Olympe, visiter Salonique et Alexandroupolis.

— Alors comment cette offre de M. Harper ne vous a-t-elle pas paru bizarre ?

Je me permis d'esquisser un sourire.

— Monsieur le commandant, dis-je, elle m'a paru si bizarre que j'ai pensé que M. Harper n'avait que deux raisons pour la faire. Ou bien il désirait faire sur la fille de son associé une telle impression de son efficacité qu'il ne pensait pas à demander l'avis de quelqu'un de bien renseigné.

— Ou bien ?

— Il savait que les autos transportées par les bateaux de la Denizyollari à Istanbul doivent être accompagnées de leur propriétaire comme passager et il ne désirait peut-être pas assister au contrôle de douane au cas où l'on découvrirait dans la voiture quelque chose qui n'aurait pas dû s'y trouver.

— Je vois, dit-il, en souriant doucement. Mais vous, vous n'y avez pas pensé ?

Nous devenions presque des amis.

— Monsieur le commandant, dis-je, je reconnais que j'ai été étourdi au sujet du renouvellement de mon passeport, mais je ne suis pas un imbécile. Dès que j'eus quitté Athènes hier, je me suis arrêté et j'ai fouillé l'auto de fond en comble, dessous et dessus, dans les roues, partout.

On frappa à la porte et le douanier rentra. Il déposa une feuille de papier devant le commandant. Le commandant la lut et son visage se durcit. Il me fixa à nouveau.

— Vous dites bien que vous avez fouillé la voiture.

— Oui, monsieur, à fond.

— Avez-vous fouillé les portes ?

— A vrai dire non, monsieur. Elles sont scellées, j'aurais pu endommager les garnitures intérieures...

Il dit quelques mots rapides en turc au douanier qui soudain emprisonna mon cou d'un de ses bras et tâta mes poches de sa main libre. Puis il me poussa rudement sur un siège. Muet de stupéfaction, je dévisageai le commandant.

— A l'intérieur des portes, lut-il sur la feuille de papier, on a trouvé douze grenades lacrymogènes, douze grenades explosives, douze grenades fumigènes, six masques à gaz, six parabellum et cent vingt chargeurs de balles de neuf millimètres.

Il déposa le papier sur la table et se leva :

— Au nom de la loi, je vous arrête !

III

Le poste ne possédait pas de cellule ; on me plaça donc dans un des W.-C. sous bonne garde, tandis que le commandant envoyait un rapport sur mon arrestation au quartier général et attendait des instructions. Les toilettes se trouvaient à quelques mètres de son bureau et pendant les vingt minutes qui suivirent, le téléphone sonna quatre fois. Le son de sa voix me parvenait. Je notai que le ton se faisait plus respectueux à mesure que les communications se succédaient.

Je me demandai si je devais m'en réjouir ou non. Les réactions de la police d'un pays restent difficiles à prévoir, même pour quelqu'un qui y a séjourné longtemps. Il arrive parfois que les autorités supérieures se montrent plus compréhensives et plus disposées à accepter des excuses bien senties pour tel ou tel délit, que quelque bureaucrate sadique ou imbu de son importance, trop heureux de se faire valoir. D'autre part, les autorités supérieures disposent de moyens de coercition plus importants. Dans le cas banal d'un pot-de-vin, par exemple, elles attachent de l'importance avant tout au côté moral de l'affaire. Je dois cependant avouer que j'étais surtout préoccupé, à ce moment-là, par le genre de traitement qui m'était réservé. La police naturellement, et à tous les échelons se considère toujours comme parfaitement « correcte »; je sais par expérience — j'ai été arrêté dix ou douze fois dans ma vie — que ce vocable englobe à peu près toutes les éventualités possibles, depuis les plats chauds apportés d'un restaurant voisin et les cigarettes à discrétion, jusqu'au passage à tabac le plus soigné avec coups de genoux dans le bas-ventre si l'on ose se plaindre. J'avais déjà eu maille à partir avec la police turque et en gardais un souvenir cuisant et fort désagréable. Et cependant il ne s'agissait alors que d'infractions plus ou moins graves d'ordre administratif. Cette fois-ci, j'étais inculpé d'avoir détenu des armes, explosifs et autres engins offensifs, d'avoir essayé de les introduire en fraude dans la République turque, de les avoir transportés et introduits sans autorisation préalable, tous motifs d'inculpation infiniment plus graves. Il faudrait du temps pour établir ma totale bonne foi, et bien des événements fort peu réjouissants pouvaient intervenir d'ici là.

Ne pas pouvoir faire reconnaître mon innocence restait une éventualité, qu'en dépit de ma tournure d'esprit réaliste, je me refusais d'admettre.

Après le quatrième appel téléphonique, le commandant sortit de son bureau, donna un ordre au policier qui attendait dans le couloir, puis entra aux toilettes.

— Vous êtes déféré sur-le-champ à la prison militaire d'Edirné, me dit-il.

— Et la voiture que je conduisais, monsieur ?

Il hésita :

— Je n'ai pas d'instructions à ce sujet. Sans doute sera-t-elle gardée comme pièce à conviction.

Les entretiens qu'il venait d'avoir avec l'autorité supérieure paraissaient avoir un peu diminué son assurance. Je décidai d'en profiter pour prendre l'avantage.

— Je dois vous rappeler, monsieur, dis-je avec force, que j'ai déjà protesté auprès de vos services contre ma détention ici. Je proteste à nouveau. La voiture et son contenu tombent sous le coup de votre juridiction. Moi, non. On m'a refusé l'entrée dans votre pays parce que mes papiers n'étaient pas en règle. Par conséquent, du point de vue légal, je ne suis pas en Turquie et vous auriez dû me renvoyer sur-le-champ du côté grec de la frontière. En Grèce, j'ai un permis de séjour parfaitement en règle. Quand vos supérieurs apprendront ces faits regrettables, je suis sûr qu'ils vous en tiendront pour responsables.

C'était bien tourné. Malheureusement cela n'eut d'autre résultat que de l'amuser.

— Ainsi donc, vous êtes juriste aussi bien que journaliste, chauffeur de taxi et contrebandier ?

— Je tiens seulement à vous mettre en garde.

Son sourire s'éteignit :

— Laissez-moi vous mettre en garde, aussi. A Edirné vous ne serez pas remis aux autorités de police ordinaires. Il semble que votre affaire cache peut-être des dessous politiques et vous relèverez désormais de la juridiction de la « Deuxième Section », le Bureau Ikinci.

— Des dessous politiques ? Quels dessous politiques ? J'essayais d'avoir l'air furieux plutôt qu'alarmé.

— Ce n'est pas à moi de vous l'apprendre. Ce n'est qu'un simple avertissement. Le directeur de la « Deuxième Section » est le général Haki. Ce sont ses hommes qui procéderont à votre interrogatoire. Je suis sûr que vous les aiderez de toute votre bonne volonté. Je vous conseille même de le faire dès le début. Il paraît que leur patience est courte. C'est tout.

Il s'en alla. Quelques instants plus tard le policier entra. On m'emmena à la prison de la caserne dans une jeep couverte, menottes aux mains et entre deux soldats. La prison était un vieux bâtiment de pierre en dehors de la ville. Un mur ceignait la cour et les fenêtres étaient fermées par des écrans métalliques.

Un des soldats s'adressa au planton de garde à l'intérieur, et quelques minutes plus tard, deux hommes en uniformes différents sortirent par une petite porte de côté. L'un avait un papier qu'il remit au soldat, sans doute mon acte d'écrou. Celui-ci m'enleva aussitôt mes menottes et me fit signe de descendre de la jeep. Mon nouveau gardien me poussa vers la petite porte.

— *Girmek, girmek !* fit-il d'un ton pressant.

Toutes les prisons sentent le désinfectant, l'urine, la sueur et le cuir. Celle-ci ne faisait pas exception. On m'invita à monter un escalier de bois menant à une grille qu'un homme, porteur d'un gros trousseau de clés, ouvrit de l'intérieur. Au-delà, à droite, il y avait une espèce de bureau de réception où un homme était assis derrière un guichet ; derrière lui s'ouvraient deux box. Le garde me poussa vers le guichet et aboya un ordre. Je dis que je ne comprenais pas. Alors l'homme assis au pupitre traduisit :

— Vide tes poches !

J'obéis. A la frontière, on m'avait déjà pris tous mes papiers et mes clés. Il ne me restait plus que mon argent, ma montre, un paquet de cigarettes et des allumettes. Le type du guichet me rendit la montre et les cigarettes et mit l'argent et les allumettes dans une enveloppe. Arriva alors un homme vêtu d'une blouse blanche sale qui entra dans un des box. Il portait un mince porte-documents jaune. Quelques instants plus tard il lança un ordre et je fus introduit auprès de lui.

Le box contenait une petite table, une chaise et un seau recouvert d'un couvercle. Il y avait dans un coin un lavabo et au mur une petite armoire de métal peinte en blanc. L'homme à la blouse blanche était assis à la table et préparait un tampon à empreintes digitales. Il me jeta un coup d'œil et dit :

— Déshabillez-vous !

Le personnel des prisons procède toujours de la même façon. Il fouilla mes vêtements et les chaussures que je venais d'ôter, examina l'intérieur de ma bouche et de mes oreilles à l'aide d'une lampe de poche, puis mit un gant de caoutchouc, sortit un pot de vaseline de l'armoire accrochée au mur et me sonda le rectum. J'ai toujours profondément ressenti cette atteinte à ma dignité. Il prit enfin mes empreintes. Il fit tout cela avec méthode et un détachement de parfait bureaucrate, me donna même un morceau de papier de soie pour m'essuyer les mains, puis me dit de me rhabiller et d'aller dans le box voisin où je vis un appareil photographique équipé de projecteurs et d'une tige de profondeur de champ. Une fois photographié, je fus conduit le long de plusieurs couloirs jusqu'à une porte en bois, verte, portant le mot *Istifham* en lettres blanches. *Istifham* est un mot turc que je connais et qui veut dire « interrogatoire ».

La pièce était percée d'une fenêtre munie d'un volet et de barreaux ; le soleil se couchait ; il faisait déjà très sombre à l'intérieur. Un des gardes qui me suivait alluma. Son camarade ferma la porte à double tour de l'extérieur. L'autre s'assit sur un banc le long du mur et se mit à bâiller bruyamment.

La pièce avait six mètres carrés environ. Dans un coin il y avait des toilettes sans porte. De plus, le mobilier se composait d'une table massive, vissée au plancher, et d'une demi-douzaine de chaises. Il y avait au mur un téléphone et dans un cadre, la photographie de Kemal Ataturk. Un linoléum marron, en mauvais état, couvrait le plancher.

Je sortis mes cigarettes et en offris une à mon gardien ; il me fit non de la tête et prit un air méprisant comme si je lui avais offert un pot-de-vin. Je haussai les épaules, puis portant la cigarette à ma bouche lui fis signe que je voulais du feu. Il secoua de nouveau la tête. Je remis la cigarette dans son paquet et m'assis à la table. Il convenait de prendre l'attitude d'un inculpé qui se prépare à être interrogé par un officier de la « Deuxième Section ». Je me demandais ce que j'allais bien pouvoir lui dire.

Tous les interrogatoires se ressemblent. Je me rappelle mon père essayant de l'expliquer à ma mère un soir, la veille du jour où il fut tué. Malheur au simple soldat qui, comparaissant devant son supérieur, se contente de lui dire la vérité, et ne fait pas preuve d'une imagination suffisante pour enjoliver les faits. S'il est rentré au quartier une demi-heure après l'extinction des feux parce qu'il s'est attardé au café et a manqué le dernier autobus, qui va le plaindre ? Il n'est qu'un sacré fumiste, et écopera huit jours de tôle, c'est réglé. Mais si, à la question : « Avez-vous quelque chose à dire pour votre défense ? », il sait raconter l'affaire avec humour, il pourra s'en tirer avec un simple avertissement. Mon père parlait d'un caporal dans son unité qui savait si bien fabriquer des histoires pour la salle des rapports, qu'il les vendait une demi-couronne pièce. On les appelait des « eh bien, mon capitaine ». Mon père dut en acheter une, un jour où il avait commis le « crime » de rentrer en retard à la caserne. Elle était formulée ainsi :

Eh bien, mon capitaine, je rentrais au quartier par Cantonment Road bien avant l'extinction des feux et d'un pas martial. Parvenu à la hauteur de la galerie marchande d'Ordnance Avenue, j'entendis une femme crier. Temps d'arrêt. *Eh bien, mon capitaine, je m'arrêtai pour écouter et l'entendis crier à nouveau. Il y avait aussi d'autres bruits plus confus. Cela provenait d'un magasin de la galerie, aussi m'avançai-je pour en découvrir la cause.* Nouveau temps d'arrêt, ensuite, mais plus lentement. *Eh bien, mon capitaine, j'aperçus dans une encoignure un de ces métèques, je vous demande pardon mon capitaine, un indigène, en train de molester une femme blanche. Elle avait très bonne façon, mon capitaine.* Un temps d'arrêt pour que la chose fasse son effet. *Eh bien mon capitaine, dès que cette dame me vit, elle m'appela au secours. Elle m'expliqua qu'elle rentrait chez sa mère qui habitait de l'autre côté d'Artillery Park quand cet indigène avait tenté de... de la brutaliser. Je dis au gars de filer mais en guise de réponse, mon capitaine, il devint grossier, me lançant à la tête quelques obscénités de son cru, assaisonnées d'insultes à l'adresse du régiment.* Reprendre son souffle. *Eh bien, mon capitaine, par égard pour la dame je contins ma colère. D'ailleurs je crois que cet individu était ivre ou drogué. Il avait toutefois assez de raison pour rester à bonne distance; mais au moment où j'escortais cette dame hors de la galerie, je m'aperçus qu'il nous suivait, n'attendant qu'une occasion favorable pour la molester à nouveau. Elle le comprit bien. Jamais je n'ai vu une dame aussi terrorisée, mon capitaine. Quand elle m'implora pour que je l'accompagne jusque chez sa mère, je me rendis compte que cela me mettrait en retard; mais si j'avais tout bonnement poursuivi mon chemin et que quelque chose de terrible lui fût arrivé, mon capitaine, je ne me le serais jamais pardonné.* Se mettre au garde-à-vous et fixer sans ciller le mur au-dessus de la tête de l'officier. *Je n'ai pas d'excuses à vous offrir, mon capitaine, j'avalerai ma pilule.* L'officier ne trouve rien d'autre à répondre que : *Qu'on ne vous y reprenne plus*. L'affaire est classée.

L'ennui c'est qu'à l'armée, si vous ne faites pas l'imbécile, ils préfèrent vous laisser le bénéfice du doute, c'est plus facile. D'autre part, ils savent que si vous leur avez monté un bateau, vous avez dû en suer. Avec la police, c'est beaucoup plus difficile. Ils ne tiennent pas du tout à vous laisser le bénéfice du doute. Ils commencent par vérifier point par point votre histoire, ils cherchent des témoins et des preuves afin qu'il n'y ait aucun doute possible. « Quel était le nom de la dame ? Décrivez-la. Donnez l'adresse exacte de la maison où vous l'avez ramenée. La mère était-elle bien là ? L'avez-vous vue ? Il faut vingt-deux minutes à pied de la galerie marchande à l'autre bout d'Artillery Park et trente minutes de là jusqu'à la caserne. Ça fait cinquante-deux minutes. Mais vous aviez deux heures de retard. Où avez-vous passé les autres soixante-huit minutes ? Nous avons un témoin qui dit qu'il vous a vu... etc.... » On ne peut pas acheter des « bobards » assez bons pour berner la police.

Les gars du Service de Contre-espionnage sont encore pires. Neuf fois sur dix, ils n'ont même pas besoin d'établir votre culpabilité pour vous faire passer en justice. Ils sont à la fois le juge, les jurés et le procureur.

Je ne savais rien de cette « Deuxième Section » à laquelle le commandant avait fait allusion mais je pouvais sans peine deviner son rôle. Les Turcs ont toujours aimé emprunter aux Français des mots et des expressions. Le « Burö Ikinci » m'avait tout l'air d'être la copie du 2e Bureau français. Je ne me trompais guère.

Si on me demandait de désigner un groupe d'hommes, un type, un service, comme étant le plus soupçonneux, le plus incrédule, le plus déraisonnable, le plus mesquin, inhumain, sadique, trompeur de n'importe quel pays, je dirais sans hésiter : ce sont les agents des services de Contre-espionnage. Avec eux, inutile de n'avoir qu'une histoire à présenter, surtout si elle est inventée de toutes pièces ; automatiquement ils la croiront fausse. Ce qu'il vous faut, c'est toute une réserve d'histoires, de sorte que quand ils ont éventé la première, vous pouvez sortir la seconde, et quand celle-ci à son tour est écartée, vous sortez la troisième. De cette façon-là, ils croient progresser dans l'interrogatoire, tandis que de votre côté, vous finissez par découvrir quelle histoire ils voudraient vous faire dire.

Ma situation à Edirné était désespérée. Si j'avais su ce qui était caché dans l'auto avant que le commandant m'interrogeât, je n'aurais pas parlé de Harper. J'aurais joué l'imbécile ou simplement refusé de répondre. Puis, un peu plus tard, je me serais effondré et j'aurais « avoué », alors ils auraient cru, au moins en partie, ce que je leur disais. J'avais raconté une histoire qui se trouvait être vraie, mais qui semblait inventée à plaisir, pour berner des imbéciles.

Vous imaginez sans peine mon état d'esprit pendant que j'attendais. Ne m'étant ménagé aucun recul pour manœuvrer, je savais que j'allais passer un mauvais quart d'heure.

Le soleil se coucha et la fenêtre s'obscurcit. Tout était très silencieux. Je n'entendais aucun bruit venir des autres quartiers de la prison. Je présume que l'on avait aménagé les lieux afin que nul ne pût entendre ce qui se passait dans la salle d'interrogatoire, les cris... Au bout de quelques heures, des pas résonnèrent dans le couloir, on ouvrit la porte et un nouveau garde m'apporta une gamelle de soupe de mouton et un quignon de pain. Il déposa le tout sur la table, fit un bref signe de tête à son camarade qui sortit, verrouillant la porte derrière lui. Le nouveau venu prit place sur le banc.

On ne m'avait pas donné de cuillère. Je trempai un bout de pain dans la soupe pour la goûter. C'était tiède et plein de graisse figée. Même si je n'avais pas été malade, je n'aurais pu l'avaler. L'odeur seule me donnait envie de vomir.

Je regardai le garde.

— *Su* ? lui demandai-je.

Il me désigna les toilettes. De toute évidence, si je voulais boire, il fallait le faire au robinet. L'idée ne me souriait guère. Déjà pas agréable d'avoir une indigestion, mais la dysenterie en plus... Je me forçai à manger un peu de pain, puis sortis mes cigarettes dans l'espoir que mon nouveau gardien me donnerait peut-être une allumette. Mais il secoua la tête. J'eus beau lui montrer un cendrier de plastique sur la table pour lui prouver que ce n'était pas interdit de fumer. Peine perdue.

Un peu avant neuf heures, un bimoteur passa au-dessus de la prison et tourna en rond comme pour atterrir. Le bruit signifia sans doute quelque chose pour le garde, car il regarda sa montre et se passa la main sur le devant de la tunique comme pour s'assurer qu'elle était bien boutonnée.

Je lui demandai, plus pour couper le silence interminable que pour le savoir vraiment :

— Y a-t-il un grand aérodrome à Edirné ?

Je parlais en français, mais il ne comprit pas.

Je m'expliquai alors par signes, il ne comprit pas davantage.

— *Askeri ucak,* fit-il brièvement.

Un avion militaire. Cela mit fin à notre conversation ; mais je remarquai qu'il regardait sa montre de plus en plus souvent. C'était probablement la fin de son tour de garde, et il s'impatientait.

Vingt minutes plus tard, j'entendis claquer la portière d'une voiture. Le garde l'entendit aussi et se mit debout, d'un bond. Je le regardai, surpris, et il me lança un regard torve.

— *Hazirol!* aboya-t-il, puis exaspéré : Debout ! debout !

Je me levai. J'entendis des pas s'approcher et des voix. Puis on déverrouilla la porte et on l'ouvrit toute grande.

D'abord il ne se produisit rien, sauf que j'entendis quelqu'un d'invisible continuer de parler dans le corridor. C'était une voix dure et autoritaire qui donnait des ordres brefs à une autre voix pleine de déférence.

— *Evet, evet efendim, derhal.*

Puis les ordres cessèrent et celui qui les avait donnés fit son entrée.

Il devait avoir environ trente-cinq ans ; il était grand et très mince, avait les pommettes saillantes, les yeux gris, les cheveux courts et foncés. Il était bel homme en quelque sorte.

Il portait un costume civil sombre, probablement coupé par un bon tailleur romain, et une cravate de soie grise. Il avait l'air de sortir tout droit de quelque cocktail du Corps diplomatique ; et pourquoi pas après tout ? Il portait au poignet droit une plaque d'identité en or et à la même main, une grande enveloppe de papier bulle.

Il me scruta froidement un instant puis se présenta :

— Je suis le major Tufan, sous-directeur de la Deuxième Section.

— Bonsoir, major.

Il jeta un regard sur le soldat qui le dévisageait les yeux ronds et lui lança un ordre bref.

— *Defol!*

Le type faillit tomber en sortant précipitamment de la pièce.

Dès que la porte fut refermée, le major attira une chaise jusqu'à la table et s'assit. Puis il me renvoya d'un geste à mon siège.

— Asseyez-vous, Simpson. Je crois que vous savez bien le français mais pas le turc ?

— Oui, major.

— Eh bien, nous nous exprimerons en français au lieu de le faire en anglais, ce me sera plus commode.

Je répondis en français.

— Comme il vous plaira, monsieur.

Il sortit des cigarettes et des allumettes de sa poche et me les présenta :

— Vous pouvez fumer.

— Merci.

J'étais heureux de cette concession, mais nullement rassuré. Quand un policier vous offre une cigarette, c'est généralement la première manche d'une partie « parlons d'homme à homme » au cours de laquelle il vous fournit la corde où vous vous pendrez vous-même. J'allumai une cigarette et attendis la deuxième manche.

Il n'était pas pressé de l'engager. Il avait ouvert l'enveloppe et sorti une liasse de papiers qu'il fouillait et rangeait comme s'il venait de la laisser tomber et essayait d'y remettre de l'ordre.

On frappa. Il n'y prêta pas attention. Quelques instants plus tard, la porte s'ouvrit et un garde entra apportant une bouteille de raki et deux verres. Tufan lui fit signe de les déposer sur la table et à ce moment-là remarqua la soupe.

— Vous ne voulez pas la finir ?

— Non, merci, monsieur.

Il dit quelque chose au garde qui emporta la gamelle et le pain et referma la porte derrière lui.

Tufan mit le dossier sur ses genoux et se versa un verre de raki.

— Mon voyage depuis Istanbul n'a pas été de tout repos, dit-il ; nous employons encore de vieux avions à hélice sur les petits parcours. — Il but d'un trait comme pour avaler un cachet et poussa légèrement la bouteille vers moi. — Buvez donc, Simpson, cela vous fera du bien.

— Ça me déliera aussi la langue, n'est-ce pas, monsieur ? répondis-je pour lui montrer que je n'avais pas peur de lui.

Il leva la tête, et ses yeux gris rencontrèrent les miens.

— J'espère que non, dit-il d'un ton froid. Je n'ai pas de temps à perdre.

Il ferma le dossier avec un bruit sec et le posa sur la table devant lui.

— Maintenant, poursuivit-il, résumons la situation. D'abord les délits dont on vous accuse vous font encourir vingt ans de prison au moins. Selon le degré de votre responsabilité dans les dessous politiques de cette affaire, vous risquez même la peine de mort.

— Mais je n'ai aucune responsabilité dans cette affaire, major, je vous l'assure. Je suis une victime des circonstances, une innocente victime.

Peut-être essayait-il de m'intimider avec cette peine de mort, mais je n'en étais pas certain. Pourquoi de nouveau cette allusion à des dessous politiques ? J'avais bien lu dans les journaux que des membres du gouvernement précédent avaient été pendus pour crimes politiques. Je regrettai tout à coup d'avoir refusé le verre qu'il m'offrait. Maintenant mes mains tremblaient et je savais bien que si je les tendais pour me servir à boire, il le remarquerait.

Cependant de toute évidence, il n'avait pas besoin de les regarder pour savoir que le coup avait porté et il voulait me montrer qu'il n'était pas dupe. D'un geste très détaché, il prit la bouteille, et emplit un demi-verre de raki qu'il poussa vers moi.

— Nous parlerons de votre degré de responsabilité dans un instant, dit-il. Examinons d'abord votre passeport.

— Il est périmé. Je le reconnais. Mais ce n'est qu'une simple négligence de ma part. Si le commandant du poste turc avait été correct, il m'aurait renvoyé au poste grec.

Il secoua les épaules avec impatience :

— Voyons un peu ; vous aviez déjà commis de sérieux délits en territoire turc. Croyez-vous échapper aux poursuites simplement du fait que vos papiers ne sont pas en règle? Vous savez bien que c'est impossible. Vous savez aussi que votre passeport n'est pas invalidé par votre seule négligence. Le gouvernement égyptien a refusé de vous le renouveler. En fait, il a révoqué votre nationalité il y a deux ans, parce que vous aviez fait de fausses déclarations sur votre demande de naturalisation. Il jeta un coup d'œil au dossier. — Vous déclariez que vous n'aviez jamais été condamné ni incarcéré ; ces deux déclarations étaient fausses.

C'était là tellement déformer les faits que je devinai qu'il les tenait de la police égyptienne.

— J'ai fait appel de cette décision, lui dis-je.

— Vous avez aussi utilisé un passeport auquel vous n'aviez pas droit et que vous aviez négligé de rendre.

— Mon cas était encore en instance. De toute façon, j'ai déjà déposé une demande de recouvrement de ma nationalité britannique à laquelle j'ai droit en qualité de fils d'officier d'active de l'Armée de Sa Majesté. Je suis bien sujet britannique.

— Ce n'est pas le point de vue des autorités britanniques. Après ce que vous avez fait, je les comprends.

— Aux termes de la loi de 1948 sur la nationalité britannique, je reste sujet de Sa Majesté aussi longtemps que je n'y ai pas expressément renoncé. Or, je ne l'ai jamais fait.

— Ceci est sans importance. Ici, nous discutons de votre situation présente et du degré de votre responsabilité. Le point auquel je veux en venir est que notre conduite dans cette affaire ne sera nullement conditionnée par votre qualité d'étranger. Il n'y a pas de consul qui soit prêt à intervenir en votre faveur. Vous êtes apatride. La seule personne qui puisse vous venir en aide est le chef du Bureau.

Il fit une pause.

— Mais il faudra l'y décider. Vous me comprenez bien ?

— Je n'ai pas d'argent.

Je croyais que c'était une réponse pleine de bon sens, mais je ne sais pour quelle raison elle parut l'irriter. Ses yeux se rapetissèrent, et un instant je crus qu'il allait me jeter son verre à la figure. Puis il poussa un profond soupir :

— Vous avez plus de cinquante ans, dit-il, et n'avez encore rien appris. Vous continuez à croire que tout le monde vous ressemble. Pensez-vous vraiment pouvoir m'acheter, et si c'était possible, croyez-vous que je céderais à un homme tel que vous ?

J'avais sur le bout de la langue de lui dire que cela dépendrait du prix qu'il demandait, mais puisqu'il prenait cette attitude hautaine, inutile de discuter. Je l'avais visiblement touché à un point sensible.

Il alluma une cigarette comme s'il voulait rester calme à tout prix. J'en profitai pour boire une gorgée de raki.

— Bien.

Son ton était de nouveau très officiel.

— Vous comprenez votre situation, qui en l'occurrence est loin d'être claire. Venons-en maintenant à l'histoire que vous avez racontée au commandant du poste-frontière avant votre arrestation.

— Tout ce que j'ai dit au commandant est vrai.

Il ouvrit le dossier :

— D'après ces papiers, cela paraît très improbable. Voyons.

Vous avez affirmé qu'un Américain, nommé Harper, vous a demandé de conduire une auto appartenant à une Fräulein Lipp, d'Athènes à Istanbul. On devait vous payer cent dollars pour la course. Vous étiez d'accord. Je ne me trompe pas ?

— Nullement.

— Vous étiez d'accord, bien que le passeport en votre possession ne fût pas en règle.

— Je n'ai pas vu qu'il était périmé. Il y avait des mois que je ne m'en étais servi. Cette affaire avec mon client a été conclue en quelques heures. J'ai eu à peine le temps de faire mes bagages. Les gens utilisent couramment des passeports périmés. Demandez-le à n'importe quelle compagnie aérienne. Elle vous le dira. C'est la raison pour laquelle on contrôle toujours les passeports des passagers en même temps que l'on pèse leurs bagages. Personne ne tient à avoir des ennuis à l'atterrissage. Moi je n'ai pas eu la chance d'avoir de contrôle. Les autorités grecques ont à peine regardé mon passeport. Je quittais le pays. Je ne les intéressais plus.

Je savais que ce terrain était sûr et je parlais avec conviction.

Il réfléchit un moment et acquiesça d'un signe de tête :

— C'est possible, et bien entendu, vous aviez de bonnes raisons de ne pas trop penser à la date de votre passeport. De toute façon les Égyptiens n'allaient pas vous le renouveler. J'accepte cette explication. Continuons.

Il se reporta au dossier :

— Vous avez dit au commandant que vous soupçonniez ce Harper d'être un trafiquant de stupéfiants.

— C'est vrai.

— Au point que vous avez fouillé l'auto dès votre départ d'Athènes.

— Oui.

— Et pourtant, vous aviez accepté de faire cette course.

— Je devais toucher cent dollars.

— Était-ce la seule raison ?

— Oui.

Il secoua la tête.

— Je ne puis y croire.

— C'est pourtant la vérité.

Il sortit du dossier plusieurs papiers réunis par une agrafe.

— Votre histoire ne m'inspire pas confiance.

— Qui veut tuer son chien l'accuse de la rage.

— Vous méritez votre mauvaise réputation. Le dossier que nous avons sur vous commence en 57. Vous avez été arrêté pour diverses accusations et vous n'avez été pénalisé que pour la plus petite. La police ne retint pas les autres, faute de preuves.

— Ces accusations étaient injustifiées.

— Cependant, ajouta-t-il, ne faisant aucun cas de ma protestation, nous avons demandé à Interpol s'ils vous connaissaient. Apparemment, ils vous connaissent très bien. Vous avez tenu un restaurant, n'est-ce pas ?

— Ma mère en avait un au Caire, est-ce un délit ?

— La fraude est un délit. Votre mère possédait ce restaurant en copropriété. Quand elle est morte vous avez vendu à un acheteur qui ignorait que vous n'étiez pas le seul propriétaire. En fait il y avait deux autres propriétaires. L'acheteur vous accusa de fraude, mais retira sa plainte quand la police vous eut autorisé à régulariser la transaction.

— J'ignorais totalement l'existence de ces copropriétaires. Ma mère ne m'avait jamais dit qu'elle leur avait vendu des parts. C'est la pure vérité. Maman était seule responsable des ennuis dans lesquels je m'étais fourré.

— En 1931 vous avez acheté une part dans une petite affaire d'édition au Caire ; apparemment ce n'était qu'un dépôt de revues, mais son activité réelle était la publication de littérature pornographique pour les marchés de langues espagnole et anglaise. Voilà quelle fut votre véritable occupation.

— C'est absolument faux.

— L'information a été communiquée par Scotland Yard à Interpol en 54, en réponse à une enquête de la police new-yorkaise. Scotland Yard vous connaît de longue date.

Je savais que je n'avais pas intérêt à me fâcher.

— J'ai édité et quelquefois écrit des articles pour diverses revues littéraires ces dernières années, dis-je calmement. Parfois ces revues étaient un peu osées dans leur présentation et ont été interdites par certaines censures. Mais je me permets de vous rappeler que des livres tels que *Ulysse* et *l'Amant de Lady Chatterley*, qui autrefois furent jugés par ces mêmes censures, pornographiques ou obscènes, sont maintenant considérés comme des œuvres d'art et publiés au grand jour.

Il examina à nouveau les papiers.

— En janvier 55, vous avez été arrêté à Londres. On trouva sur vous des spécimens de ces périodiques obscènes que vous essayiez de vendre en gros. Parmi eux il y avait un livre intitulé *Pour messieurs seulement* et une revue libertine *Enchantement*. Ils étaient tous édités par votre société égyptienne. Vous êtes tombé sous le coup de la loi britannique qui réglemente ce genre de publications ; vous avez aussi été inculpé par l'Office des fraudes. Lors de votre procès, vous n'avez pas prétendu qu'il s'agissait d'œuvres d'art. Vous avez plaidé coupable et avez été condamné à douze mois de prison ferme.

— Ce fut un simulacre de procès.

— Pourquoi alors avez-vous plaidé coupable ?

— Parce que mon avocat me l'avait conseillé. En fait l'Inspecteur de la Sûreté m'avait tendu là un piège en me promettant que si je plaidais coupable je m'en tirerais avec une simple amende.

Il me regarda, pensif, un moment puis referma le dossier.

— Vous devez être vraiment stupide, Simpson. Vous me dites : « Voilà la vérité » et dès que j'essaie de vérifier vos dires vous ne faites que pleurnicher et protester. La façon dont vous m'expliquez votre passé et les illusions que vous tenez à garder sur vous-même, ne me regardent pas. Si vous ne pouvez pas dire la vérité quand vous n'avez rien à gagner à mentir, moi je ne puis croire un seul mot de ce que vous avancez. Vous avez été arrêté par les Anglais en faisant entrer en fraude de la presse pornographique et en essayant de la vendre, pourquoi ne pas l'admettre ? Puis quand vous me dites que vous ne saviez pas que vous faisiez de la contrebande d'armes et de munitions cet après-midi, je pourrais penser : « Cet homme n'est qu'un vulgaire escroc, mais peut-être que pour une fois il dit la vérité. » Cependant telles que les choses se présentent, je suis certain que vous mentez et que je dois vous arracher la vérité par d'autres moyens.

J'avoue que ce « par d'autres moyens » me fit sursauter. Cinq minutes plus tôt il m'avait pourtant offert un verre de raki. Il voulait m'inspirer la crainte du Jugement Dernier, c'est sûr, une sainte frousse pour que je crache le morceau. Fatigué, bouleversé, malade comme je l'étais, il y réussit.

— C'est la vérité, monsieur, lui dis-je sans pouvoir dominer le tremblement de ma voix. Je jure devant Dieu que c'est la vérité. Mon seul désir est de vous dire ce que je sais afin que tout passe de l'obscurité au grand jour.

Il me dévisagea stupéfait ; prenant conscience de ce que je venais de dire, je rougis. C'était affreux ! je venais d'employer les mots mêmes que Harper m'avait fait écrire dans ma confession au sujet des chèques.

Un sourire amer joua sur ses lèvres un instant.

— C'est vrai, dit-il, j'oubliais que vous aviez été journaliste. Eh bien ! essayons encore une fois. Rappelez-vous que je n'attends pas de vous la liste de vos circonstances atténuantes mais des aveux complets.

— Certainement. J'étais trop bouleversé pour avoir encore des idées claires.

— Pourquoi êtes-vous allé à Londres en 45 ? Vous saviez bien que Scotland Yard connaissait vos activités.

— Comment l'aurais-je su ? Il y avait des années que je n'étais allé en Angleterre.

— Où étiez-vous pendant la guerre ?

— Au Caire, travaillant pour l'armée.

— Quel travail y faisiez-vous ?

— J'étais interprète.

— Pourquoi êtes-vous allé à Londres.

Je m'éclaircis la gorge et avalai une gorgée de raki.

— Répondez.

— Tout de suite, monsieur. Que pouvais-je faire d'autre ? Le dépositaire de nos publications en Angleterre cessa un jour brutalement ses paiements et ne répondit plus à nos lettres. J'allai là-bas pour savoir ce qui se passait, et trouvai ses bureaux fermés. J'en conclus qu'il ne s'intéressait plus à notre affaire et me mis à la recherche d'un autre dépositaire. L'homme avec qui j'entrai en rapport s'avéra être justement un détective de Scotland Yard. Nous avions l'habitude de faire passer notre marchandise dans des balles de coton à destination de Liverpool. La douane eut vent de la chose et informa la police. On avait arrêté et emprisonné notre dépositaire. La police n'en avait soufflé mot à la presse. Je tombai tout droit dans le piège.

— C'est mieux. C'est nettement mieux, dit-il d'un air presque amusé, et bien entendu, vous en avez voulu sincèrement aux autorités britanniques.

J'aurais dû me souvenir d'un détail qu'il m'avait mentionné un peu plus tôt. Mais j'étais encore trop décontenancé. J'essayai de lui donner le change.

— Bien sûr, je leur en ai voulu à l'époque, monsieur. J'estimais que le jugement n'avait pas été équitable. Par la suite toutefois, je reconnus que la police est bien obligée de faire son travail — voilà qui devait lui plaire — et que ce n'est pas elle qui promulgue les lois. Aussi essayai-je d'être un prisonnier modèle. Ce que je fus. Ma bonne conduite me valut le maximum de remise de peine. Je n'ai pas à me plaindre du traitement que je reçus à Maidstone. Le Directeur me serra même la main le jour de mon élargissement et me souhaita bonne chance.

— Ensuite vous êtes reparti pour l'Égypte ?

— Dès que ma période de liberté surveillée fut terminée, oui. Je rentrai au Caire, monsieur.

— Où vous vous êtes empressé de dénoncer aux autorités égyptiennes un homme d'affaires du nom de Colby Evans comme agent secret britannique.

Cela me fit l'effet d'une gifle en pleine figure, mais je réussis à me dominer cette fois-ci.

— Pas tout de suite, monsieur. C'est beaucoup plus tard, pendant l'affaire de Suez.

— Pourquoi avez-vous fait cela ?

Je ne savais que répondre. Comment expliquer à cet homme que je devais me venger de la correction qu'ils m'avaient infligée ? Je ne répondis pas.

— N'était-ce pas que vous aviez besoin de prouver aux autorités égyptiennes que vos sentiments étaient antibritanniques ? Ou aviez-vous quelque chose contre cet homme ? ou étiez-vous sincèrement antibritannique ?

Je crois que c'est pour les trois raisons à la fois, mais je n'en suis pas sûr. Je répondis presque sans réfléchir.

— Ma mère était égyptienne ; ma femme a été tuée par une bombe britannique pendant le raid sur le Caire. Pourquoi ne détesterais-je pas sincèrement les Anglais ?

C'était probablement la meilleure réponse que j'avais faite jusque là ; elle était vraisemblable quoique pas tout à fait vraie.

— Croyiez-vous vraiment que cet homme était un agent secret ?

— Oui, monsieur.

— C'est à ce moment-là que vous avez déposé une demande de nationalité égyptienne ?

— Oui, monsieur.

— Vous êtes resté en Égypte jusqu'en 58, date à laquelle Evans fut reconnu innocent et relâché.

— A son procès il avait été déclaré coupable. Son élargissement ne fut qu'une mesure de clémence.

— Mais c'est bien à ce moment-là que les Égyptiens commencèrent à enquêter sur vous ?

C'était vrai.

— Je crois que oui.

— Bon.

Il remplit à nouveau mon verre.

— Je crois que nous commençons à nous comprendre, Simpson. Vous réalisez maintenant que ce n'est ni mon travail ni mon goût de vous faire la morale. Moi, de mon côté, je commence à découvrir comment votre esprit procède dans les affaires qui vous concernent ; comment, si vous préférez, les morceaux tiennent ensemble. Revenons donc à notre histoire, au sujet de M. Harper et Fräulein Lipp.

Il jeta à nouveau un coup d'œil au dossier.

— Vous voyez, pour un homme ayant votre expérience, tout ceci est absolument incroyable. Vous soupçonnez Harper de se servir de vous à des fins illégales, mais qui lui seront profitables, et pourtant vous acceptez pour la misérable somme de cent dollars.

— Je croyais que c'était le voyage de retour qui importait. Quand il comprendrait que j'avais deviné ce qui se tramait, il faudrait bien qu'il achète cher ma discrétion.

Il se renversa sur son siège en souriant.

— Mais vous aviez accepté les cent dollars avant que ce beau raisonnement ne vous vienne à l'esprit. Sinon vous n'auriez pas fouillé la voiture en quittant Athènes. Vous voyez où je ne vous suis plus ?

Je le voyais. Mais comment sortir de ce mauvais pas ?

Il alluma une autre cigarette :

— Allons, Simpson, il y a quelques instants à peine, vous émergiez très raisonnablement de l'obscurité. Pourquoi ne pas persévérer ? Ou bien toute votre histoire n'est que mensonge, ou bien vous me cachez un élément important. Lequel ? Je suis décidé à le découvrir de toute façon. Dites-le-moi maintenant, cela nous facilitera les choses à tous deux.

Je sais reconnaître quand je suis battu. Je bus un peu de raki et dis :

— Très bien, je n'ai pas eu davantage le choix avec lui que je ne l'ai avec vous. Il me faisait chanter.

— De quelle manière ?

— Avez-vous un accord d'extradition avec la Grèce ?

— Ne vous occupez pas de ça. Je ne suis pas la police.

C'est ainsi que je fus bien obligé de lui raconter toute l'affaire des chèques.

Quand j'eus fini, il hocha la tête et dit simplement :

— Je vois.

Un moment après, il se leva et alla à la porte. Elle s'ouvrit dès qu'il eut frappé. Il se mit à donner des ordres.

J'étais certain que mon interrogatoire était terminé et qu'il allait demander aux gardes de me conduire à une cellule, aussi avalai-je le reste de mon verre de raki et empochai-je les allumettes espérant pouvoir les emporter.

Je me trompais. Quand il eut fini de donner ses ordres, il referma la porte et revint à la table.

— J'ai demandé quelque chose de convenable à manger, fit-il, puis il alla au téléphone.

J'allumai une cigarette et remis les allumettes sur la table. Il ne parut pas le remarquer. Il demandait un abonné à Istanbul, d'un ton plein d'importance, puis il raccrocha et revint à la table.

— Maintenant dites-moi tout ce que vous savez sur ce Harper.

Je commençai à lui raconter toute l'histoire depuis le début, mais c'était les détails qui l'intéressaient maintenant.

— Vous dites qu'il parlait comme un Allemand qui aurait vécu plusieurs années en Amérique. Quand êtes-vous arrivé à cette conclusion ? Après l'avoir entendu parler allemand avec le type du garage ?

— Non, cette conversation ne fit que confirmer une première impression.

— Si vous m'entendiez parler allemand couramment, pourriez-vous affirmer que cette langue est ou n'est pas ma langue maternelle ?

— Non.

— Par exemple, comment prononçait-il le mot *later* ?

J'essayai de l'imiter.

— Vous savez, reprit-il, que le « l » allemand est plus frontal que cela ; mais en turc, devant certaines voyelles le « l » est comme la consonne anglaise que vous venez de prononcer. Si on vous disait que cet homme a des origines turques, en douteriez-vous ?

— Peut-être pas, si on m'affirmait que c'est vrai. Mais est-ce que Harper est un nom turc ?

— Est-ce un nom allemand ?

— Ce pourrait être la forme anglicisée de Hipper.

— Ce pourrait aussi être la forme anglicisée de Harbak.

Il haussa les épaules.

— Ou un faux nom. C'en est un très probablement. L'important est de découvrir si cet homme est turc ou non.

— A cause des dessous politiques dont vous parliez ?

— De toute évidence. Des grenades lacrymogènes, des grenades explosives, des grenades fumigènes, six revolvers, six boîtes de vingt chargeurs de munitions. Équipés de ce matériel, six hommes résolus peuvent aller loin s'ils attaquent par surprise une personnalité ou un groupe de personnes en vue. Il y a encore beaucoup de partisans du régime précédent. Ils n'aiment pas la mainmise de l'armée sur le gouvernement actuel.

Je me retins avec peine de lui dire que moi non plus je ne l'appréciais guère.

— Mais, bien entendu, poursuivit-il, nous les tenons à l'œil. S'ils veulent entreprendre quoi que ce soit, il leur faut de l'aide de l'extérieur. Vous dites bien qu'il avait des francs suisses, des marks de l'Allemagne de l'Ouest et des dollars ?

— Oui.

— Naturellement il se peut que nous ne connaissions qu'une toute petite partie d'un plan beaucoup plus vaste. Dans ce cas, il y a beaucoup d'argent engagé là-dedans. Ce Harper s'est donné bien du mal et a dû payer très cher pour essayer de passer ce matériel. Peut-être...

Le téléphone sonna et Tufan décrocha. C'était Istanbul qui répondait. Je ne comprenais qu'un mot sur dix de sa conversation. Il faisait son rapport à son patron, ça je le devinai aisément. Il mentionna mon nom plusieurs fois. Puis il se borna à écouter ajoutant seulement de temps en temps un *evet* pour montrer qu'il saisissait bien. J'entendais le faible grésillement de la voix à l'autre bout de la ligne. Enfin il cessa. Tufan posa une dernière question à laquelle il reçut une réponse brève. Ce fut tout. Alors il émit un son respectueux, puis raccrocha et me regarda.

— Mauvaises nouvelles pour vous, Simpson, dit-il. Mon chef n'a pas du tout l'air disposé à vous aider. Il considère les charges qui pèsent sur vous comme trop lourdes.

— Je le regrette.

Que pouvais-je ajouter ? J'avalai un autre raki pour apaiser mon estomac.

— Il juge que vous ne nous avez pas suffisamment aidés. Je n'ai pas pu le persuader du contraire.

— Je vous ai dit tout ce que je sais.

— Cela ne suffit pas. Ce qu'il nous faut, c'est en savoir davantage sur ce Harper, quels sont ses associés, ses contacts, qui est Fräulein Lipp, quelle est la destination des armes et des munitions, qui les utilisera. Si vous pouviez nous fournir ces renseignements ou nous aider à les découvrir, nous pourrions reconsidérer votre cas, bien entendu.

— La seule façon d'acquérir des informations serait de poursuivre jusqu'à Istanbul avec la voiture demain comme si de rien n'était, de descendre au *Park Hôtel* et d'y attendre la personne qui devait me contacter comme prévu. Est-ce ce que vous attendez de moi ?

Il se rassit.

— Si nous pouvions vous faire confiance, c'est en effet ce que nous vous demanderions. Mon chef, étant donné vos antécédents, n'y est guère disposé.

— Qu'est-ce que mes antécédents viennent faire là-dedans ?

— N'est-ce pas évident ? Supposons que vous avertissiez ces gens que l'auto a été fouillée. Ils sauraient peut-être vous en récompenser.

— M'en récompenser ?

J'éclatai d'un gros rire ; je devais être un peu éméché.

— Je doute qu'ils me récompensent de leur apprendre qu'ils sont surveillés. Vous plaisantez ? Vous parliez d'un groupe d'hommes assez résolus pour risquer leur vie ! Pour le moment, le seul contact que je puisse identifier est Harper. Sera-t-il oui ou non à Istanbul ? S'il n'y est pas, il faut bien que quelqu'un me contacte pour récupérer la voiture. Que puis-je faire ? Lui glisser à l'oreille : « File, tout est découvert », et espérer un bon pourboire avant qu'il ne détale ? Ou ferais-je mieux d'attendre d'avoir d'autres contacts pour leur apprendre la bonne nouvelle, et passer mon chapeau à la ronde ? Ne soyez pas ridicule ! Ils sauraient immédiatement qu'ils n'iraient pas bien loin car vous me remettriez la main dessus pour me faire parler. Me récompenser ? J'aurais de la chance s'ils me laissaient la vie sauve.

Il sourit.

— Mon chef se demandait si vous auriez assez de bon sens pour voir les choses sous cet angle.

J'étais trop confondu par sa soi-disant stupidité pour remarquer le sous-entendu. Je continuai en anglais. Tant pis s'il ne me comprenait pas.

— De toute façon, qu'avez-vous à perdre, vous ? Si je ne suis pas au rendez-vous à Istanbul demain, ils sauront que quelque chose n'a pas marché, et à vous il ne restera que quelques noms sans grande signification, et par-dessus le marché une Lincoln d'occasion sur les bras ; vous me tiendrez évidemment mais vous ne tirerez plus rien de moi, je n'en sais pas plus sur cette histoire, et vous aurez l'air fichtrement idiots devant un tribunal si vous m'accusez d'avoir monté un coup d'État à moi tout seul. Votre foutu chef est peut-être un de ces beaux vantards arrogants qui croient que tous ceux qui ne puent pas l'encens et la rose ne valent pas tripette, mais si sa cervelle n'est pas où je pense, il doit bien savoir qu'il est obligé de me faire confiance. Il n'a sacrément pas le choix.

Tufan acquiesça calmement d'un signe de tête et poussa la bouteille de raki hors de ma portée.

— C'est à peu de chose près les propres mots de mon chef.

IV

Le lendemain je m'éveillai avec la gueule de bois ; ce n'était pas seulement l'effet du raki, mais aussi celui de la tension nerveuse. Déjà bien beau que j'aie pu fermer l'œil.

La « nourriture convenable » que Tufan avait commandée s'était matérialisée sous la forme de yoghourt (que je déteste) et de fromage de brebis. Pendant les coups de téléphone de Tufan, je n'avais touché qu'au pain.

On avait gardé la Lincoln au poste de douane de Karaagac qui était fermé la nuit. Il avait fallu tirer du lit le commandant pour ouvrir le poste et obtenir qu'un chauffeur de l'armée conduise l'auto au garage de la garnison. On avait sorti les grenades, les armes et mon sac de voyage pour les faire examiner par le chef d'état-major du coin. Cela signifiait que d'autres personnes, y compris le douanier qui avait fouillé la voiture, avaient dû se mettre d'accord pour que le matériel soit remis en place dans les portières exactement comme il s'y trouvait auparavant.

Malgré toute l'autorité dont disposait Tufan cela lui avait demandé une heure entière pour tout mettre au point.

Puis il avait fallu me trouver une chambre d'hôtel pour la nuit. J'étais si fatigué que je me serais bien contenté d'une cellule. Je le lui avais dit, mais mon point de vue était le dernier de ses soucis. Je dus subir un long discours : « Si Harper me demandait où j'avais passé la nuit, si ceci et si cela... Un agent doit prendre des risques quelquefois mais jamais sans raison. Se faire repérer parce que l'on a négligé quelque petit détail est une faute impardonnable », etc. C'était la première fois qu'il m'appelait un « agent ». Cela me mit mal à l'aise.

Il m'avait prié de le retrouver à neuf heures devant un immeuble neuf près de l'hôtel. Il était déjà là quand j'arrivai. Ses vêtements étaient toujours aussi impeccables, mais ses yeux étaient gonflés et il n'était pas rasé. Il avait certainement travaillé toute la nuit. Sans même me saluer, il me fit signe de le suivre et nous descendîmes une rampe menant à un petit garage au sous-sol de l'immeuble.

La Lincoln s'y trouvait, étincelante de propreté.

— Je l'ai fait laver, me dit-il. Elle portait trop d'empreintes digitales. Le temps que vous arriviez à Istanbul elle sera de nouveau poussiéreuse. Venez voir les portières.

Je l'avais prévenu qu'il fallait faire très attention aux garnitures intérieures des portes, elles étaient en cuir et absolument impeccables quand j'avais pris possession de la voiture à Athènes. Si quelque maladroit crétin du garage y faisait des égratignures ou des marques quelconques en remettant les garnitures en place, Harper le remarquerait à coup sûr.

Pourtant je n'aperçus rien de fâcheux. Si on ne me l'avait pas dit, je n'aurais jamais su que les panneaux avaient été enlevés.

— Tout est en place là-dedans comme avant ? demandai-je.

— L'inspecteur des douanes y a veillé. Tous les objets étaient fixés contre la carrosserie pour laisser le libre passage des glaces. On avait pris des photos avant de les retirer.

Il avait dans sa poche quelques épreuves et me les montra. Elles n'étaient pas très convaincantes, on aurait dit des photos de chauves-souris endormies.

— Savez-vous où ce matériel a été acheté ? demandai-je.

— Voilà une question intelligente. Les revolvers et les balles sont allemands, bien entendu. Toutes les grenades sont françaises. Mais à quoi cela nous avance-t-il ? Les paquets ont été faits en Grèce.

— Comment le savez-vous ?

— On les avait enveloppés de papier pour amortir les vibrations. C'était des bouts de journaux grecs de la semaine dernière.

Il prit une enveloppe cachetée, posée sur le siège avant de la voiture et l'ouvrit.

— Voici les objets que l'on vous avait pris au poste frontière, dit-il. Remettez-les dans vos poches, je garde l'enveloppe. Voici aussi dans votre passeport un visa touriste spécial valable pour un séjour d'un mois en Turquie. Ceci au cas où la réception d'un hôtel s'apercevrait que votre passeport est périmé, ou si un agent de la circulation vous arrêtait pour une raison quelconque. Si Harper ou quelqu'un d'autre s'en aperçoit, vous expliquerez simplement que le contrôle de police ne vous a pas fait de difficulté parce que vous lui avez promis de faire renouveler votre passeport à Istanbul. Le « carnet de route » de la voiture est en règle, bien entendu, et voici vos autres papiers personnels.

Il me tendit le tout, déchira l'enveloppe en quatre, et mit les morceaux dans sa poche.

— Maintenant venons-en aux consignes. Vous savez quels renseignements nous intéressent. D'abord les noms et adresses de tous les contacts, leur description, tous leurs faits et gestes. En deuxième lieu, essayez en gardant les yeux et les oreilles grand ouverts de découvrir où et comment ces armes seront utilisées. A ce sujet, faites bien attention à tout nom de lieu que vous entendrez mentionner, dans quelque circonstance que ce soit. Bâtiments publics ou privés. C'est bien compris ?

— Entendu ; comment vous ferai-je mes rapports ?

— J'allais y venir. D'abord, dès votre départ vous serez sous notre surveillance. Les responsables de ce travail seront souvent remplacés mais si vous reconnaissiez l'un d'eux, n'en laissez rien paraître. Ne les approchez qu'en cas d'extrême urgence ou de nécessité absolue. Ils vous prêteront main forte si vous prononcez mon nom comme mot de passe. En temps normal vous ferez votre rapport par téléphone, mais ne vous servez pas d'un appareil branché sur un standard privé comme celui d'un hôtel par exemple. Allez dans un café,

A moins d'impossibilité physique ou pour des raisons de sécurité, appelez-nous tous les soirs à dix heures, et si vous n'avez pas pu le faire une fois, ne manquez pas de nous contacter le lendemain à huit heures du matin.

Il sortit une boîte d'allumettes de sa poche.

— Le numéro est inscrit au fond. Dès que vous le saurez par cœur, jetez la boîte. Si vous voulez me parler à une autre heure que celle qui est convenue, un officier de garde me transmettra votre appel ou vous indiquera comment me joindre. Est-ce clair ?

— Oui.

Je pris les allumettes et regardai le numéro.

— Encore une chose. Mon chef n'est ni aimable ni généreux. Vous jouerez franc jeu avec nous parce que c'est votre intérêt. Il le sait, évidemment. Mais à ses yeux la bêtise ou la maladresse sont aussi impardonnables que la mauvaise foi, et elles auraient les mêmes conséquences fâcheuses pour vous. Je ne saurais trop vous conseiller de nous donner toute satisfaction. C'est tout, à moins que vous n'ayez quelques questions...

— Non, pas de questions.

Après un bref salut de la tête, il fit demi-tour et remonta la rampe menant à la rue. Je déposai mon sac de voyage sur la banquette arrière de la voiture. Dix minutes plus tard, j'avais quitté Edirné et roulais sur la route d'Istanbul. Au bout de quelques kilomètres j'identifiai la Peugeot beige qui me suivait à une centaine de mètres comme la voiture de surveillance. Elle garda à peu près cette distance tout le long du parcours, même quand des camions ou des voitures nous doublèrent ou que nous traversâmes des villes. Elle n'approcha jamais assez pour que je puisse distinguer le visage du chauffeur. Quand je m'arrêtai à Corlu pour déjeuner, elle ne me doubla pas. Pendant que je prenais mon repas, elle demeura invisible.

Le restaurant était un café aux tables branlantes disposées sous une petite tonnelle de vigne. Je commandai un verre de raki et des poivrons farcis. Mes douleurs d'estomac s'apaisèrent. Je restai assis là au moins une heure. J'y serais volontiers resté plus longtemps. A l'école il y avait eu des moments comme celui-là, entre deux coups durs. On a aussi quelques instants de répit de ce genre juste avant de passer en jugement — on n'est ni innocent, ni coupable, ni responsable, mais hors du jeu. J'ai souvent désiré subir une opération — ni douloureuse ni grave, bien sûr — mais juste assez sérieuse pour justifier une bonne petite convalescence.

La Peugeot reprit sa filature trois minutes après mon départ de Corlu. Je ne m'arrêtai plus qu'une seule fois, pour acheter de l'essence. J'arrivai à Istanbul un peu après quatre heures.

Je laissai la voiture dans un garage près de la place du Taksim et allai à l'hôtel, mon sac à la main.

Le parc Oteli est situé sur le versant d'une colline surplombant le Bosphore. C'est le seul hôtel à ma connaissance dont la réception se trouve aux étages supérieurs. L'ascenseur descend donc vers les chambres au lieu d'y monter. Ma chambre se trouvait tout en bas, au coin d'une rue où s'ouvrait un café. Le café avait un gramophone et une réserve intarissable de disques de *caz* turc. Presque de plain-pied avec ma fenêtre et à moins de cinquante mètres s'élevait le haut du minaret d'une mosquée située sur la colline en contrebas. La voix du *muezzin* était amplifiée par des haut-parleurs et ses appels à la prière m'assourdissaient. Quand Harper avait retenu la chambre, il avait certainement demandé la moins chère de tout l'hôtel.

Je mis une chemise propre, m'assis et attendis.

A six heures, le téléphone sonna.

— Monsieur Simpson ?

C'était une voix d'homme, hautaine, à l'accent indéfinissable, ni anglais ni américain.

— C'est moi, Simpson, répondis-je.

— Est-ce que la voiture de Miss Lipp est bien arrivée ? Vous n'avez eu ni accidents ni ennuis en route ?

— Non, la voiture s'est bien comportée.

— Bien, Miss Lipp a un rendez-vous urgent. Voici ce que vous devez faire. Connaissez-vous l'hôtel *Hilton* ?

— Oui.

— Conduisez immédiatement la voiture à cet hôtel et laissez-la dans le parking, en face de l'entrée, derrière le night-club *Kervansaray*. Laissez le « carnet » et les papiers d'assurance dans le gantier et la clef de contact sur le plancher, à côté du siège du chauffeur. C'ést compris ?

— C'est compris, oui, mais qui est à l'appareil ?

— Un ami de Miss Lipp. Soyez au rendez-vous dans dix minutes.

Il raccrocha brutalement, comme si ma question avait été impertinente.

Je restai assis, me demandant ce qu'il fallait faire. Je n'allais certainement pas obéir à ces consignes. Le seul moyen que j'avais de rester en contact avec les gens auxquels s'intéressait Tufan, était la voiture ; si je la laissais partir maintenant, tout était perdu. D'ailleurs, même sans les ordres formels de Tufan, j'aurais refusé. Harper m'avait dit que je serais payé et rentrerais en possession de la lettre dès que le travail serait fait. S'il voulait que je rende la voiture, lui ou un de ses comparses devait tenir ses engagements. Il le savait fort bien. Après ce qui s'était passé à Athènes, il devait penser en outre, que je ne lui accordais pas une confiance illimitée. Et puis ne m'avait-il pas proposé de servir de chauffeur à Miss Lipp en Turquie ?

Je cachai le « carnet » sous une feuille de papier qui garnissait l'étagère la plus haute de l'armoire et sortis. Il me fallut environ dix minutes pour aller à pied jusqu'à l'hôtel *Hilton*.

Je m'approchai du parc à voitures d'un pas alerte, balançant mes clés à la main, comme si je voulais monter dans une des voitures en stationnement. Je devinai que l'homme qui m'avait téléphoné ou un autre agissant de sa part serait là, attendant l'arrivée de la Lincoln, prêt à l'emmener dès que je serais parti. A Istanbul, c'est risqué de laisser la moindre voiture longtemps ouverte et sans surveillance.

Je repérai l'homme presque aussitôt. Il était planté au bout de l'allée, fumant une cigarette, le regard perdu comme s'il se demandait s'il allait rentrer tout de suite chez lui auprès de sa femme ou s'il irait d'abord faire une petite visite à sa bonne amie. Me rappelant que Tufan me prierait de le lui décrire, je l'observai avec soin. Il avait environ quarante-cinq ans, il était trapu, large de poitrine, et sa grosse figure bronzée était surmontée d'une masse de cheveux gris très frisés. Ses yeux étaient bruns. Il portait un costume léger, gris clair, des chaussettes jaunes et des sandales de cuir tressé. Taille, environ un mètre quatre-vingts, pensai-je.

Je traversai le parking pour m'assurer que je ne faisais pas erreur, sortis de l'autre côté et revins à mon point de départ en suivant la rue pour bien l'observer, encore une fois.

Il regardait sa montre. Si j'avais suivi ses instructions, j'aurais dû être déjà là avec la voiture.

Je rentrai directement au *Park Hotel*. Au moment même où j'ouvris la porte de ma chambre, j'entendis le téléphone sonner.

C'était encore la même voix, mais coupante cette fois-ci.

— Simpson ? L'auto n'est pas livrée. Qu'est-ce que vous attendez ?

— Qui est à l'appareil ?

— L'ami de Miss Lipp. Répondez-moi, s'il vous plaît. Où est la voiture ?

— La voiture est bien à l'abri et le restera.

— Qu'est-ce que vous voulez dire ?

— Le « carnet » est dans le coffre-fort de l'hôtel et l'auto dans un garage. Tout restera ainsi jusqu'à ce que je la remette à M. Harper en mains propres, ou à quelqu'un accrédité auprès de lui.

— L'auto appartient à Miss Lipp.

— Le « carnet » est au nom de Miss Lipp, répondis-je, mais c'est M. Harper qui m'a confié la voiture. J'en suis responsable. Je ne connais Miss Lipp que de nom. Quant à vous, je ne vous connais même pas de nom. Vous voyez ce qui ne va pas ?

— Attendez.

Je l'entendis échanger quelques mots avec une personne à côté de lui. « Il dit que... » puis il couvrit le téléphone de sa main.

J'attendis. Au bout d'un moment il s'adressa de nouveau à moi :

— Je viens à votre hôtel, ne sortez pas ; et sans attendre ma réponse, il raccrocha.

Je montai à la réception et avertis le portier que je serais sur la terrasse si on me demandait. La terrasse était bondée, mais je réussis pourtant à trouver une table et commandai une boisson. J'étais prêt à établir le contact, mais la voix du type au téléphone ne me disait rien qui vaille, et je préférais le rencontrer en public plutôt que seul à seul dans ma chambre.

J'avais donné mon nom au maître d'hôtel et au bout de vingt minutes, je le vis me désigner du doigt à un grand type cadavérique, au crâne chauve et étroit, aux oreilles décollées. L'homme s'approcha. Il était habillé d'une chemise de sport à rayures crème et brunes, et d'un pantalon de toile marron. Sa lèvre supérieure était longue et arrogante, et les coins de sa bouche tombants.

— Simpson ?

— Oui.

Il s'assit en face de moi. Yeux bruns, une dent en or à la mâchoire supérieure gauche, chevalière d'or et d'onyx au petit doigt de la main gauche ; je prenais des notes mentalement.

— Qui êtes-vous ? demandai-je.

— Je m'appelle Fischer.

— Un verre, monsieur Fischer ?

— Non, merci. Je voudrais éclaircir tout de suite ce malentendu au sujet de l'auto de Miss Lipp.

— Dans mon esprit, il n'y a aucun malentendu, monsieur Fischer, répondis-je. Les ordres que j'ai reçus de M. Harper étaient très explicites.

— Ses ordres étaient de rester à l'hôtel en attendre d'autres, aboya-t-il, vous ne vous y êtes pas conformé !

Je pris un ton de respectueuse confusion.

— Je ne doute pas que vous n'ayez parfaitement le droit de me donner des ordres, monsieur Fischer ; mais tout naturellement, j'avais cru que M. Harper serait ici, ou s'il n'y était pas qu'il aurait remis une autorisation écrite à une autre personne, cette voiture a beaucoup de valeur et je...

— Oui, oui, coupa-t-il avec impatience. Je comprends ; mais M. Harper est retenu jusqu'à demain après-midi et Miss Lipp a besoin de sa voiture tout de suite.

— Je regrette.

Il se pencha vers moi par-dessus la table, et je sentis une bouffée de son eau de toilette.

— M. Harper n'appréciera nullement le fait que vous obligiez Miss Lipp à venir chercher elle-même sa voiture à Istanbul, dit-il d'un ton menaçant.

— Je croyais que Miss Lipp était ici !

— Elle est à sa villa, dit-il sèchement. Assez tergiversé, s'il vous plaît. Allons immédiatement ensemble chercher cette voiture.

— Avec plaisir, si vous avez une autorisation écrite de M. Harper.

— J'ai son autorisation.

— Montrez-la-moi.

— Inutile.

— Ce n'est pas mon avis.

Il se renversa en arrière, en exhalant un profond soupir.

— Je vous offre une dernière chance, dit-il enfin. Ou bien vous me remettez cette voiture tout de suite, ou je prendrai des mesures pour vous y obliger.

En prononçant ce dernier mot, il étendit la main droite, et d'un geste délibéré me renversa mon verre sur les genoux.

Alors je me sentis empoigné par quelque chose de plus fort que moi. Depuis vingt-quatre heures, j'avais supporté pas mal de choses évidemment ; mais il y avait plus que cela. Tout à coup, j'eus le sentiment que je passais ma vie entière à me défendre des autres : ils me forçaient à faire leurs quatre volontés, et je ne pouvais que m'incliner car c'est eux qui détenaient l'autorité ; et voilà que, tout à coup, je réalisais que pour une fois c'était moi qui étais le plus fort, pour une fois c'était moi qui commandais.

Je ramassai le verre, le reposai sur la table et épongeai mon pantalon avec mon mouchoir. Il me regardait avec attention, comme un boxeur observe son partenaire qui se remet sur pied après un *knock down* avant de lui asséner le coup final.

J'appelai un garçon :

— Si ce monsieur veut déposer une plainte pour vol de voiture, où doit-il s'adresser ?

— Il y a un poste de police à la place Taksim, monsieur.

— Merci. J'ai renversé mon verre. Voulez-vous essuyer la table et m'en apporter un autre, s'il vous plaît.

Pendant que le garçon s'affairait avec son torchon, je regardais Fischer :

— Nous pourrions y aller ensemble, dis-je. A moins que vous ne préfériez que j'explique tout seul la situation. Naturellement la police désirera vous contacter, quelle adresse devrais-je lui donner ?

Le garçon avait fini d'essuyer la table et s'en allait. Fischer me regarda d'un air hésitant.

— Qu'est-ce que vous dites ? Qui parle d'aller à la police ?

— Vous disiez que vous m'obligeriez à vous remettre la voiture. Il n'y a que la police qui puisse le faire.

Je m'arrêtai.

— A moins évidemment que vous n'envisagiez quelque autre moyen... Dans ce cas, et de toute manière, le mieux est certainement que j'en réfère à la police.

Il ne savait que répondre. Il continuait à me dévisager. Je fis l'impossible pour ne pas sourire. Évidemment, il savait très bien ce qui était caché dans la voiture et pour rien au monde, il ne voulait que la police s'y intéressât. Pour le moment il désirait s'assurer que je n'irais pas la trouver.

— Pas besoin de la police, dit-il enfin.

— Ce n'est pas mon avis.

Le garçon m'apporta ma consommation ; je lui désignai Fischer :

— Monsieur payera.

Après une légère hésitation, Fischer jeta quelques pièces sur la table et se leva. Il faisait de son mieux pour reprendre la situation en main en affichant un air offensé.

— Très bien, dit-il avec raideur, nous attendrons l'arrivée de M. Harper. Cela me dérange beaucoup et je l'aviserai de votre insubordination. Il ne vous gardera pas à son service.

C'est alors que je ne pus m'empêcher d'en dire trop.

— Quand il saura combien vous, vous pouvez être négligent, il n'aura peut-être plus besoin de vos services non plus.

C'était stupide de parler ainsi. Cela signifiait que je savais la situation plus délicate qu'elle n'en avait l'air.

Ses yeux se rapetissèrent.

— Qu'est-ce que Harper vous a dit à mon sujet ?

— Jusqu'à ce soir, j'ignorais totalement votre existence, pourquoi m'aurait-il parlé de vous ?

Sans répondre, il tourna les talons et s'en fut.

Je finis ma boisson sans hâte et organisai mentalement ma soirée. Le mieux, pensai-je, serait de dîner à l'hôtel. D'abord parce que le prix du repas serait porté sur l'addition de Harper, et puis parce que ce serait risqué de sortir. Fischer semblait avoir accepté la situation, mais il pouvait changer d'idée et décider d'employer les grands moyens. Je présumais que les hommes de Tufan me protégeraient, mais quelles étaient leurs consignes exactes ? Si quelqu'un me cassait la figure ce ne serait que piètre consolation de savoir qu'ils se contentaient d'en prendre bonne note. La prudence commandait de rester à l'hôtel. La seule difficulté était le rapport téléphonique de dix heures. J'avais déjà remarqué que les téléphones publics de la réception passaient par le standard de l'hôtel. Il fallait donc que je coure le risque de sortir ce soir. A moins que je ne renonce à ce contact de dix heures et que j'attende celui du matin, huit heures. Mais comment expliquer à Tufan que j'avais eu peur de Fischer ? Mon pantalon était encore tout humide de la boisson qu'il m'avait renversée dessus et je me délectais encore au souvenir de la manière dont je lui avais rabattu le caquet et dont je l'avais fait passer par où je voulais. Comment expliquer à Tufan que j'avais bien mené mon affaire si dès le début, je lui avouais que j'avais peur de sortir ?

Tout ce que je pouvais faire, c'était de réduire les risques.

Le café le plus proche de l'hôtel était, à ma connaissance, celui sur lequel donnait ma chambre. Les fenêtres de l'hôtel éclaireraient suffisamment la rue pour écarter tout danger. Le téléphone était probablement posé sur le bar même, mais le bruit de la musique couvrirait ma conversation. De toute manière, je n'avais pas le choix.

A la fin de mon souper, je me sentais si fatigué que je pouvais à peine garder les yeux ouverts. Je retournai sur la terrasse et bus du brandy jusqu'à l'heure de mon rapport.

Quand je sortis de l'hôtel je dus me ranger pour laisser passer un taxi et je pus jeter un coup d'œil furtif par-dessus mon épaule, comme pour m'assurer que je pouvais traverser sans danger. A une vingtaine de mètres derrière moi, il y avait un homme portant une casquette de chauffeur. La rue faisait de nombreux détours en contournant la colline et il me fallut plus de temps que prévu pour atteindre le café. L'homme en casquette de chauffeur me suivit. J'écoutai attentivement le bruit de ses pas. S'il avait essayé de me rattraper, je n'aurais fait qu'un bond jusqu'au café ; mais il resta à la même distance, aussi j'en conclus que c'était un des hommes de Tufan. Néanmoins ce ne fut pas une promenade des plus agréables.

Le téléphone était accroché au mur derrière le comptoir. Il ne fonctionnait pas avec des jetons, il fallait demander au patron d'appeler lui-même le numéro afin d'établir le prix de la communication. Comme il ne savait que le turc, j'inscrivis le numéro sur un bout de papier, et lui expliquai par signes ce que je voulais. La musique ne faisait pas dans le café autant de tintamarre que je l'avais cru de ma chambre, mais assez pourtant pour couvrir ma voix.

Tufan répondit aussitôt et bien à sa manière.

— Vous êtes en retard.

— Excusez-moi. Vous m'avez dit de ne pas vous appeler depuis un hôtel. Je suis dans un café.

— Vous êtes allé à l'hôtel *Hilton* un peu après six heures. Pourquoi ? Faites votre rapport !

Je lui racontai ce qui c'était passé. Il fallut lui répéter la description de l'homme qui m'avait attendu au parking de l'hôtel *Hilton* et celle de Fischer afin qu'il les consignât par écrit. Le récit de mon entrevue avec Fischer parut l'amuser d'abord. Je ne sais pas pourquoi. Je ne m'étais pas attendu à des remerciements mais j'espérais au moins un grognement d'approbation pour mon esprit de décision. Au lieu de cela, il me fit répéter toute la conversation et se mit à me houspiller au sujet de cette villa à l'extérieur d'Istanbul que Fischer avait mentionnée et il me posa à son sujet quantité de questions auxquelles j'étais bien incapable de répondre. Cela m'agaça au plus haut point, mais je me gardai de le lui dire. Je me contentai de lui demander s'il avait de nouveaux ordres à me donner.

— Non, mais j'ai quelques informations supplémentaires. Harper et la femme Lipp ont retenu des places à bord d'un avion de l'Olympic Airways en provenance d'Athènes demain après-midi. Ils arriveront à quatre heures. Vous ne les verrez pas avant cinq heures au plus tôt.

— Supposez que Harper me donne les mêmes ordres que Fischer — lui livrer l'auto et les papiers, que dois-je faire ?

— Demandez votre salaire et la lettre que vous avez écrite.

— Et s'il me les donne ?

— Alors laissez partir la voiture, mais oubliez d'apporter le « carnet de passage » et les papiers d'assurance. Ou bien rappelez-lui qu'il vous a promis de vous faire engager par Miss Lipp. Insistez. Servez-vous de votre intelligence. Imaginez que c'est une touriste comme les autres que vous essayez de plumer. Bon, si vous n'avez plus rien à me demander, allez vous coucher. Rapport demain soir.

— Un moment, monsieur. Quelque chose encore. Je venais d'avoir une idée.

— Quoi donc ?

— Vous pourriez me rendre un service, monsieur. Avant que je rencontre Harper, si vous pouviez m'obtenir une licence de guide officiel datée de demain, cela m'aiderait bien.

— Comment ?

— Cela prouverait que comptant bien servir de chauffeur et de guide à Miss Lipp, j'ai pris la peine d'acheter une licence.

Cela montrerait que j'ai aussi pris l'offre de Harper au sérieux. Au cas où lui ou elle désirerait vraiment un chauffeur, cela pourrait les décider.

Il attendit un moment, puis répondit :

— Bien, très bien.

— Merci, monsieur.

— Vous voyez, Simpson, quand vous appliquez votre intelligence à exécuter les ordres au lieu de ne voir que les difficultés, vous faites du bon travail. On aurait dit le « Crin » dans un de ses accès de bonne humeur. — Vous vous rappelez néanmoins qu'en tant qu'étranger, vous n'avez pas droit à cette licence de guide. Croyez-vous que Harper le sache ?

— Je suis sûr que non. S'il le sait, je dirai que j'ai soudoyé qui il fallait pour l'obtenir. Il me croira sans peine.

— Je vous croirais moi-même, Simpson, ricana-t-il d'un ton sarcastique, très fier de sa plaisanterie. Très bien, on vous remettra votre licence vers midi à l'hôtel.

— Il vous faudra une photo de moi !

— Nous en avons une. N'essayez pas de me faire croire que vous l'avez déjà oublié. Un dernier avertissement. Vous ne savez que quelques mots de turc, n'attirez pas l'attention afin qu'on ne vous demande pas de montrer cette licence. Cela pourrait créer des difficultés avec les gardiens du musée. Compris ?

— Compris.

Il raccrocha. Je payai la communication et sortis.

Dehors, l'homme en casquette de chauffeur m'attendait. Il me précéda jusqu'à l'hôtel. Il savait certainement ce que j'avais été faire au café.

Le portier vendait des guides d'Istanbul. J'en achetai un pour rafraîchir mes souvenirs sur « les endroits à visiter » et pour savoir où les retrouver facilement. En descendant à ma chambre, je ne pouvais m'empêcher de me dire tout seul : « Ne te porte jamais volontaire » en citant mon père. Eh bien, je n'avais pas vraiment demandé à faire ce métier et pourtant, voilà que je le prenais fichtrement au sérieux.

Je passai presque toute la matinée suivante au lit. Un peu

avant midi, je m'habillai et allai à la réception voir si Tufan avait pensé à ma licence de guide. Il ne l'avait pas oubliée. Elle était là, dans mon casier, dans une enveloppe cachetée à en-tête du Bureau du Tourisme.

D'abord cela me fit plaisir. C'était la preuve que Tufan tenait ses promesses et que je pouvais me fier à lui. Puis je m'aperçus qu'il y avait une autre façon de voir les choses. J'avais demandé cette licence et si je l'avais obtenue si vite c'est que Tufan en attendait des résultats positifs ; en cas d'échec, il n'accepterait pas la moindre excuse.

J'avais décidé de ne pas boire ce jour-là afin de garder la tête lucide en face de Harper, mais je changeai d'avis. On ne peut avoir des idées claires quand on a une épée suspendue au-dessus de sa tête. Cependant je me modérai et ne pris que trois ou quatre rakis. Cela me fit du bien et après le déjeuner je regagnai ma chambre pour faire une petite sieste.

Il fallait que j'en eusse bien besoin car je dormais encore quand le téléphone se mit à sonner... Je tombai presque du lit dans ma hâte de décrocher, et l'émotion éveilla une violente douleur dans ma tête.

— Arthur ? C'était la voix de Harper.

— Oui.

— Vous reconnaissez ma voix ?

— Oui.

— L'auto est O.K. ?

— Oui.

— Alors pourquoi faites-vous des histoires ?

— Je ne fais pas d'histoires.

— Fischer dit que vous refusez de la livrer.

— Vous m'avez dit d'attendre *vos* instructions, alors j'attends. Vous ne m'avez pas dit de remettre la voiture à un parfait inconnu qui n'a aucune preuve...

— Très bien, ça va, ça suffit ! où est la voiture ?

— Dans un garage tout près d'ici.

— Savez-vous où se trouve Sariyer ?

— Oui.

— Allez tout de suite chercher la voiture et prenez la route de Sariyer. Quand vous arriverez à Yeniköy, regardez votre compteur de kilomètres, puis continuez, toujours en direction de Sariyer, pendant six kilomètres encore. A votre droite il y aura une petite jetée avec quelques bateaux à l'ancre. A votre gauche, en face de la jetée mais de l'autre côté de la route, vous verrez une allée privée menant à une villa. C'est la villa Sardunya. Vous me suivez bien ?

— Oui.

— Je vous y attends dans quarante minutes, d'accord ?

— Je pars tout de suite.

Sariyer est un petit port de pêche à l'autre bout du Bosphore, là où il s'ouvre sur la mer Noire, et la route qui y mène depuis Istanbul suit la côte européenne. Je me demandai si je devais essayer de contacter Tufan avant de partir et lui laisser l'adresse qu'on m'avait donnée, puis je décidai de ne pas le faire. Harper avait certainement été filé depuis son départ de l'aérodrome et moi de toute façon, je serais suivi jusqu'à la villa. Inutile de faire un rapport.

J'allai au garage, réglai la note et pris la voiture. A cette heure-là, la circulation était intense, et il me fallut vingt minutes pour sortir de la ville. J'arrivai à Yeniköy à six heures moins le quart. La même Peugeot qui m'avait suivi depuis Edirné me suivait à nouveau. Je ralentis un peu pour relever le kilométrage, puis accélérai.

Les villas sur le Bosphore sont de tous genres, depuis le petit pavillon de vacances au bord de l'eau avec des caisses de fleurs aux fenêtres et un garage à bateaux, jusqu'aux demeures les plus somptueuses. Beaucoup de ces dernières ont effectivement été autrefois des palais, et avant que la capitale ne soit transférée d'Istanbul à Ankara, le corps diplomatique les utilisait comme résidences d'été. Le long du Bosphore on bénéficie des brises fraîches de la mer Noire même quand en ville la chaleur est accablante. La villa Sardunya avait dû être une de ces anciennes résidences d'été.

L'entrée de l'allée était flanquée d'énormes piliers de pierre qui soutenaient des grilles de fer forgé. L'allée proprement dite avait bien plusieurs centaines de mètres, elle contournait le flanc de la colline, et devenait une avenue bordée de grands arbres qui abritaient la maison des regards indiscrets. Devant la villa même, l'allée se dégageait des arbres et s'élargissait en une cour couverte de graviers.

Quant à la maison, on aurait dit une de ces pièces montées en stuc blanc comme il y en a encore à Nice et Monte-Carlo. C'est certainement quelque architecte français ou italien qui avait été importé ici à la fin du siècle dernier pour réaliser ce chef-d'œuvre. Rien n'y manquait : ni la terrasse avec colonnes et balustrades, ni les balcons, ni le perron de marbre menant au portique d'entrée, ni le jet d'eau dans la cour, ni les statues, ni la vue magnifique sur le Bosphore. Tout cela était grandiose, mais délabré. Le crépi avait pelé par endroits et bien des moulures et des corniches s'étaient effritées. Il n'y avait pas d'eau dans le bassin de la fontaine. Les mauvaises herbes envahissaient la cour.

Quand j'arrivai, je vis Fischer assis sur la terrasse se lever et entrer dans la maison par une porte-fenêtre. Je m'arrêtai juste au pied du perron de marbre et attendis. Au bout de quelques minutes Harper apparut sous le portique et je sortis de la voiture. Il descendit l'escalier.

— Pourquoi avez-vous été si long ?

— Il a fallu me faire faire ma facture au garage, puis la circulation le soir est telle...

— Eh bien... il s'interrompit net en remarquant que je regardais par-dessus son épaule.

Une femme descendait les marches.

Il sourit légèrement :

— Ah oui, j'oubliais. Vous ne connaissez pas encore votre employeur. Mon trésor, je te présente Arthur Simpson ; Arthur, Miss Lipp.

V

Il y a des hommes qui sont capables de deviner l'âge d'une femme d'après son visage et sa silhouette. Pas moi. Peut-être parce que j'ai toujours eu un profond respect pour le beau sexe, en dépit de l'exemple de maman.

Si une femme est belle mais plus toute jeune, je lui donne toujours vingt-huit ans. Si elle est encore fraîche sans être mûre, je lui donne quarante-cinq ans. De toute façon, je ne la vois jamais ni plus jeune ni plus âgée — sauf en ce qui concerne ma propre femme.

Je donnai vingt-huit ans à Miss Lipp. En fait, elle en avait trente-six, je l'appris plus tard. Mais d'après moi, elle n'en paraissait que vingt-huit. Elle était grande, avait les cheveux châtain clair coupés courts, et une silhouette qui ne peut passer inaperçue quelle que soit la robe qui l'habille. Elle avait les yeux rieurs, insolents, mi-clos, et la bouche pleine et gaie. Elle savait que les hommes la couvaient du regard mais elle s'en moquait éperdument ; la bagatelle ne l'intéressait pas. Le premier jour où je la vis, elle ne portait pas de robe, mais une marinière, des sandales et un pantalon blancs. Son teint était doré ; elle n'avait pour tout maquillage qu'un peu de rouge à lèvres. On devinait sans peine qu'elle venait juste de prendre un bain et de se changer.

Elle me salua d'un signe de tête :

— Hello, pas d'ennuis avec l'auto ?

Elle avait le même accent indéfinissable que celui de Harper.

— Non, madame.

— Très bien.

Elle n'eut pas l'air surpris.

Fischer descendit l'escalier derrière elle. Harper, le dévisageant lui dit :

— O.K., Hans. Ramenez donc Arthur à Sariyer. Et se tournant vers moi : — Vous pouvez rentrer à Istanbul par le bac. Le carnet de passage de la voiture et la carte verte sont bien dans le coffre à gants ?

— Mais non. Ils sont dans le coffre-fort de l'hôtel.

— Je vous avais dit de les mettre dans le coffre à gants, s'écria Fischer d'un ton furieux.

Je ne quittai pas Harper des yeux :

— J'obéis aux ordres de Monsieur mais pas à ceux de son domestique.

Fischer poussa un juron de colère en allemand et Miss Lipp éclata de rire.

— Il n'est pas votre domestique ? demandai-je, imperturbable. D'après ses manières, encore qu'elles ne fussent pas des meilleures, c'est ce que j'avais cru comprendre.

Harper m'arrêta d'un geste de main.

— O.K. Arthur, ça suffit comme ça. M. Fischer est notre hôte ici et il voulait seulement nous rendre service. J'aviserai pour que l'on cherche ces documents à votre hôtel demain matin avant votre départ. Vous toucherez votre argent dès que vous aurez rendu ces papiers.

— Mais monsieur, j'avais compris que je serais le chauffeur de Mademoiselle pendant tout son séjour en Turquie.

— Merci, Arthur. Je prendrai un chauffeur du pays.

— Moi aussi, je sais conduire, dit Fischer d'un ton agacé.

Harper et Miss Lipp se tournèrent ensemble vers lui. Harper lui dit quelques mots secs en allemand et elle ajouta en anglais :

— D'ailleurs vous ne connaissez pas les routes.

— Mais moi, je les connais bien, mademoiselle, insistai-je en essayant de mettre ma panique intérieure sur le compte d'une respectueuse indignation ; aujourd'hui même, j'ai pris la peine d'acheter ma licence de guide officiel afin de vous servir de mon mieux. J'ai déjà été guide à Istanbul.

Je me tournai vers Harper et lui fourrai ma licence sous le nez.

— Regardez, monsieur.

Il fronça les sourcils d'un air incrédule :

— Ça vous plairait vraiment ce travail ? je croyais que ce qui vous importait était de récupérer ceci, dit-il, en sortant ma lettre de sa poche.

— Bien sûr, monsieur.

J'eus du mal à me retenir de tendre la main.

— Mais vous m'avez offert cent dollars pour trois ou quatre jours de travail. Et essayant d'esquisser un sourire engageant, j'ajoutai : Comme je vous l'ai dit à Athènes, monsieur, je n'ai pas besoin de me faire prier pour toucher ça.

Il jeta un coup d'œil à Miss Lipp qui lui répondit en allemand en haussant les épaules. Je ne compris que les trois derniers mots « ... Homme parle anglais ».

Harper me regarda de nouveau :

— Vous savez, Arthur, dit-il pensif, vous avez changé. Vous pourriez être dès à présent hors d'affaire, si vous le vouliez, et ça ne vous intéresse plus ! pourquoi ?

C'était facile d'inventer une réponse. Je regardai la lettre dans sa main :

— Vous ne l'avez pas envoyée, c'est ce que je craignais tout le temps que vous ne fassiez, par dépit.

— Même si ça devait me coûter trois cents dollars ?

— Ça ne vous aurait rien coûté du tout. On vous aurait rendu les chèques un peu plus tard.

— C'est vrai. Il hocha la tête. — Pas mal raisonné, Arthur. Maintenant expliquez-moi ce que vous vouliez dire, quand vous avez reproché à M. Fischer d'être négligent. En quoi a-t-il été négligent ?

Ils étaient là tous les trois à guetter ma réponse. J'avais éveillé un faible soupçon chez les hommes — chez Miss Lipp aussi d'ailleurs ; bien plus, elle n'avait pas du tout l'air étonné par ce que Harper venait de dire. Quel que fût leur jeu, ils étaient tous contre moi.

Je me tirai de ce mauvais pas aussi bien que possible.

— Pourquoi ? à cause de son attitude envers moi, naturellement. Il avait vraiment été très négligent. Oh ! il connaissait votre nom et il était assez au courant de l'affaire pour me contacter ; mais je savais bien qu'il n'agissait pas d'après vos instructions.

— Comment ça ?

Je désignai la lettre.

— A cause de ceci. Vous m'aviez dit que vous la considériez comme votre recours contre moi. Vous saviez bien que je n'allais pas livrer la voiture à un parfait inconnu s'il ne me rendait pas ma lettre. Il n'a même pas pensé à m'en parler.

Harper regarda Fischer.

— Vous voyez ?

— Je voulais simplement gagner du temps, cria Fischer avec colère. Je l'ai déjà dit. Ça n'explique pas pourquoi il m'a traité de « négligent ».

— Non, ça ne l'explique pas, dis-je, essayant d'enlever le morceau. Mais voici qui l'explique. Quand il a commencé à me menacer, je lui ai offert d'en référer à la police afin de tirer l'affaire au clair. Eh bien, je n'ai jamais vu de ma vie quelqu'un mettre les pouces aussi vite.

— Quel mensonge ! se défendit Fischer, mais ce coup lui avait fait perdre de sa belle assurance.

Je regardai Harper.

— Quiconque essaye de bluffer ainsi sans se ménager une position de repli, est à mon avis très négligent. Si M. Fischer avait été un domestique malhonnête, au lieu d'être un hôte qui cherchait à vous rendre service, vous m'auriez joliment reproché de l'avoir laissé filer avec une voiture de quatorze mille dollars ! Je crois même que vous ne me l'auriez pas pardonné !

Il y eut un bref silence, puis Harper conclut :

— Bon, Arthur, je suis sûr que M. Fischer est prêt à accepter vos excuses. Disons qu'il y a eu malentendu.

Fischer haussa les épaules.

Je ne comprends pas que Harper ne se soit pas douté que

je flairais quelque chose. Même si je n'avais pas été au courant de ce qui était caché dans la voiture, je devais forcément soupçonner dès lors qu'il se tramait quelque chose de suspect. Que Miss Lipp séjournât dix jours en Turquie comme simple touriste avec une Lincoln et dans une villa de la taille du Taj Mahal, était difficile à admettre. Quant aux chinoiseries à propos de la livraison de la voiture, elles étaient absolument grotesques.

Pourtant, quels que pussent être mes soupçons, ils n'empêcheraient pas Harper de dormir, je m'en aperçus bien vite.

— Très bien, Arthur, dit-il, marché conclu. Cent dollars par semaine. Vous avez encore les cinquante que je vous ai donnés à Athènes ?

— Oui, monsieur.

— Ça suffira pour payer la note du *Park Hotel* ?

— Je crois que oui.

— Bon, voici les cent que je vous dois pour le voyage jusqu'ici. Repartez en ville, maintenant. Demain matin, réglez l'hôtel. Puis prenez un bac jusqu'à Sariyer. Quelqu'un vous y attendra vers onze heures. Vous logerez ici désormais.

— Merci, monsieur, mais je peux bien prendre une chambre dans un hôtel.

— Il n'y a pas d'hôtel avant Sariyer. C'est trop loin, il faudrait que vous fassiez les allées et venues avec la voiture et nous pourrions en avoir besoin ici pendant ce temps. D'ailleurs il ne manque pas de chambres dans la maison.

— Très bien, monsieur. Puis-je avoir ma lettre ?

Il la remit dans sa poche.

— Certainement. Mais quand vous serez payé, à la fin de votre engagement. C'était convenu comme ça, rappelez-vous !

Dans son esprit, il pensait qu'en gardant ma lettre, il me tenait à sa merci ; si j'en entendais ou en voyais trop, jamais je n'oserais les dénoncer. Je savais qu'il était moins malin qu'il ne le croyait mais ce n'était qu'une piètre consolation. Tout ce que je désirais, c'était rentrer à Athènes auprès de Nicki, mais pas sans ma lettre.

— En route, m'ordonna Fischer.

Je dis :

— Bonsoir, madame, à Miss Lipp mais elle ne m'entendit pas car elle remontait déjà le perron avec Harper.

Fischer s'assit sur la banquette arrière. D'abord je crus que c'était pour me montrer d'une façon assez mesquine que c'était lui le patron, mais en descendant l'allée jusqu'à la route, je vis qu'il examinait les garnitures des portes. Il était encore tout plein de méfiance envers moi. Je remerciai le ciel que tout ait été remis en place avec un soin extrême. Ce fut tout de même un réconfort d'apercevoir dans le rétroviseur la Peugeot beige qui me suivait.

Il ne desserra pas les dents jusqu'à Sariyer. Devant la jetée, je m'arrêtai et tournai la voiture. Puis je sortis et lui ouvris la porte comme s'il était le roi en personne. J'avais espéré qu'il se sentirait un peu ridicule, mais apparemment non. Sans un mot il prit ma place au volant, me lança un regard sombre et s'élança comme un fou sur la route côtière.

La Peugeot s'était arrêtée, avait tourné à cent mètres de nous, et un homme en était descendu. Il claqua la portière et la Peugeot fila à la poursuite de la Lincoln. Le bac était déjà à quai, je n'attendis pas pour voir si l'homme qui était descendu de la Peugeot me suivait. Je n'en doutais pas.

J'étais de retour à la jetée de Kabatas peu après huit heures et je pris un taxi « dolmus » jusqu'à la place du Taksim. De là, je rentrai à l'hôtel à pied et commandai une boisson.

J'en éprouvais vivement le besoin ; j'avais réussi à exécuter quelques-unes des consignes de Tufan. J'avais renoué le contact avec Harper et ne le lâcherais pas de sitôt. Par contre, en acceptant de loger à la villa, j'avais virtuellement perdu le contact avec Tufan, du moins un contact régulier avec lui devenait bien difficile. Je ne pouvais pas savoir comment s'organiserait la vie à la villa, ni surtout ce qu'on y attendrait exactement de moi. Peut-être pourrais-je téléphoner facilement, à moins qu'au contraire ce ne soit très risqué. Harper serait immédiatement sur ses gardes : « Qui avais-je appelé à Istanbul ? Quel numéro ? Rappelez-le, etc., etc... » Et pourtant comment aurais-je pu refuser de loger à la villa ? Si j'avais essayé de discuter Harper m'aurait tout simplement remercié. Tufan ne pouvait pas gagner sur tous les tableaux et s'il me faisait des reproches, je le lui dirais.

Après avoir dîné légèrement, j'allai au café à côté de l'hôtel. Cette fois l'homme qui me suivit était affublé d'un harnais de porteur.

Contrairement à ce que j'avais craint, Tufan ne me fit pas de reproches ; mais quand j'eus terminé mon rapport, il resta silencieux si longtemps que je crus qu'il avait raccroché. Je l'appelai :

— Allô ?

— J'étais en train de penser qu'il faut absolument que je vous voie ce soir. Êtes-vous dans le petit café à côté de l'hôtel ?

— Oui.

— Attendez cinq minutes, puis remontez vers l'hôtel et continuez encore une centaine de mètres le long de la même rue ; vous verrez une petite voiture beige arrêtée.

— La Peugeot ?

— Oui. Ouvrez la portière et asseyez-vous à côté du chauffeur. Il aura des instructions. C'est compris ?

— Oui.

Je payai ma communication et commandai une boisson. Quand les cinq minutes furent écoulées, je sortis.

Lorsque j'approchai de la Peugeot, le chauffeur se pencha pour m'ouvrir la portière et je montai. La voiture passa devant mon hôtel et descendit vers l'avenue Necati Bey.

Le chauffeur était un jeune homme replet, brun. L'auto exhalait une forte odeur de cigarettes, de brillantine et de mangeaille. Je suppose que quand on fait ce travail, on doit souvent manger dans la voiture même. Il y avait un poste à ondes ultra-courtes fixé sous le tableau de bord et à tout moment on entendait dans le haut-parleur des voix nasiller en turc. Il n'avait pas l'air de les écouter. Au bout de quelques minutes, il se mit à me parler en français.

— C'est agréable de conduire une Lincoln ?

— Oui. C'est une bonne voiture.

— Trop large et trop longue à mon goût. J'ai vu le mal qu'elle vous a donné dans les petites rues cet après-midi.

— Mais elle est très rapide. Vous avez réussi à la suivre quand il est reparti à la villa ?

— Oh ! il s'est arrêté au bout d'un kilomètre et a commencé à examiner les portières. Est-ce qu'elles faisaient du bruit ?

— Non, je n'ai rien entendu. Il est resté longtemps arrêté ?

— Une minute ou deux. Puis il est reparti, mais moins vite. N'empêche que...

Entendant d'autres voix nasiller dans la radio, il s'interrompit pour décrocher le micro.

— *Evet, efendi, evet,* répondit-il.

Puis il raccrocha. Dans les virages en épingle, cette pétrolette peut en remontrer à une grosse voiture et la semer facilement.

Il avait tourné dans l'avenue et suivait le front de mer.

— Où allons-nous ? demandai-je.

— Je n'ai pas le droit de vous répondre.

Mais au même moment, nous franchîmes l'entrée principale du palais Dolmabahçe.

On l'avait construit au siècle dernier, quand les sultans avaient troqué leurs robes et leurs turbans pour des redingotes et des fez. Du large, il ressemble à un grand hôtel au bord d'un lac suisse ; mais de la rue, on ne voit que le haut mur de pierre qui entoure le parc ; on dirait une vraie prison. Du côté droit, le mur borde la rue sur plus d'un demi-kilomètre et sa vue seule me donna le frisson. Cela me rappelait Maidstone.

Puis j'aperçus une lumière, tout en haut du mur, et le chauffeur ralentit.

— Pourquoi nous arrêtons-nous ici ? demandai-je.

Il ne répondit pas.

La lumière venait d'un lampadaire et tombait droit sur une sentinelle en armes. Derrière lui se dressaient d'énormes portes de bois bardées de fer. L'une était entrouverte.

La voiture s'arrêta juste devant le portail et le chauffeur ouvrit sa portière en disant :

— Nous descendons ici.

Je le rejoignis devant l'entrée ; il échangea quelques mots avec la sentinelle qui nous fit signe de passer. Nous nous glissâmes dans l'entrebâillement et prîmes à gauche. Il y avait de la lumière dans la salle de garde. Le chauffeur me fit monter quelques marches menant à une porte qui s'ouvrait sur une pièce meublée simplement d'une table et d'une chaise. Un jeune lieutenant — probablement l'officier de service ce jour-là — était assis à la table et parlait au sergent de garde debout à ses côtés. Quand nous entrâmes, l'officier se leva et dit quelque chose au chauffeur.

Puis il se tourna vers moi :

— Vous avez une licence de guide. Montrez-la à l'officier ici présent.

C'est ce que je fis. Il me la rendit, prit une lampe de poche et me dit en français :

— Suivez-moi, s'il vous plaît.

Le chauffeur resta avec le sergent de garde. Je descendis l'escalier derrière le lieutenant et le suivis le long d'un passage étroit, mal pavé, qui bordait des bâtiments que je pris pour des casernes. Les fenêtres laissaient passer des lumières et j'entendis des voix et un air de jazz joué à la radio. Çà et là se dressaient des lampadaires ; on y voyait juste assez pour ne pas trébucher sur les pavés inégaux. Nous franchîmes une haute voûte et, dépassant les casernes, arrivâmes à une espèce de jardin. Il y faisait tout à fait noir. La masse blanchâtre du palais faiblement éclairée par la lune s'élevait, impressionnante, sur notre gauche, mais par terre les arbres ne projetaient que de l'ombre. Le lieutenant alluma sa lampe de poche et me dit de faire attention. C'était en effet fort nécessaire. On devait être en train de restaurer le palais car des pavés descellés et des plâtras encombraient le chemin. Nous finîmes par arriver à une allée en bon état. Devant nous s'ouvrait un porche et à côté une fenêtre était éclairée.

Le lieutenant ouvrit la porte et pénétra dans le bâtiment. La lumière venait de la salle de garde. Un homme en uniforme bleu, fripé, en sortit. Il tenait un trousseau de clefs à la main. Le lieutenant lui dit quelques mots. L'autre répondit par des monosyllabes, jeta sur moi un coup d'œil plein de curiosité, nous conduisit le long d'un couloir et nous fit monter un escalier en allumant à mesure sur son passage. Sur le palier, nous nous trouvâmes devant un long corridor bordé d'un côté par de nombreuses portes fermées et de l'autre par des fenêtres grillagées sans rideaux. Le plancher était recouvert d'un tapis protégé au milieu par un étroit droguet.

A en juger par les proportions de la cage d'escalier et la hauteur des plafonds, nous nous trouvions dans un bâtiment important. Cette partie n'avait cependant rien de spécialement imposant. Nous aurions pu tout aussi bien nous trouver dans la mairie d'une ville de province. Aux murs étaient accrochées un grand nombre de peintures à l'huile en mauvais état. La plupart représentaient des scènes de bataille ou des paysages agrestes. Elles avaient toutes pris une patine brunâtre. Je ne suis pas connaisseur en la matière, cependant ces toiles devaient avoir de la valeur sans quoi elles n'auraient pas été dans un palais, mais je les trouvais déprimantes comme l'odeur des boules d'antimite.

Deux lourdes portes de métal barraient le fond de ce couloir ; nous vîmes derrière, d'autres peintures et d'autres couloirs.

— Nous nous trouvons dans la partie qui était autrefois le harem de ce palais, dit le lieutenant d'un ton pénétré d'importance. Les portes d'acier en protégeaient l'accès. Chaque femme avait son appartement. Certains organismes officiels importants en ont fait leurs bureaux.

Je fus sur le point d'ajouter : « Vous voulez dire que les eunuques ont mis la main dessus. » Mais je me retins. Il ne paraissait pas d'humeur à goûter les plaisanteries. De plus, j'avais eu une rude journée et je me sentais las. Nous franchîmes un autre portail d'acier, je me préparais à suivre un autre couloir lorsque le garde s'arrêta et ouvrit une des portes. Le lieutenant alluma et me fit signe d'entrer.

La pièce n'était guère plus grande que ma chambre au *Park Hotel*. La hauteur du plafond et les lourds rideaux rouge et or devant la fenêtre faisaient paraître la pièce plus petite encore. Les murs étaient tendus de soie rouge damassée et ornés de plusieurs grands tableaux. Le plancher était marqueté et il y avait une cheminée en marbre blanc. Une douzaine de fauteuils dorés étaient repoussés le long des murs comme si on venait de préparer la pièce en vue d'une soirée dansante. Le bureau et les chaises placés au centre paraissaient incongrus.

— Asseyez-vous et fumez si vous voulez, me dit le lieutenant, mais ayez l'amabilité de jeter vos bouts de cigarettes dans la cheminée.

Le garde nous laissa fermant la porte derrière lui. Le lieutenant s'assit au bureau et décrocha le téléphone.

Les peintures de la pièce, à une exception près, ressemblaient à celles que j'avais vues dans les couloirs, mais elles étaient plus grandes. Sur un des murs, on voyait un bateau de pêche hollandais ballotté par la tempête ; sur le mur d'en face, à côté d'un groupe de nymphes au bain trop peu voilées pour être turques, était accrochée une charge de la cavalerie russe. Le tableau au-dessus de la cheminée par contre, représentait un Turc barbu, en redingote, le fez sur la tête, faisant face à trois individus, barbus eux aussi qui le dévisageaient comme s'il sentait mauvais ou venait de dire quelque chose d'inconvenant. Deux d'entre eux arboraient des uniformes chatoyants.

Lorsque le lieutenant eut raccroché, je lui demandai ce que représentait la peinture.

— Ce sont les chefs du peuple exigeant l'abdication du sultan Abdul Hamid II.

— Pensez-vous que ce tableau convienne bien au palais d'un Sultan ?

— Un homme plus grand que tous les Sultans, plus grand même que Suleiman le Magnifique est mort ici, — et son regard se fit dur et provocant comme si j'avais osé le contredire.

Je me hâtai d'acquiescer. Il se lança alors dans une longue diatribe sur les iniquités du régime Bayar-Mendérès et sur les raisons qui avaient poussé l'armée à détruire ce nid de rats pour constituer le Comité d'Union Nationale. Il insista aussi sur la nécessité d'abattre sans pitié tous les saboteurs du Nouveau Régime, en particulier les membres du Parti démocratique qui avaient échappé au châtiment et envers lesquels l'armée avait fait preuve de trop de mansuétude. Il mettait dans ses propos une telle flamme qu'il n'entendit pas le major Tufan entrer dans la pièce.

Il me fit presque pitié. Il se mit au garde-à-vous, bafouillant des excuses sans fin. Tufan en civil avait déjà une belle prestance ; en uniforme, le revolver à la ceinture, il paraissait prêt à commander un peloton d'exécution avec une belle ardeur. Il écouta le lieutenant quelques secondes puis le congédia d'un geste de la main.

Comme la porte se refermait, Tufan parut remarquer ma présence.

— Savez-vous que le président Kemal Ataturk est mort dans ce palais ? me demanda-t-il.

— C'est ce que m'a dit le lieutenant.

— C'était en 1938. Le chef de son cabinet l'a veillé jusqu'à sa mort, il avait sa confiance. Il l'entendit dire un jour et ne l'a jamais oublié : « Si je vis encore quinze ans je peux faire de la Turquie une démocratie, si je meurs avant, cela demandera trois générations. » Le jeune officier qui vient de nous quitter, incarne le genre de difficultés auquel il faisait alors allusion. — Il posa sa serviette sur le bureau et s'assit. — Voyons un peu votre affaire. Nous avons eu le temps d'y réfléchir tous les deux. Que proposez-vous ?

— Tant que je ne saurai pas comment se présente la situation à la villa, il m'est difficile de vous suggérer quoi que ce soit.

— Vous êtes leur chauffeur. Il sera donc normal que vous vous occupiez de faire le plein d'essence. Il y a un garage à la sortie de Sariyer. Vous pourriez le faire là. Il a le téléphone.

— J'y avais songé, mais il y aura peut-être trop d'aléas. Tout dépendra de la consommation de la voiture. Par exemple, si je ne fais que l'aller-retour d'Istanbul, je ne pourrai pas prétendre avoir souvent besoin d'essence. Le réservoir contient plus de cent litres. Si je vais au garage à heure fixe pour faire le plein quel que soit le kilométrage parcouru avec la voiture, cela éveillera leurs soupçons.

— Nous pouvons nous passer de rapports à heure fixe. J'ai pris toutes dispositions utiles pour faire exercer une surveillance vingt-quatre heures sur vingt-quatre. Même si vous prévoyiez des difficultés pour l'avenir, vous devriez pouvoir nous appeler une fois par jour pour nous les signaler. Après ça, si c'est nécessaire, nous utiliserons une méthode différente. Elle vous fera courir des risques plus grands, mais nous ne pouvons l'éviter. Vous nous ferez des rapports écrits, que vous mettrez dans un paquet à cigarettes vide. La personne qui suivra tous vos mouvements — je ferai changer la voiture tous les jours — recueillera vos rapports.

— Vous pensez que je pourrai les jeter par la fenêtre sans éveiller leur attention ?

— Certainement pas. Vous les laisserez tomber dès que vous trouverez une occasion favorable, une fois arrêté, quand vous ne serez plus dans la voiture.

Je réfléchis un moment à la solution qu'il me proposait. Elle pouvait bien se révéler excellente. Je devrais seulement songer à me munir de paquets de cigarettes en quantité suffisante. Par contre l'idée de faire les rapports par écrit n'était guère de mon goût. Je le lui dis.

— Oui. Cela présente certains risques, je le reconnais, me répondit-il. Vous devrez pourtant les prendre. N'oubliez pas qu'ils ne vous fouilleront que si vous leur fournissez des raisons de vous soupçonner.

— Il me faudra pourtant bien écrire les rapports.

— Vous pouvez le faire aux toilettes. Vous y serez à l'abri des regards indiscrets, je pense. Maintenant, pour ce qui est de la façon de vous transmettre nos instructions et nos renseignements... — il ouvrit sa serviette et en sortit un petit poste radio à transistors, d'un modèle que j'avais vu utiliser par des touristes allemands. — Vous prendrez ceci dans votre sac. Si on le remarque, ou si on vous entend vous en servir, vous n'aurez qu'à dire qu'il vous a été offert par un client allemand. Il ne capte normalement que les fréquences radio standard, mais il a été modifié. Je vais vous montrer.

Il sortit l'appareil de sa mallette, enleva l'arrière et me montra un petit interrupteur placé tout à côté de la pile.

— Cet interrupteur commande la réception des ondes ultra-courtes sur une fréquence donnée dans un rayon de huit cents mètres. Les messages vous seront transmis depuis la voiture de surveillance. Nous avons déjà expérimenté ce mode de liaison. Il fonctionne correctement s'il n'y a pas d'écrans trop larges, des maisons par exemple. Vos temps d'écoute seront sept heures du matin et onze heures du soir. C'est bien compris ? Par mesure de sécurité, il vaudra mieux que vous utilisiez toujours les écouteurs.

— Je comprends. Vous dites qu'il a été modifié, il ne peut donc plus prendre les émissions ordinaires ? En ce cas, je ne pourrai pas...

— Il marche normalement si vous n'appuyez pas sur cet interrupteur. — Il remit l'arrière du poste en place. J'ai maintenant quelques renseignements à vous donner. Harper et Miss Lipp voyagent tous deux avec des passeports suisses. Nous n'avons pas eu le temps à l'aéroport de vérifier si ces passeports étaient vrais ou faux. Voici les détails que nous avons pu recueillir : Robert Karl Harper, âge : trente-huit ans, ingénieur, né à Berne, et Élisabeth Maria Lipp, trente-six ans, étudiante, née à Schaffhouse.

— Étudiante ?

— N'importe qui peut indiquer cette profession. Cela ne veut rien dire. Voyons un peu Kösk Sardunya maintenant, — il tira une fiche de la serviette — la maison appartient à la veuve d'un ancien ministre du Gouvernement du président Inönü. Elle a près de quatre-vingts ans à présent et mène depuis quelques années une vie tranquille avec sa fille à Izmir. A plusieurs reprises, elle a essayé de vendre Sardunya, mais personne n'a voulu l'acheter au prix qu'elle en demandait. Ces deux dernières années, elle l'a louée meublée à une mission navale de l'OTAN envoyée dans le secteur. Le travail de la mission a pris fin au début de l'année. L'agent de la propriétaire, ici, à Istanbul, a trouvé un nouveau locataire il y a trois mois seulement, un Autrichien, un certain Fischer — oui, précisément en séjour à l'hôtel *Hilton*. Fischer a un autre nom, Hans Andréas, et il a donné une adresse à Vienne. Il cherchait une villa meublée à louer pendant deux mois, sans préférence spéciale pour le genre de la maison pourvu qu'elle fût dans les environs, et à proximité du bord de mer. Il acceptait de payer une forte somme pour une location de brève durée, et de verser des arrhes en francs suisses. Sur le bail établi à son nom, il se dit industriel. Il est arrivé il y a trois semaines alors que la location commençait à courir et n'a pas encore fait sa déclaration de police. Nous n'avons pas encore établi sa fiche d'entrée, si bien que nous n'avons pas tous les détails de son passeport.

— Industriel ? dans quelle branche ?

— Nous l'ignorons. Nous avons fait une demande auprès d'Interpol, mais je m'attends à une réponse négative. Nous avons reçu déjà deux réponses concernant Harper et Lipp. Cela nous porte à croire qu'il s'agit de réfugiés politiques.

— Ou qu'ils ont de fausses identités...

— C'est possible. Passons maintenant en revue le personnel de la villa. Il y a un homme du nom de Hamul et sa femme qui habitent dans ce qui était autrefois l'aile des écuries. Ils sont assez âgés et voilà plusieurs années qu'ils font office de gardiens de la villa. Puis il y a le cuisinier ; Fischer l'a engagé par l'intermédiaire de l'agence, en spécifiant qu'il devait savoir faire la cuisine italienne. C'est un Cypriote turc nommé Geven qui a travaillé en Italie. La police le connaît bien. C'est un bon cuisinier mais quand il s'enivre, il devient dangereux. Il a fait un peu de prison pour avoir blessé un garçon de café. Quand l'agence l'a recommandé à Fischer, elle n'était peut-être pas au courant de ce détail.

— Quelque chose à reprocher au ménage de gardiens ?

— Non. Ils sont honnêtes, je crois. Il repoussa les dossiers. — Pour l'instant nous n'en savons pas plus, mais il semble bien qu'un projet de conspiration soit dans l'air. Une seule personne arrive d'abord pour établir la base des opérations, une deuxième s'occupe de l'achat des armes, une troisième procure le moyen de les transporter et monte toute une histoire plausible en guise d'alibi. A mon avis, les vrais conspirateurs ne sont pas encore là. Quand ils arriveront, à vous de nous le faire savoir. En attendant, vos consignes sont les suivantes : d'abord, assurez-vous si les armes sont oui ou non encore dans la voiture, ensuite, si elles n'y sont pas, découvrez où on les a cachées. Le premier renseignement est facile à trouver, le second l'est moins.

— Si ce n'est impossible !

Il haussa les épaules :

— A ce stade il ne faut pas que vous preniez de risques. Comme troisième consigne, je vous prie de continuer à relever tout nom de personnes ou de lieux et à nous communiquer tout déplacement. Enfin, guettez attentivement toute espèce d'allusion politique dans leurs conversations. Le moindre détail peut avoir son importance. C'est tout. Aucune question ?

— Des douzaines, dis-je, mais je ne sais pas lesquelles en ce moment.

Je vis bien qu'il ne goûtait pas la plaisanterie. J'avais été un peu impertinent, mais vraiment, j'en avais par-dessus la tête de tout ça.

Il fit la moue :

— Jusqu'à présent, mon chef est très content de vous, Simpson, dit-il. Il a même parlé de vous donner un avis favorable en plus du retrait de la plainte déposée contre vous ; sans doute pour l'établissement de vos papiers d'identité, si, bien entendu, votre coopération dans l'affaire présente s'avérait fructueuse. C'est une chance inespérée pour vous, pourquoi la laisser échapper ?

Cet élève pourrait mieux faire. Il faudrait l'encourager à prendre plus à cœur son travail scolaire. Sport : bien. Ponctualité : bien. Conduite : a laissé beaucoup à désirer ce trimestre. Signé : G. D. BRUSH, *le Directeur.*

Je pris l'affaire à cœur :

— Que voulez-vous dire par « allusion politique » ? demandai-je. S'ils sont pour un idéal démocratique ? ou contre une dictature militaire ? — c'est comme cela qu'on appelle parfois votre gouvernement, n'est-ce pas ? est-ce qu'ils parlent de l'impérialisme capitaliste ? ou de la domination des Soviets ? ou du bien-être de l'humanité ? des choses comme cela ? Parce que je peux bien vous dire dès maintenant que la seule partie de l'humanité qui intéresse Harper est celle que représente sa petite personne !

— On peut en dire autant de beaucoup de conspirateurs politiques. Il est clair que ce qui nous intéresse est leur attitude vis-à-vis de la situation politique dans ce pays où l'armée pour le moment détient le pouvoir au nom de la République. Il dit cela d'un ton assez coupant, il n'avait pas apprécié mon allusion à la dictature militaire. — Comme je l'ai déjà dit, Harper n'est peut être qu'un comparse, mais nous n'en sommes pas encore certains. Rappelez-vous qu'il y a six revolvers et des munitions pour six.

— Il y encore autre chose que je ne comprends pas, monsieur. Je sais bien qu'il y a toutes ces grenades mais les revolvers ? est-ce qu'on peut faire un coup d'État avec ça ? Si c'était des mitrailleuses...

— Mon cher Simpson, le chef d'une organisation politique secrète mit un jour à Belgrade quatre pistolets dans les mains de quatre étudiants assez naïfs. Un seul fut utilisé, mais cela suffit pour assassiner l'archiduc François-Ferdinand et pour déclencher une guerre européenne. On peut cacher un pistolet dans sa poche. Pas une mitrailleuse.

— Vous croyez que ces gens ont l'intention d'assassiner quelqu'un ?

— C'est ce que nous vous demandons d'éclaircir. Avez-vous d'autres questions ?

— Avez-vous recueilli des informations supplémentaires au sujet de cette société Tekelek ? Il me semble que Harper s'en serve comme couverture.

— Nous attendons un rapport de Suisse à ce sujet. S'il contient quelque renseignement intéressant, nous vous le ferons savoir.

Il me tendit le transistor, puis, quand je me levai pour sortir, il alla jusqu'à la porte et donna l'ordre au lieutenant qui attendait dehors, de me reconduire jusqu'au portail. J'allais partir quand il eut soudain une idée, et m'arrêta.

— Encore quelque chose. Je ne vous demande pas de prendre des risques stupides, mais si vous devez en prendre, il faut que vous soyez plein d'assurance. Il y a des gens qui se sentent plus forts s'ils sont armés.

Je ne pus m'empêcher de jeter un coup d'œil à l'étui brillant du revolver accroché à son ceinturon. Il eut un sourire en coin.

— Ce revolver fait partie de l'uniforme des officiers. Je vous le prête si vous voulez, vous pourriez le mettre dans votre sac avec le poste.

Je secouai la tête :

— Non, merci. Je ne me sentirais pas plus à l'aise. Bien au contraire. Si quelqu'un le découvrait, comment pourrais-je me justifier ?

— Vous avez peut-être raison. Bon. C'est tout.

Bien entendu, je n'avais pas l'intention de prendre le moindre risque, si c'était possible. Je me bornerais à coopérer juste assez pour satisfaire Tufan et pour récupérer ma lettre des mains de Harper avant que les hommes de la Sûreté ne lui mettent le grappin dessus. J'étais absolument sûr qu'il serait pris. Il fallait qu'il le soit !

En me reconduisant le long du corridor, le lieutenant me lança un regard comme s'il se demandait s'il devait poliment faire la conversation à un homme apparemment en si bons termes avec le puissant major Tufan ou s'il devait s'abstenir et clore son bec. Finalement il s'en tint à un courtois « bonsoir ».

La Peugeot attendait toujours. Le chauffeur lança un bref coup d'œil au poste de radio que je portais à la main. Je me demandai s'il était au courant de la modification, mais il ne fit aucun commentaire. Nous rentrâmes en silence à l'hôtel. Je le remerciai et il me salua aimablement de la tête en caressant le volant de sa voiture :

— Elle est imbattable sur les routes étroites, dit-il.

La terrasse était fermée. J'allai prendre un verre au bar, pour m'enlever de la bouche le goût du palais Dolmabahçe. « Conspiration » avait dit Tufan. J'étais prêt à reconnaître qu'il avait raison jusqu'à un certain point. Visiblement les machinations tramées par l'équipe Harper-Lipp-Fischer cachaient quelque chose de louche ; mais de là à les accuser de fomenter dans l'ombre un coup d'État et une tuerie, je me refusais à le croire. Dans cette salle du palais, assis en face de ce tableau représentant l'abdication d'un Sultan, le sujet m'avait déjà paru manquer totalement d'intérêt. Assis au bar de l'hôtel, un verre de brandy devant moi, eh bien ! franchement, je ne pouvais en croire le premier mot. Cela parce que je connaissais les personnes mises en cause — en tout cas je les avais vues — il n'en était pas de même pour Tufan. « Dessous politiques », Dieu m'en garde, ah oui fichtre ! Le commandant Tufan m'apparut soudain non plus comme l'officier chargé de commander un peloton d'exécution, mais sous l'aspect d'une vieille fille déguisée en militaire soupçonnant sans cesse la présence sous son lit d'agents secrets et de spadassins — le type même de l'agent d'un Service de Contre-Espionnage.

Je trouvai la chose presque comique. Puis brusquement, je me rappelai les portières de la voiture, les armes, les masques à gaz, les grenades et je frémis.

Sans elles, j'aurais émis deux hypothèses sur l'activité du groupe Harper, l'une se serait sûrement révélée exacte. La première : trafic de stupéfiants. On produit de l'opium en Turquie. A condition d'avoir le personnel technique voulu — Fischer, le « producteur » ; Lipp, « l'étudiante » ; — il ne reste plus qu'à trouver un endroit tranquille, Kösk Sardunya par exemple, pour y monter une petite installation de fabrication d'héroïne et mettre la main sur un administrateur — Harper naturellement — pour s'occuper de la répartition et des ventes.

Seconde hypothèse : chantage « de luxe ». Cela commence par la villa romantique sur les bords du Bosphore auréolée par la présence de la belle princesse Lipp de noble lignée, dont les ancêtres ont possédé jadis de vastes domaines en Roumanie, accompagnée de son fidèle chevalier servant Andréas (Fischer) et ayant pris dans ses filets un archimillionnaire naïf. Au moment où celui-ci se rend compte qu'il se fait plumer, survient le vilain mari jaloux, le prince Lipp (Harper) qui menace de divulguer toute l'affaire avec photos à l'appui en bonne place dans tous les journaux d'Istanbul à Los Angeles, à moins que... Le millionnaire s'exécute et disparaît de la scène. Rideau final.

J'aurais cependant penché pour la première hypothèse; non que je ne croie pas Harper capable d'une escroquerie ou d'un chantage — j'avais appris à mes dépens qu'il n'en était rien — mais les frais engagés et les démarches déjà faites, laissaient entendre une grosse marge de bénéfices. A moins que le nombre des millionnaires crédules n'eût brusquement augmenté dans les environs d'Istanbul, l'opération trafic de stupéfiants paraissait plus rentable.

C'était à mon avis l'hypothèse la plus plausible. Mais pourquoi des grenades et des revolvers ? Ils n'étaient peut-être là que pour intervenir éventuellement dans l'affaire des stupéfiants. A moins que ces armes sans aucun lien avec l'affaire montée par Harper, aient été amenées pour une personne étrangère au groupe, un Turc par exemple et dans un dessein politique du genre auquel Tufan pensait. Le trafic de stupéfiants impliquait un fournisseur d'opium brut. A coup sûr, il devait être turc. Pourquoi n'aurait-il pas exigé en contrepartie quelques armes passées en contrebande ? C'était parfaitement vraisemblable. La livraison des armes pouvait n'être qu'une de ces petites attentions auxquelles ont parfois recours les hommes d'affaires pour entretenir de bonnes relations. « Je fais entrer une voiture, de toute façon. Confiez-moi donc cette autre petite affaire. Contentez-vous de me remettre une lettre pour votre agent à Athènes. »

Il n'y avait que le facteur temps qui ne cadrait pas bien. Le bail de la villa était de courte durée et la voiture ne jouissait que d'une « entrée temporaire » sur foi d'un simple carnet de passage. J'ignorais le temps qu'il fallait pour installer un laboratoire et mettre au point un procédé efficace pour fabriquer de l'héroïne en quantité rentable. Deux mois me paraissaient un peu courts. Mais peut-être pour des raisons de sécurité préféraient-ils ne pas séjourner trop longtemps au même endroit et avaient-ils prévu un laboratoire itinérant.

Je me rendais compte, je crois, que cette explication n'était pas entièrement convaincante, mais pour l'heure je ne pouvais en imaginer de plus satisfaisante et j'étais prêt à m'en contenter jusqu'à nouvel ordre. Ma théorie d'un échange d'armes contre de l'opium me plaisait assez. Elle comportait du moins pour moi des chances de m'en tirer. Lorsque Tufan aurait compris que dans l'affaire du trafic d'armes, Harper n'était qu'un intermédiaire, il ne s'intéresserait plus aux gens de la villa, mais chercherait ailleurs. Je ne lui serais plus d'aucune utilité. Harper accepterait ma démission avec un haussement d'épaules, me rendrait ma lettre et me paierait mon dû. Le chef de Tufan, enchanté, m'aiderait à obtenir mes papiers. Quelques heures plus tard je serais de retour à Athènes, sain et sauf.

Je me rappelai que je n'avais pas encore écrit à Nicki. Avant d'aller me coucher, j'achetai au portier une carte postale et lui envoyai quelques mots : « Toujours sur l'affaire de la Lincoln. Bon salaire. Dois prévoir quelques jours de plus. Serai de retour vers le milieu de la semaine au plus tard. Sois sage. Tendresses. Ton chou. »

Je n'indiquai pas l'adresse de la villa, cela aurait éveillé sa curiosité. Je ne désirais pas répondre à une foule de questions une fois rentré. Même quand je me suis offert du bon temps, je n'aime pas donner ensuite des détails. Ce qui est fini est bien fini. De toute façon, lui donner une adresse n'aurait servi à rien, elle n'avait pas le temps de me répondre.

Le lendemain matin, je sortis de bonne heure, achetai une douzaine de paquets de cigarettes et me mis en quête d'un magasin où je pourrais acheter quelques outils. Pour m'assurer que la marchandise avait été enlevée, il me faudrait démonter le panneau de l'une des portes au moins. L'ennui c'est que les garnitures de cuir étaient maintenues par des vis Phillips, et que je risquais d'érafler le cuir en me servant d'un tournevis ordinaire.

Je ne pus pas trouver le magasin qu'il me fallait. Finalement j'allai au garage près de la place du Taksim, où j'étais connu et où je pus convaincre un des mécanos de me vendre un tournevis Phillips. Je revins à l'hôtel, réglai ma note et pris un taxi jusqu'à la jetée du bac. La Peugeot n'était pas là.

Un bac arriva presque tout de suite après. J'allais donc être de retour à Sariyer trop tôt. J'avais près de vingt minutes d'avance. Je fus d'autant plus surpris de voir la Lincoln venir à ma rencontre sur la route.

Miss Lipp était au volant.

VI

Au moment où je descendais du bateau, elle sortit de la voiture. Elle portait une légère robe de coton jaune qui révélait davantage ses formes que ne l'avaient fait le pantalon et le chemisier, la veille. Elle tenait à la main les clefs de la voiture et me les tendit avec un sourire amical lorsque je fus plus près.

— Bonjour, Arthur.

— Bonjour madame ; vous êtes très aimable d'être venue à ma rencontre.

— Je voudrais visiter un peu les environs. Mettez donc votre sac dans le coffre, ainsi nous n'aurons pas à nous arrêter à la villa.

— Si vous voulez, madame.

Je pris mon sac et me préparais à lui ouvrir la portière arrière, quand elle se dirigea vers l'avant, je n'eus que le temps de lui ouvrir l'autre portière.

Elle s'assit, je me hâtai de mettre mon sac dans le coffre et me mis au volant. Je transpirais légèrement, non à cause de la chaleur mais parce que la tête me tournait un peu. J'avais pensé que Fischer viendrait à ma rencontre avec la voiture, que je retournerais directement à la villa, qu'on m'indiquerait ma chambre et que j'aurais un peu de temps pour me retourner, réfléchir et échafauder un plan d'action. Au contraire, je me trouvais seul avec Miss Lipp, assis là où elle était encore quelques instants auparavant et respirant son parfum.

Ma main trembla légèrement quand je mis le contact, et il me fallut absolument dire quelque chose pour retrouver mon calme.

— M. Harper ne vient pas avec nous, madame ?

— Il est occupé.

Elle alluma une cigarette.

— Au fait, Arthur, poursuivit-elle, ne m'appelez pas madame, appelez-moi Miss Lipp. Alors quelle excursion me proposez-vous ?

— C'est la première fois que vous venez en Turquie, Miss Lipp ?

— J'y suis déjà venue, mais il y a longtemps. Les mosquées sont les seuls souvenirs que je garde de mon premier séjour. Je ne veux plus en visiter d'autres.

— Voudriez-vous commencer par Istanbul ?

— Oh oui.

— Avez-vous vu le Sérail ?

— Le vieux palais où les Sultans avaient leur harem ?

— Mais oui.

Je souris intérieurement. Toutes les fois que j'avais servi de guide à Istanbul, la réaction avait été la même. Le harem intéresse toujours les femmes. « Miss Lipp, pensai-je en moi-même, ne fait pas exception à la règle. »

— D'accord, dit-elle, allons voir le Sérail.

Je retrouvai mon calme :

— Puis-je faire une suggestion ?

— Bien sûr.

— Le Sérail est transformé en musée à présent. Si nous y allons directement, nous arriverons avant l'ouverture. Je vous propose de vous conduire d'abord au célèbre café *Pierre Loti*, sur une hauteur juste à l'extérieur de la ville. Vous pourriez y déjeuner. Le cadre est charmant. Je pourrais vous mener au Sérail après.

— A quelle heure y arriverons-nous ?

— Un peu après une heure.

— Entendu, mais je ne veux pas y arriver plus tard.

Cette réponse me parut un peu bizarre, je n'y prêtai cependant pas grande attention. Les touristes demandent parfois un horaire de visite très serré ; cela devait être son cas.

Nous revînmes par le bord de mer. Je cherchai des yeux la Peugeot, elle restait invisible mais était remplacée par une Opel grise avec trois hommes à l'intérieur. Une fois arrivé au vieux château à Rumelihisar, je m'arrêtai et lui racontai le siège de Constantinople par le sultan Mehmet Fatih en 1453, et la façon dont il avait tendu une chaîne en travers du Bosphore pour isoler la ville. Je ne lui dis pas qu'on pouvait monter au sommet du donjon parce que je ne voulais pas m'épuiser à gravir tous ces raidillons et escaliers. De toute façon cela n'avait pas l'air de l'intéresser beaucoup. J'arrêtai donc mes explications et nous continuâmes. Je ne fus pas long à m'apercevoir que les visites touristiques n'étaient pas son fort. C'est du moins l'impression qu'elle me donna. Elle ne paraissait pas s'ennuyer, mais elle se contentait de hocher la tête sans poser de questions devant les endroits que je lui montrais.

Au café, ce fut différent. Elle me demanda de m'asseoir à une table avec elle, dehors sous un arbre, et de commander deux rakis ; puis elle commença à me poser une foule de questions, non sur Pierre Loti, le Français turcophile, mais sur le palais du Sérail.

Je lui répondis de mon mieux. Pour la plupart des gens, un « palais » évoque un très grand bâtiment conçu pour loger un monarque. Naturellement il est entouré d'ordinaire par quelques bâtiments plus petits ; cependant c'est le plus grand qui sert de palais. Bien que Sérail signifie justement palais, celui-ci n'en n'est pas un. De forme ovale, il a plus de trois kilomètres de circonférence ; il est entouré de remparts et se dresse sur une éminence qui domine la Pointe du Sérail à l'entrée du Bosphore et constitue une ville à lui seul. Au début ou du moins à partir du règne de Suleiman le Magnifique et jusque vers le milieu du dix-neuvième siècle, le gouvernement central, ministres, hauts dignitaires et sultan en avaient fait leur lieu de résidence et de travail. Il abritait aussi les effectifs de la Garde, une École d'officiers, et le harem du Sultan. Il comptait ainsi plus de cinq mille habitants et s'accroissait sans cesse de nouveaux bâtiments. C'était là une coutume ottomane. Lorsqu'un nouveau Sultan montait sur le trône, il héritait, bien entendu, des richesses et des biens accumulés par son père, mais ne pouvait utiliser cette fortune pour son usage personnel sans perdre la face. Comme ces trésors devaient être entassés quelque part, et que lui-même en ajouterait d'autres, il lui fallait construire un nouveau palais d'été et naturellement, de nouveaux appartements privés à l'intérieur du Sérail ainsi qu'une nouvelle mosquée. Comme je l'ai dit, cette coutume se perpétua jusqu'au milieu du dix-neuvième siècle. Ainsi le Sérail est devenu aujourd'hui un immense labyrinthe de salles de réception, d'appartements privés, de pavillons, de mosquées, de bibliothèques, de portes, de salles d'armes, de casernes, et ainsi de suite, séparés par quelques cours et jardins. On n'y trouve pas d'édifice imposant rappelant un palais digne de ce nom. Les deux constructions les plus vastes sont les cuisines et les écuries.

Bien que les guides touristiques essayent d'expliquer tout cela, la plupart des visiteurs ne paraissent pas le comprendre. Pour eux, le « Sérail » se confond avec le harem et cela seul les intéresse ainsi que la « Voie Dorée » empruntée par les favorites pour se rendre du harem à la couche du Sultan. En fait, cette partie n'est pas ouverte au public. Cependant, j'ai toujours conduit les touristes dont j'avais la charge au pavillon Mustafa Pasha, derrière le harem pour leur dire qu'il en faisait partie. Ils n'ont jamais flairé la supercherie, trop fiers qu'ils étaient de pouvoir s'en vanter auprès de leurs amis.

Miss Lipp ne fut pas dupe. Je m'aperçus qu'elle connaissait bien l'histoire de la Turquie, le rôle joué par les Janissaires par exemple. Pour une personne qui, une heure plus tôt demandait si le Sérail était le vieux palais, c'était quelque peu surprenant. J'étais alors trop occupé, je pense, à répondre aux autres questions qu'elle me posait pour y attacher beaucoup d'importance. Je venais de lui montrer la carte qui se trouve dans le guide et elle passait en revue tous les édifices qui y sont indiqués.

— Le quartier des Eunuques blancs qui se trouve par ici, est-il ouvert au public ?

— Non, seulement ces salles à proximité de la Porte de la Félicité, là au milieu.

— Les Thermes de Sélim II, pouvons-nous les voir ?

— Ils font partie du musée à présent, et contiennent, je crois, une exposition de verrerie et d'argenterie.

— Et l'office ?

— Je pense qu'il sert maintenant à loger les bureaux de l'administration.

Comme j'étais incapable de répondre à la plupart des questions qui l'intéressaient, elle finit par se lasser, avala d'un trait son deuxième raki et me regardant de biais, me dit :

— Vous avez faim, Arthur ?

— Faim ? Non, Miss Lipp, pas spécialement.

— Pourquoi n'irions-nous pas tout de suite au Palais alors ?

— Mais oui, si vous voulez.

— Très bien. Réglez les consommations. Nous nous arrangerons après.

Je vis quelques-uns des hommes assis au café la suivre des yeux tandis qu'elle allait vers la voiture, et je remarquai qu'ils me dévisageaient pendant que je réglais. Ils se demandaient sûrement quelles relations il pouvait y avoir entre nous. J'étais son père ? Son oncle ? ou alors qui ?... cela devenait vraiment gênant. Le plus ennuyeux c'était que je ne savais pas comment faire avec Miss Lipp, quelle attitude adopter envers elle. Pour ajouter à ma confusion, une remarque que Harper avait faite au « Club » à Athènes à propos des jambes de Nicki qu'il trouvait trop courtes, me revint à l'esprit. Les jambes de Miss Lipp étaient particulièrement longues, ce qui m'irritait et m'excitait tout à la fois ; cela m'irritait parce que je ne pouvais m'empêcher de songer à la différence que cela devait faire dans un lit, m'énervait parce que je savais trop bien que je n'aurais pas la bonne fortune d'en faire l'expérience.

Je la conduisis au Sérail et garai la voiture sur ce qu'on appelait autrefois la cour des Janissaires, juste devant la

Porte Ortakapi à côté de la Fontaine du Bourreau. Il était encore trop tôt, il n'y avait donc que deux ou trois voitures en plus de la Lincoln. J'en fus assez heureux. Je pourrais lui sortir mon petit discours sur l'histoire de la Porte, sans me faire remarquer par les guides officiels. Je tenais par-dessus tout à éviter à ce moment-là que l'on me demandât de montrer ma licence de guide et que l'on en contestât la validité.

La Porte Ortakapi constitue une excellente introduction pour recréer « l'atmosphère » du Sérail :

— C'est d'ici que les sultans assistaient aux exécutions hebdomadaires. Oui, ici même. Et voilà le billot sur lequel le condamné posait la tête. Vous voyez maintenant cette petite fontaine construite dans le mur, là-bas ? C'est là que le bourreau venait se laver les mains une fois son travail fini. Il faisait aussi office de jardinier en chef. Au fait, cette porte est également appelée Porte du Salut. Assez drôle, n'est-ce pas ? Naturellement, seuls les hauts dignitaires du Palais qui avaient offensé le Sultan étaient décapités ici. Lorsque les princes du sang devaient être exécutés, par exemple quand un nouveau Sultan, pour éviter des contestations à sa succession, fit supprimer ses frères, comme il était interdit de verser leur sang, on les étrangla à l'aide d'une cordelette de soie. Les femmes qui avaient offensé le Sultan subissaient un châtiment différent. On les enfermait dans des sacs plombés que l'on jetait dans le Bosphore. La visite continue maintenant, mesdames et messieurs.

Mon petit discours avait toujours produit son effet jusqu'ici, mais Miss Lipp ne l'apprécia pas.

Elle me jeta un regard vide.

— Ce n'est pas vrai, Arthur.

— Mais si, je vous assure.

J'étais sincère.

— Comment le savez-vous ?

— Ce sont des faits historiques, Miss Lipp. Un des Sultans se lassa un jour de toutes les femmes de son harem et les fit précipiter toutes ensembles dans le Bosphore. Il y eut un naufrage à proximité de la Pointe du Sérail peu de temps après et on envoya un plongeur reconnaître les épaves. Il fut épouvanté à la vue de tous ces sacs plombés alignés au fond et qui se balançaient au gré du courant.

— Qui était ce Sultan ?

Je jugeai préférable de lancer un nom au hasard.

— C'était Mourad II.

— Non, c'était le Sultan Ibrahim, répondit-elle. Ne soyez pas vexé, Arthur, mais je crois que nous ferions mieux de prendre un vrai guide.

— Comme vous voudrez, Miss Lipp.

J'essayai d'arborer un air détaché mais la moutarde commençait à me monter au nez. Si Miss Lipp m'avait demandé si j'étais un expert de l'histoire du Sérail, je lui aurais dit très franchement que non. C'était la manière dont elle m'avait tendu ce piège que je n'appréciais pas.

Nous franchîmes la Porte, je payai les billets d'entrée et trouvai un guide sachant l'anglais. Comme je m'y attendais, il était guindé et pédant et ne fit que lui répéter ce que je venais de lui dire. Je crois que ça lui était égal. Elle le bombarda si bien de questions qu'on aurait dit qu'elle voulait écrire un bouquin sur le sujet. Évidemment, il était très flatté. Son sourire ressemblait à celui d'un singe.

Personnellement, je trouve le Sérail assez déprimant. En Grèce, les vieux monuments, même quand ils sont en ruine ou mal restaurés, ont toujours l'air propres et bien lavés, tandis que le Sérail est crasseux et mal entretenu. Les arbres et les buissons dans les cours sont à l'abandon et le fameux Jardin de Tulipes n'est qu'un ramassis de détritus.

Mais aux yeux de Miss Lipp, l'endroit devait avoir l'attrait de Versailles. Elle voulut tout visiter, des cuisines aux salles des musées, de l'exposition de sellerie au moindre kiosque et pavillon, riant très fort aux plaisanteries classiques du guide, et trébuchant sur les pavés inégaux. Si j'avais su alors ce qu'elle avait en tête, je l'aurais jugée tout autre, évidemment, mais comme à ce moment-là je la trouvais assommante, je renonçai à les suivre pas à pas et pris au plus court.

Je me réjouissais à l'idée de m'asseoir un petit moment à

la Porte de la Fontaine pendant qu'ils visiteraient l'exposition des textiles, quand elle m'appela.

— Arthur, combien de temps faut-il pour aller d'ici à l'aéroport ?

Je fus si interloqué que je dus la regarder d'un air absolument idiot.

— L'aéroport ?

Elle prit une expression de patience angélique.

— Oui, Arthur, l'aéroport. Là où les avions atterrissent. C'est à combien d'ici ?

Le guide, à qui on ne demandait rien, répondit :

— Quarante minutes, madame.

— Quarante-cinq, dis-je feignant de ne pas l'entendre.

Elle regarda sa montre :

— L'avion arrive à quatre heures. Arthur, allez manger quelque chose. Rendez-vous dans une heure à la voiture. Ça vous va ?

— Certainement, Miss Lipp. Allons-nous chercher quelqu'un à l'aéroport ?

— Si ça ne vous dérange pas, fit-elle sèchement.

— Je voulais simplement vous proposer de vérifier si l'avion est à l'heure.

— Bonne idée, Arthur, je n'y avais pas pensé. C'est l'avion d'Air France en provenance de Genève.

Elle me gratifia d'un sourire éclatant, la vache !

Il y avait une espèce de gargotte près de la Mosquée Bleue ; je commandai quelque chose et téléphonai à Tufan.

Il m'écouta sans m'interrompre jusqu'au bout de mon rapport.

— Très bien, dit-il ensuite. Je vais faire examiner de près les passeports des voyageurs en provenance de Genève. Rien d'autre à me communiquer ?

— Non. J'essayai de lui exposer mon idée d'une probable affaire de stupéfiants et de son lien avec un fournisseur d'opium brut mais il me coupa la parole aussitôt.

— Avez-vous des faits nouveaux pour étayer votre théorie ?

— Non, mais elle s'accorde très bien avec ce que nous savons déjà.

— N'importe quel imbécile peut trouver des interprétations différentes aux informations que nous avons. Ce qui m'intéresse, ce sont les renseignements qui nous manquent. A vous de les trouver.

— Pourtant...

— Vous perdez votre temps. Faites vos rapports par téléphone, comme convenu précédemment et tenez-vous à l'écoute aux heures dites. Maintenant si vous n'avez plus rien à me communiquer, restons-en là ; j'ai du travail.

Ah ! le militaire à l'œuvre ! Qu'il ait raison ou tort (et l'avenir montra qu'il avait les deux) je m'en fichais. Mais son arrogance m'était intolérable !

Je mangeai un affreux ragoût de mouton tiède et regagnai la voiture. J'étais furieux contre moi-même.

Je dois l'admettre : ce qui m'avait vraiment exaspéré n'était pas tant le ton impérieux de Tufan, justifié par la gravité de la situation : ce qui m'avait semblé un raisonnement logique la veille, ne me paraissait plus tel ce matin. L'idée que je m'étais faite d'une Miss Lipp étudiante-laborantine était déjà peu plausible mais, en l'exposant à Tufan, je m'étais rappelé que la villa que j'avais complaisamment vue comme un centre clandestin de fabrication d'héroïne, abritait également un couple de vieux gardiens et un cuisinier. De sorte que, en plus du facteur temps assez improbable, je devais en admettre un autre à présent : ou bien le travail se faisait à une si petite échelle que les domestiques ne se doutaient de rien, ou bien Harper achetait leur discrétion.

Alors, en désespoir de cause, je fis quelque chose d'assez stupide. Je voulus savoir si les grenades et revolvers étaient encore dans la voiture. Si on les avait retirés, ma théorie n'était pas entièrement fausse. Je pouvais en conclure qu'ils avaient été livrés ou allaient l'être, aux personnes qui en avaient besoin.

Il me restait encore vingt minutes avant que Miss Lipp n'ait fini sa visite du Sérail mais au cas où elle arriverait plus tôt, j'amenai la voiture à l'autre bout de la place, sous un bouquet d'arbres en face de l'église Sainte-Irène. Puis je sortis de mon sac le tournevis Philips et me mis au travail sur la garniture de la porte à côté du siège du chauffeur.

Tant pis si on me voyait. Après tout je ne faisais qu'exécuter les ordres de Tufan. Les hommes de l'Opel n'interviendraient pas, et si quelque chauffeur de taxi devenait trop curieux, je n'aurais qu'à lui dire que je réparais la poignée de la portière. L'important était d'avoir assez de temps pour ce travail minutieux, car il ne fallait pas laisser la moindre trace.

Je commençai par desserrer légèrement toutes les vis, puis je me mis à les enlever une à une. Cela me prit un temps fou. C'est alors que la catastrophe se produisit. Au moment précis où j'enlevais l'avant-dernière vis, je levai les yeux et vis Miss Lipp et le guide sortir du Musée d'archéologie et traverser la cour.

Je compris aussitôt qu'elle avait repéré la voiture car elle marchait droit dessus. Elle était encore à deux cents mètres environ et arrivait du côté opposé à celui où je travaillais, mais je vis immédiatement que je n'avais pas le temps de remettre la moindre vis en place. De plus, je n'étais pas à l'endroit où elle m'avait dit de l'attendre. Il n'y avait qu'une chose à faire : fourrer les vis et le tournevis dans ma poche, mettre le moteur en marche, faire le tour de la cour à sa rencontre et prier le ciel pour que les deux vis à demi-desserrées suffisent à maintenir le panneau en place quand j'ouvrirais ma portière pour descendre.

La chance me sourit. Le guide trébucha et faillit tomber en lui ouvrant la portière, aussi n'eus-je pas besoin d'ouvrir la mienne. J'en profitai pour m'excuser adroitement.

— Je regrette, Miss Lipp. Je croyais que vous aimeriez visiter l'église Sainte-Irène et je voulais vous éviter le retour à pied jusqu'à la voiture.

Ça marcha très bien, parce qu'elle ne pouvait pas en même temps remercier le guide et me répondre. Le guide lui-même vint à mon aide d'une façon inespérée en lui demandant si elle ne voulait vraiment pas visiter cette église « du plus beau style byzantin, construite sous le règne de Justinien, et d'un grand intérêt historique ».

— Une autre fois, dit-elle.

— Mais venez sans faute demain, Madame, quand on ouvrira au public le Musée du Trésor.

— Peut-être.

— Sinon il faudra attendre jeudi, Madame. Cette partie-là, ainsi que l'exposition de peintures, ne sont ouvertes que deux jours par semaine, quand tout le reste est fermé.

Il essayait désespérément de la raccrocher. Je me demandai combien il avait touché de pourboire.

— J'essaierai de venir demain. Encore merci.

Elle lui décocha son fameux sourire. Quant à moi, je n'eus droit qu'à un bref « En route ! »

Je démarrai. Dès que nous roulâmes sur les pavés, le panneau se mit à vibrer. J'appuyai aussitôt mon genou dessus et les vibrations s'arrêtèrent, mais j'avais vraiment une peur bleue. Je pensais bien qu'elle ne remarquerait pas l'absence des vis, mais Fischer ou Harper n'y manqueraient pas. Quant à l'inconnu que nous allions chercher... Il fallait absolument que je trouve le moyen de remettre les vis en place à l'aéroport.

— L'avion sera-t-il à l'heure ? demanda-t-elle.

Juste à ce moment-là, une voiture à âne déboucha en cahotant d'une petite rue. Je m'évertuai à freiner et à faire une embardée spectaculaire pour l'éviter. Inutile de faire croire que c'était la voiture qui m'avait fait peur. J'étais bel et bien atterré. Ma conversation avec Tufan et la discussion qui avait suivie m'avaient fait complètement oublier de téléphoner à l'aéroport. Je m'en tirai au mieux.

— On n'a annoncé aucun retard, dis-je, mais l'avion devait faire escale en route ; voulez-vous que je rappelle le bureau des renseignements ?

— Non, ce n'est pas la peine maintenant.

— Avez-vous trouvé le Sérail intéressant, Miss Lipp ? J'espérais reprendre mon calme en bavardant avec elle à bâtons rompus.

— Oui.

— Il faut aussi voir le Trésor. Tout ce que les sultans utilisaient était couvert de joyaux. Naturellement la plupart des objets étaient des cadeaux faits par les rois et les empereurs désireux d'impressionner les sultans par leur magnificence. La reine Victoria elle-même n'y manqua pas.

— Je sais, dit-elle en s'esclaffant, elle envoya des pendules et de la verroterie.

— Mais certains de ces objets sont vraiment extraordinaires, Miss Lipp. Il y a des tasses à café sculptées dans des blocs d'améthyste et, vous savez, la plus grosse émeraude du monde est là, sertie sur le dais de l'un des trônes. Ils faisaient même de la mosaïque avec des rubis et des émeraudes au lieu de prendre du marbre.

Je continuai sur ce ton en lui parlant des baudriers incrustés de pierres précieuses. Je ne lui fis grâce de rien. D'après mon expérience personnelle toutes les femmes adorent parler bijoux. Mais cela n'avait pas l'air de l'intéresser beaucoup.

— Oh, dit-elle, je ne crois pas que tout cela ait vraiment quelque valeur.

— Ces centaines et ces milliers de joyaux, Miss Lipp ?

Je commençais à sentir une crampe dans ma jambe à force de l'appuyer contre le panneau. Je me tortillai imperceptiblement pour changer de position.

Elle haussa les épaules :

— Le guide m'a expliqué que la raison pour laquelle ils doivent fermer certaines salles les jours où ils en ouvrent d'autres, c'est qu'ils manquent de personnel ; et s'ils manquent de personnel c'est parce que le gouvernement ne peut pas en engager davantage. C'est aussi la raison pour laquelle ce Sérail est si décrépi. Presque tout l'argent dont ils disposent va à la restauration de la partie la plus ancienne, le palais Byzantin. De plus, si toutes ces pierreries étaient vraies, elles seraient conservées dans une chambre forte, non dans un musée. Vous savez, Arthur, après tout, la plupart de ces vieilles pierres ne sont que de l'obsidienne et des grenats.

— Oh non, ces pierres sont véritables, Miss Lipp.

— A quoi ressemble la plus grosse émeraude du monde, Arthur ?

— Elle a la forme et la taille d'une poire.

— Polie ou taillée ?

— Polie.

— Ce n'est pas de la tourmaline verte ?

— A vrai dire, je n'en sais rien, Miss Lipp, je ne suis pas expert.

— Aimeriez-vous le savoir ?

Toute cette histoire commençait à m'ennuyer, je répondis :

— Cela m'est égal ; mais l'histoire est plus intéressante si la pierre est une émeraude véritable.

Elle sourit.

— A mon avis ce serait plutôt le contraire ! Êtes-vous jamais allé dans les mystérieux pays de l'Orient ?

— Non, Miss Lipp.

— Mais vous en avez vu des photos. Savez-vous ce qui fait tant étinceler au clair de lune les grandes pagodes ?

— Non.

— Ce sont les petits morceaux de verre à bouteille dont elles sont couvertes. Quant au célèbre Bouddha d'émeraude de Bangkok, il n'est pas du tout en émeraude, il est taillé dans un bloc de jaspe vert très ordinaire.

Je pensai : « Ce sont des choses que l'on ignore généralement, pourquoi n'en faites-vous pas un article pour le *Reader's Digest* ? » mais gardai mes réflexions pour moi.

Elle sortit un étui en or de son sac et y prit une cigarette, je fouillai dans ma poche à la recherche de mes allumettes ; mais elle avait un briquet — en or également — et ne remarqua pas que je lui offrais du feu.

— Avez-vous toujours fait ce genre de travail ? me demanda-t-elle brusquement.

— Conduire une voiture ? Non, Miss Lipp. J'ai été journaliste presque toute ma vie. En Égypte. Quand la clique à Nasser prit le pouvoir, il me fut impossible de continuer. Il fallut repartir de zéro.

Elle devait penser : voilà un garçon franc et simple qui a

eu de la malchance mais qui ne cherche pas d'épaule complaisante sur laquelle pleurer.

— Je pensais à l'histoire des chèques de voyage, dit-elle. C'est ce que vous appelez repartir de zéro ?

— Je regrette que M. Harper vous en ai parlé.

Je n'en étais pas autrement étonné, mais j'avais tant d'autres préoccupations à ce moment-là : conduire la voiture, empêcher le panneau de la portière de vibrer, soulager la crampe de ma jambe et trouver le moyen de remettre ces maudites vis en place — que ce fut la seule réponse qui me vint à l'esprit.

— Vous pensiez qu'il ne me le dirait pas ? poursuivit-elle.

— Je n'y avais pas pensé du tout, Miss Lipp.

— Mais puisque je suis au courant et que je vous laisse conduire ma voiture c'est que ce genre d'histoire ne me choque pas, n'est-ce pas ?

Une seconde, je me demandai si elle était en train de me tendre un piège, mais cela ne dura qu'une seconde.

— Probablement, répondis-je.

— C'est que M. Harper s'en moque aussi, n'est-ce pas ?

— Oui.

— Autrement dit, nous sommes tous des gens très raisonnables et tolérants ?

Je ne pus m'empêcher de lui jeter un regard à la dérobée. Elle m'observait de ses yeux amusés et intelligents, mais bien ouverts à ce moment précis et intensément fixés sur moi.

C'est alors que je saisis l'intention. Elle était en train de me sonder, soit pour se rendre compte si je mordais à l'appât, soit pour découvrir si l'on pouvait me faire confiance dans un certain domaine. Je savais que de ma réponse dépendrait la suite des événements pour moi. Mais que dire ? Inutile de lui faire croire que j'étais incapable de comprendre ou de tourner autour du pot. Elle me faisait passer un test — si je collais j'étais hors jeu — aussi bien vis-à-vis de Harper que de Tufan et de son chef, vis-à-vis de la douane turque que de la police grecque.

Je me sentis rougir ; sentant qu'elle s'en apercevait, je pris une décision. Les gens rougissent quand ils se sentent coupables ou effrayés ; mais aussi quand ils sont en colère. Pour n'avoir l'air ni coupable ni effrayé, je n'avais qu'à simuler la colère.

— Et M. Fischer ? demandai-je.

— Qu'est-ce qu'il vient faire ici ?

— Est-il raisonnable, lui aussi, Miss Lipp ?

— Quelle importance ?

Je lui jetai un coup d'œil :

— Si ma sécurité personnelle — sécurité vis-à-vis d'un mauvais coup du sort par exemple — dépendait de Fischer, je ne serais pas des plus rassurés !

— Parce qu'il a renversé un verre sur vos genoux ?

— Ah, il vous l'a raconté ? Non, ce n'était qu'un geste stupide. Je me ferais du souci parce qu'il a été négligent, parce qu'il s'est donné.

— Lui seul ?

Quelque chose dans sa voix me fit comprendre que j'en avais assez dit.

— Qui d'autre peut-il avoir donné, Miss Lipp ? *Je suis un bagarreur mais pas un mouchard, Miss Lipp. Je veille à mes intérêts personnels, Miss Lipp. Mais je sais aussi me taire quand les circonstances l'exigent.*

— En effet, qui d'autre ? conclut-elle sèchement.

Elle n'en dit pas davantage. Le test était terminé. Je ne savais pas si je l'avais passé avec succès ou non. Mais je ne pouvais pas faire mieux et j'appréciai la détente qui suivit. J'espérai qu'elle ne remarquait pas que j'étais trempé de sueur.

Nous arrivâmes à l'aéroport dix minutes avant l'heure de l'avion. Elle descendit de la voiture et alla droit au hall d'arrivée des passagers, me laissant le soin de trouver une place pour garer. Je resserrai très vite les deux vis avant de la rejoindre.

Elle était au guichet d'Air France.

— Il y a quinze minutes d'attente, me dit-elle.

— Et au moins quinze minutes de plus pour le passage

en douane, lui rappelai-je. Miss Lipp, vous n'avez pas déjeuné. Le restaurant ici est très propre. Profitez-en pour prendre un thé et des gâteaux. Je m'occuperai de l'avion et chercherai un porteur. Quand les passagers seront à la douane, je viendrai vous avertir.

Elle hésita d'abord, puis à mon grand soulagement acquiesça

— D'accord, occupez-vous de tout ça.

— Puis-je vous demander qui nous attendons ?

— M. Miller.

— Je me charge de tout.

Je la conduisis au restaurant, flânai assez longtemps pour m'assurer qu'elle s'y installait bien et me précipitai vers la voiture.

Je transpirais tellement que mes doigts glissaient sur le tournevis. De ce fait, ce que j'avais tant cherché à éviter se produisit : j'éraflai le cuir ; mais c'était inévitable. Je frottai du doigt un peu de salive sur la marque, espérant qu'elle passerait inaperçue. L'Opel était parquée à une dizaine de mètres et je pouvais voir les types me surveiller. Ils devaient croire que j'étais devenu fou.

Quand les dernières vis furent en place, je remis le tournevis dans mon sac et repartis au guichet d'Air France. L'avion était en train de se poser. Je trouvai un porteur, lui donnai cinq livres et lui dis d'attendre un M. Miller. Puis j'allai aux toilettes et essayai de me rafraîchir en faisant couler de l'eau froide sur mes poignets. Cela me fit du bien. Je me donnai un coup de peigne et montai au restaurant.

— Les passagers commencent à sortir, Miss Lipp.

Elle ramassa son sac à main :

— Payez l'addition s'il vous plaît, Arthur !

Il me fallut une minute ou deux pour avoir le garçon, si bien que je manquai la rencontre entre Miss Lipp et M. Miller. Ils se dirigeaient déjà vers la voiture quand je les aperçus. Le porteur les suivait avec une valise et un sac plus petit. Je hâtai le pas pour ouvrir le coffre à bagages. M. Miller devait avoir la soixantaine ; son cou et son nez étaient longs, ses joues grosses et sillonnées de rides, son crâne chauve et tavelé de taches brunes, comme le dos de ses mains. Il était très maigre et, quand il marchait, son léger costume de tussor flottait autour de lui comme s'il avait été coupé pour quelqu'un de plus corpulent. Il portait des lunettes sans monture ; ses lèvres étaient pâles, son sourire découvrait ses dents et il avait ce regard dur qui semble dire : « Otez-vous de mon chemin, car je n'ai pas de temps à perdre. »

En arrivant à la voiture, Miss Lipp lui dit :

— Léo, voici Arthur Simpson, notre chauffeur.

Avant même que j'aie eu le temps de murmurer un « bonjour, monsieur », il me tendit l'imperméable qu'il avait sur le bras :

— C'est bon, c'est bon, fit-il, et il s'assit à l'arrière.

En prenant place à côté de lui, elle sourit, pas à moi d'ailleurs, mais en elle-même.

Le vêtement sentait l'eau de lavande. Je le déposai sur les bagages, donnai un second pourboire au porteur et pris ma place au volant.

— A la villa, Miss Lipp ?

— Oui, Arthur.

— Un instant, dit Miller, où est mon imperméable ?

— Avec vos bagages, monsieur.

— Il va se salir. Mettez-le sur un siège.

— Oui, monsieur.

Je sortis et allai chercher le vêtement. J'entendis Miss Lipp lui dire :

— Vous faites bien des histoires, Léo, le coffre est très propre.

— Oui, mais pas les bagages qui ont été dans la soute de l'avion avec ceux des autres passagers, puis posés par terre et traînés sur la banquette de la douane. Ils ont été manipulés par le type qui les a fouillés puis par le porteur. Rien n'est propre.

Il n'avait pas l'accent américain. Il était peut-être français.

Je pliai soigneusement le vêtement sur le dossier de la banquette en face de lui.

— Ça va comme ça, monsieur ?

— Bien sûr que oui, dit-il avec impatience.

C'est toujours la même chose avec ces gens-là ; ils font des histoires puis ils vous reprochent d'être tatillon.

— En route, Arthur, dit Miss Lipp.

Le ton de sa voix était neutre. Je ne pus en conclure si elle trouvait ce Miller assommant ou non. Je les surveillais dans le rétroviseur.

Dès que nous eûmes quitté l'aéroport, il se renversa en arrière et examina sa voisine paternellement.

— Eh bien ma chère, vous avez l'air en pleine forme. Comment vont Karl et Giulio ?

— Karl se porte à merveille. Quant à Giulio, nous ne l'avons pas encore vu. Il est à bord du bateau. Karl pensait l'y rejoindre demain.

— Avez-vous mis sur pied quelques projets ?

— Nous pensions que vous aimeriez visiter les coins les plus touristiques. A moins que vous ne soyez fatigué.

— Une fille ne serait pas plus attentionnée, ma chère.

Il lui lança un sourire narquois et ses yeux pâles derrière ses lunettes eurent un clignement à mon adresse.

J'avais bien compris que cette conversation anodine devait me donner le change, mais je vis soudain le visage de Miss Lipp se durcir. Elle savait que je n'en perdais pas un mot et craignait que Miller ne dépassât la mesure.

— Priez Arthur de vous faire visiter le Sérail, dit-elle. Il est très documenté sur le sujet, n'est-ce pas, Arthur ?

C'était me prévenir que le vieil imbécile goberait n'importe quel bobard. C'était peut-être aussi prévenir Miller que le chauffeur n'était pas si idiot qu'il en avait l'air. La prudence s'imposait.

— Je serais très heureux de faire visiter à M. Miller tout ce qui peut l'intéresser, dis-je.

— Eh bien, on verra, répliqua-t-il, on verra...

Il chercha le regard de Miss Lipp pour voir s'il avait répondu comme il le fallait. Une réflexion de mon père me revint à l'esprit : « Un jour ils pissent du vinaigre et se gonflent, le lendemain... » il finissait sa phrase en faisant un bruit suggestif avec la langue. C'était grossier évidemment, mais ça dépeignait bien le genre d'homme auquel il faisait allusion.

Après cela M. Miller se tint coi. Une ou deux fois elle lui désigna du doigt des monuments célèbres, comme une hôtesse le ferait à un nouvel invité, mais il ne s'intéressait qu'à la qualité de l'eau à la villa. Pouvait-on sans danger boire celle du robinet ? sinon pouvait-on se procurer de l'eau minérale ?

— Oui, il y de l'eau minérale, lui dit-elle.

Il approuva comme si cela confirmait ses pires appréhensions et dit qu'il avait apporté beaucoup d'*Entero-Vioforme* comme désinfectant intestinal.

Nous arrivâmes à la villa peu après cinq heures. Miss Lipp me dit de klaxonner en montant l'allée. Le Comité d'accueil se composa de Harper et Fischer. Derrière eux, j'aperçus un vieil homme en tablier qui venait chercher les bagages. C'était probablement Hamul, le gardien.

Tufan avait dit que Fischer était le locataire de la villa, mais il n'y avait pas à se demander qui était le vrai patron ici. Tout ce que Fischer reçut en guise de salutation de la part du nouvel arrivant, fut un bref signe de tête. Harper eut droit à un sourire et à un : « Ah, mon cher Karl ! » Ils se serrèrent la main avec une cordialité toute commerciale, puis Harper, Miller et Miss Lipp entrèrent directement dans la villa. On laissa à Fischer le soin subalterne de dire à Hamul où déposer les bagages de Miller et de me montrer le garage et ma chambre.

Derrière la maison il y avait une cour fermée. C'était celle des anciennes écuries que l'on avait transformées en garage pour deux voitures. Ce garage ne contenait pour l'instant qu'un scooter Lambretta.

— La Lambretta appartient au cuisinier, me dit Fischer. Méfiez-vous qu'il ne vole l'essence de la voiture.

Je le suivis de la cour jusqu'à l'entrée de service de la maison.

A l'intérieur, je n'eus que le temps d'entrevoir un corridor au plancher ciré qui partait de la petite entrée carrelée, car il m'emmena aussitôt vers un escalier étroit qui montait au premier étage. De toute évidence nous étions dans l'aile réservée autrefois aux domestiques. Il y avait là six petites mansardes au plancher nu, séparées par des cloisons de bois et éclairées par une seule et même lucarne. L'équipement sanitaire consistait en un évier de faïence avec robinet, accroché en haut de l'escalier sur le palier. Il faisait une chaleur étouffante sous le plafond très bas et la poussière et les toiles d'araignée avaient tout envahi. On avait dû balayer, quelques jours avant, deux des mansardes. Chacune était meublée d'un lit de fer avec un matelas et des couvertures grises. Dans l'une traînait une vieille valise de simili cuir. Fischer m'introduisit dans la seconde.

— Voici votre chambre. Le « chef » dort dans celle d'à côté. Vous prendrez vos repas avec lui, dans la cuisine.

— Où sont les toilettes ?

— Il y a un urinoir dans la cour des écuries.

— Et la salle de bains ?

Il montra l'évier. Il m'observait en jubilant un peu trop ouvertement. Je devinai que c'était la meilleure vengeance qu'il eût trouvée pour me punir de l'avoir traité de domestique et que Harper n'était certainement pas au courant. De toute façon, il fallait me rebiffer. Si je n'avais pas une vraie chambre bien à moi, impossible, surtout le soir, de me servir de ma radio ni de rédiger mes rapports.

J'avais déposé mon sac de voyage sur le plancher pour soulager mon bras. Je le ramassai donc, et me disposai à quitter les lieux.

— Où allez-vous ?

— Voir M. Harper et lui dire que je refuse de coucher ici.

— Et pourquoi ? si le cuisinier s'en contente, pourquoi pas vous, le chauffeur ?

— Parce que si je ne puis prendre un bain, je doute que Miss Lipp apprécie mon odeur.

— Qu'est-ce que vous voulez ? un appartement princier ?

— Je peux très bien prendre une chambre d'hôtel à Sariyer, sinon trouvez un autre chauffeur !

Je ne risquais pas grand-chose en disant cela. S'il devinait que ce n'était que du bluff, je pouvais toujours me rétracter ; mais c'était probablement lui qui bluffait, car le fait même qu'il discutât prouvait qu'il se savait dans son tort.

Il me fusilla du regard un instant puis se dirigea vers l'escalier.

— Rentrez la voiture. On vous dira plus tard ce qu'on décide de faire de vous.

Je descendis derrière lui. Au pied de l'escalier, il prit à gauche vers l'aile principale. Je sortis dans la cour, laissai mon sac au garage et allai chercher la voiture. Quand je l'eus rentrée, je revins à la maison et essayai de découvrir la cuisine. Ce ne fut pas difficile. Le corridor que j'avais aperçu en arrivant desservait toute la maison ; à gauche, un escalier menait aux chambres à coucher des domestiques, et à droite s'ouvrait une série de portes qui probablement donnaient accès aux pièces de réception en façade Il flottait une odeur de ragoût à l'ail. Je n'eus qu'à la suivre.

La cuisine était une immense pièce carrelée, à gauche du corridor. Le long du mur du fond, il y avait une énorme cuisinière à charbon de bois surmontée de trois tuyaux déglingués. Au milieu de la pièce, une lourde table de bois blanc, et deux bancs. La table était couverte de débris de nourriture et de bouteilles et profondément entaillée par des années de service comme planche à hacher. Aux poutres du plafond pendaient des crocs de boucher. Il y avait une barrique sur un tréteau et à côté une glacière de zinc d'aspect sinistre. Une porte de côté menait à ce qui devait être l'office. Un homme se tenait devant le fourneau, tournant quelque sauce dans une cocotte. C'était Geven, le chef-cuisinier. Quand j'entrai, il leva les yeux et me dévisagea.

D'âge mûr, noiraud, la figure toute ronde, il avait le nez retroussé et les narines épatées. La bouche était grande et pleine, la lèvre inférieure agitée d'un tic comme s'il allait pleurer. La poitrine étroite s'enflait en une lourde bedaine. Il avait une barbe de trois jours, ce qui ne me surprit pas autrement, étant donné qu'il n'avait pas d'endroit où se raser.

Je me souvins qu'il était cypriote et lui adressai la parole en anglais :

— Bonsoir, je suis le chauffeur, Simpson. Monsieur Geven ?

— Geven, oui.

Il s'arrêta de tourner sa sauce et nous échangeâmes une poignée de main. Les siennes étaient répugnantes et je me dis tout à coup que M. Miller aurait bientôt besoin de son *Entéro Vioforme.*

— Vous voulez boire quelque chose ? demanda-t-il.

— Oui, merci.

Il sortit un verre d'une bassine d'eau sale sur l'évier, le secoua et y versa un peu de *Konyak* d'une bouteille ouverte sur la table. Il remplit également son propre verre, qu'il gardait bien à portée de sa main.

— A votre santé, dit-il en buvant goulûment.

Une remarque de Tufan me vint à l'esprit : « Quand il est ivre, il attaque les gens. » Sur le moment je n'avais pas songé à lui demander qui il attaquait, la personne avec laquelle il buvait ? ou bien un passant quelconque ?

— Vous êtes anglais ? me demanda-t-il.

— Oui.

— Comment avez-vous deviné que je comprends l'anglais ?

Drôle de question :

— Je ne l'ai pas deviné, mais comme je ne sais pas le turc...

Il acquiesça de la tête, satisfait :

— Vous avez déjà travaillé pour ces gens ?

— Un peu. C'est moi qui ai amené la voiture d'Athènes. D'habitude c'est là-bas que je travaille, mais avec ma propre voiture.

— Vous conduisez des touristes ?

— Oui.

— Et eux, ce sont des touristes ? demanda-t-il d'un ton chargé d'ironie.

— Je ne sais pas. C'est ce qu'ils disent.

— Ah ! il me fit un clin d'œil entendu et se remit à tourner sa sauce : Êtes-vous à la semaine ?

— Voulez-vous dire payé à la semaine ? Oui.

— Vous avez déjà touché quelque chose ?

— Oui. Pour le voyage depuis Athènes.

— Qui vous a payé ? ce Fischer ?

— Non, le type qui s'appelle Harper. Vous ne croyez pas que ce soit vraiment des touristes ?

Il fit une grimace et secoua la tête comme si ma question était trop stupide pour mériter une réponse.

— Alors que sont-ils ?

Il bondit :

— Ce sont des espions, des espions russes. Tout le monde le sait : Hamul, sa femme et les pêcheurs là-bas, tout le monde. Voulez vous manger un morceau ?

— Ça sent bon !

— Et pour cause. C'est pour nous. La femme de Hamul cuisine pour lui dans leur chambre avant d'aller servir dans la salle à manger. Moi, je cuisine pour les espions. Peut-être que si ça me chante je leur donnerai nos restes, mais à nous les bons morceaux ! Prenez deux assiettes sur l'étagère.

Ce bouillon de poulet fut la première chose que je mangeais avec plaisir depuis deux jours. Je savais bien que l'ail aurait du mal à passer, mais j'avais l'estomac tellement noué par la tension nerveuse que de toute façon rien ne passerait bien. Geven toucha à peine au repas. Il but sans arrêt son brandy mais quand je me servis une deuxième fois de bouillon, il sourit avec fierté.

— J'ai toujours aimé les Anglais, me dit-il. Même quand ils soutiennent les Grecs contre nous à Chypre. Ça me fait du bien de vous avoir ici. Ce n'est pas agréable de boire tout seul. On montera une bouteille dans notre chambre tous les soirs.

Il eut un sourire mouillé à cette seule idée.

Je lui rendis son sourire. Le moment était mal choisi pour lui avouer que je ne comptais pas loger à côté de lui dans les mansardes de domestiques.

C'est alors que Fischer eut le malheur d'entrer.

Il regarda la bouteille de brandy d'un air désapprobateur puis se tournant vers moi, me dit :

— Je vais vous montrer votre chambre.

Geven leva une main tremblante pour protester.

— *Efendi*, laissez-le finir de manger. Je lui montrerai sa chambre moi-même.

Fischer ne laissa pas passer l'occasion qui s'offrait :

— Ah ! mais non, chef, dit-il. Simpson ne vous trouve pas d'assez bonne compagnie pour dormir avec lui.

Puis s'adressant à moi :

— Venez.

La lèvre inférieure de Geven fut prise d'un tremblement si furieux que je m'attendis à le voir fondre en larmes ; mais il saisit la bouteille comme pour me la lancer à la tête. Peut-être allait-il faire les deux choses à la fois.

Je murmurai en hâte :

— Ce sont les ordres de Harper, ce n'est pas ma faute. Et je sortis aussi vite que je le pus.

Fischer était déjà au pied de l'escalier de service.

— Vous passerez par ici, dit-il, pas par le grand escalier.

La pièce devant laquelle il me conduisit, se trouvait au premier étage sur le côté de la maison. Il m'en désigna la porte du doigt.

— Voici votre chambre, puis il montra une autre porte du même corridor. — Et voici votre salle de bains. On aura besoin de la voiture demain matin à onze heures.

Sur ce, il me laissa éteignant derrière lui les lumières du couloir.

Quand il fut parti, je rallumai. Le corridor avait un soubassement de lino incrusté et au-dessus une tapisserie à fleurs. Je jetai un coup d'œil à la salle de bains. La forme en était très curieuse ; on l'avait certainement installée après coup, dans une penderie inutilisée. Elle n'avait pas de fenêtre. La robinetterie était de fabrication allemande et datait de l'année 1900. Seule l'arrivée d'eau froide fonctionnait.

La chambre à coucher n'était pas mal. Elle était éclairée par une porte-fenêtre et meublée d'un lit de cuivre, d'une commode et d'une vaste armoire. Il y avait aussi une petite table de bois blanc sur laquelle se trouvait une machine à coudre d'un vieux modèle à main. A l'époque où les dames invitées dans ces grandes demeures amenaient toujours avec elles leurs femmes de chambre, cette pièce avait dû être occupée par l'une d'elles.

Il y avait un matelas sur le lit mais ni draps ni couvertures. Je crus préférable de ne pas « rouspéter » à nouveau. Avant de chercher mon sac de voyage au garage, je grimpai dans la mansarde que Fischer m'avait d'abord allouée, prendre des couvertures. Puis je retournai à ma chambre. La liaison radio ne devait pas avoir lieu avant onze heures, il fallait tuer le temps. Je me mis à fouiller la pièce.

J'ai toujours aimé regarder l'intérieur des tiroirs et des placards chez les autres. On y fait quelquefois d'étranges découvertes. Je me souviens qu'un jour, du temps où j'étais à Coram, ma tante eut une pleurésie et l'infirmière dit qu'il fallait que je prenne pension ailleurs, un mois. Ce sont des gens qui habitaient une vieille villa du côté de Lewisham High Road qui me recueillirent. La maison était tout entourée de grands massifs de lauriers et d'énormes noyers qui l'assombrissaient beaucoup. Je détestais passer devant les buissons de lauriers le soir, parce qu'à cette époque, je croyais (comme seul un enfant peut imaginer) qu'un fou armé d'une baïonnette allemande s'y tenait à l'affût, prêt à bondir sur moi pour me tuer. Mais l'intérieur de la maison me plaisait. Cela sentait le savon désinfectant et la cire à parquet. Les propriétaires avaient eu un fils tué sur la Somme et me donnèrent sa chambre. Je découvris de tout dans la commode. Un album de timbres, par exemple. Je n'avais jamais fait de collection de timbres, mais beaucoup de mes copains de classe en faisaient une, je pris donc un ou deux spécimens et les leur vendis. Après tout, le fils était mort et n'en avait plus besoin. Mais ce que je préférais, c'était sa collection de roches. Elle était rangée dans une boîte très plate divisée en casiers, chacun contenant une pierre différente dont le nom était porté sur une étiquette : graphite, galène, mica, quartz, pyrite de fer, chalcocite, fluorite, wolfram, etc. Il y avait exactement soixante-quatre casiers et soixante-quatre échantillons de roches, aussi au début je me demandai comment faire pour en chiper un sans que cela se vît. J'en apportai quelques-uns à l'école pour les montrer au professeur de sciences naturelles et essayer de m'attirer ses bonnes grâces ; mais il devint aussitôt très soupçonneux et me demanda où je les avais trouvés. Pour qu'il me les rende, je dus lui raconter qu'un de mes oncles me les avait prêtés. Après cela, je les laissai dans leur boîte et me contentai de les regarder, jusqu'au jour où je rentrai chez ma tante emportant avec moi la pyrite de fer parce qu'on aurait dit qu'il y avait de l'or dedans. A sa place, dans le casier, je déposai un petit morceau de charbon. Je crois que les gens ne s'en aperçurent jamais. Quant à moi, je gardai des années ce bout de pyrite, « l'or des fous » comme on l'appelle vulgairement.

Tout ce que je découvris dans ma chambre à la villa Sardunya fut un vieux calendrier russe, en carton, découpé en forme d'icône et sur lequel on avait collé une image du Christ patinée par le temps. Je ne sais pas lire le russe, aussi je ne pus en découvrir la date. Cela n'était d'aucune valeur.

J'avais ouvert la porte-fenêtre toute grande. C'était si calme ici que je pouvais entendre le moteur d'un bateau haleter en remontant le courant de la mer Noire vers la barre des détroits au-dessus de Sariyer. Jusqu'à huit heures et demie un léger murmure de voix me parvint de la terrasse du devant. Puis tous rentrèrent dîner. Un peu après neuf heures je commençai à tourner en rond. Après tout, personne ne m'avait prié de rester dans ma chambre. Je décidai d'aller faire un tour.

Au cas où quelqu'un aurait l'idée de mettre le nez dans mes affaires, je cachai ma radio sur le dessus de l'armoire. Puis je descendis, sortis par la porte de derrière et traversai la cour d'honneur en me dirigeant vers l'avenue.

Il faisait si noir sous les arbres que je ne voyais pas où j'allais. Aussi, au bout d'une centaine de mètres, je remontai vers la maison. Miss Lipp, Harper, Miller et Fischer sortirent sur la terrasse au moment où j'atteignais la cour ; Hamul alluma des bougies sur les tables.

Les côtés de la cour restaient dans l'ombre et, en marchant sur l'herbe poussée dans le gravier, on pouvait facilement avancer sans bruit. A l'entrée de la cour des écuries, je m'arrêtai pour voir si je pouvais entendre leur conversation.

J'attendis bien vingt minutes avant de percevoir autre chose qu'un simple murmure. Puis un des hommes s'esclaffa bruyamment — c'était Miller — et je l'entendis prononcer sept mots bien détachés qui paraissaient être le clou d'une bonne histoire.

— Que les chiens soient nourris et vêtus ! puis il répéta : « que les chiens soient nourris et vêtus ! »

Les autres éclatèrent de rire avec lui, puis le murmure indistinct reprit. Je rentrai et montai à ma chambre.

J'arrangeai le lit de mon mieux avec les seules couvertures, et me rasai pour ne pas avoir à le faire le matin.

Un peu avant onze heures, je sortis la radio de son étui, ouvris le fond et tournai le petit bouton. Un léger sifflement fut tout ce que je captai. J'attendis. Je n'avais pas pris la peine de mettre les écouteurs parce que cela me paraissait inutile. Je n'avais même pas fermé les fenêtres.

A onze heures précises, l'appareil émit un craquement sonore. L'instant d'après, une voix nasilla dans le minuscule haut-parleur, mais si fort que je sentis tout le poste vibrer dans mes mains. J'essayai de diminuer l'intensité, mais sur les ondes ultra-courtes, cela paraissait impossible. Il ne me resta d'autre ressource que de fourrer l'appareil sous mes couvertures. Et même là-dessous, ça hurlait comme un haut-parleur de rue. Je me précipitai à la porte-fenêtre et la fermai. Le haut-parleur répéta son message.

Attention, prenez l'écoute. Attention, prenez l'écoute. Nouvel arrivant : Léopold Axel Miller. Passeport belge donne renseignements suivants : âge, soixante-trois ans; profession, importateur; lieu de naissance : Anvers. Renseignements reçus également concernant Tekelek S. A. firme suisse enregistrée à Berne — capital nominal cinquante mille francs suisses. Directeurs : K. W. Hoffman, R. E. Kohner, G. D. Bernadi et L. A. Mathis, tous supposés faire nombreux dépôts personnels secrets, Banque de Crédit Suisse, à Zurich. Affaire Tekelek consiste en vente de machines à calculer électroniques fabriquées en Allemagne Fédérale. Envoyer rapport d'urgence. Terminé. Attention, prenez l'écoute...

Je tâtonnai sous les couvertures, tournai le bouton des ondes ultra-courtes et refermai le dos de l'appareil. Puis je branchai sur une station turque au cas où quelqu'un aurait entendu le bruit et viendrait voir ce qui se passait.

Mais personne ne vint.

Envoyer rapport d'urgence. Terminé.

Il me restait deux cigarettes dans un paquet. J'en allumai une, mis l'autre dans ma poche et allai à la salle de bains chercher un bout de papier hygiénique.

Quand je rentrai dans ma chambre, je fermai la porte à clé, m'assis et rédigeai mon rapport. Il était très bref.

Cuisinier, gardiens et pêcheurs croient tous que suspects sont espions russes.

Je pliai le bout de papier, le glissai dans le paquet de cigarettes, froissai ce dernier et l'enfouis dans ma poche prêt à en disposer le lendemain matin.

Pour ce jour-là, j'en avais assez fait !

VII

Le lendemain, je m'éveillai de bon matin, avec cette mauvaise conscience que j'éprouvais autrefois à l'école quand j'avais bâclé mes devoirs la veille.

Je sortis le paquet à cigarettes de ma poche et jetai un coup d'œil sur le bout de papier où j'avais griffonné mon rapport. Il ne valait rien du tout. Si je ne trouvais rien d'autre à y ajouter, Tufan croirait que je me moquais de lui. Je sortis de ma chambre, pris un bain froid très désagréable, emportai quelques feuillets de papier hygiénique et essayai de rédiger quelque chose de mieux.

Liaison radio bien reçue. Tentative pour contrôler contenu de la portière ratée. Essaierai à nouveau aujourd'hui.

J'hésitai sur le mot « aujourd'hui ». Fischer avait commandé la voiture pour onze heures. Je pouvais en profiter, et ce serait très normal, pour la sortir et faire le plein d'essence, sans demander la permission à qui que ce soit ; du moment que j'étais de retour à l'heure, inutile de me presser. S'ils avaient des objections et me demandaient pourquoi je m'étais absenté si longtemps, je leur raconterais que j'étais allé acheter des lames de rasoir, ou autre babiole, et j'affecterais un air d'innocence outragée.

Il était sept heures moins le quart, et je devais me préparer à capter la liaison radio de sept heures. Je pensai soudain à deux détails supplémentaires que je pourrais ajouter à mon rapport.

Vous téléphonerai du garage après inspection si heure et circonstances le permettent, ou compléterai ce rapport. Au cours de conversation Lipp - Miller, hier, relevé nom Giulio à propos d'un bateau. Pas d'autres détails.

Puis j'ajoutai ma première phrase au sujet des espions russes. Ça n'avait plus l'air aussi laconique et stupide maintenant.

Je cachai ce rapport sous le papier qui couvrait le fond d'un tiroir, fermai soigneusement la porte-fenêtre, ouvris le poste de radio et branchai l'écouteur. A sept heures précises, la voiture commença à émettre.

Attention, prenez l'écoute. Attention, prenez l'écoute. Avis reçu de Suisse : aucun passeport légalement délivré à Harper et Lipp. En vue de contact Miller - Tekelek avec Harper, possible de considérer que les vrais noms de Harper et Lipp soient Hoffman et Kohner, ou vice versa. Miller est peut-être Mathis, ordre de transmettre d'urgence vos renseignements.

Lorsque la voix se mit à répéter la communication, je coupai. Quand j'eus remis le poste dans son étui, je sortis le rapport du tiroir et y ajoutai cinq mots.

Noms Hoffman, Kohner, Mathis relevés.

Ce louable effort méritait au moins un « très bien ». Je mis le rapport complété dans le paquet à cigarettes, brûlai l'ancien et commençai à m'habiller. J'entendis la Lambretta revenir. Je regardai par la fenêtre et la vis disparaître au coin des écuries, une brassée de miches de pain mal ficelée sur le siège arrière.

Geven était à la cuisine quand je descendis. Il me lança un regard lourd et ne répondit pas à mon « bonjour ». Il avait probablement la gueule de bois ou m'en voulait à mort, je ne sais pas bien.

J'aperçus une cafetière sur le fourneau. Je regardai Geven d'un air interrogateur. Il haussa les épaules. Alors je pris une tasse et me servis. Il était en train de couper du pain avec un énorme couteau à viande qui avait l'air effilé comme un rasoir. Ne voulant pas risquer de perdre mes doigts, j'attendis qu'il eut reposé le couteau avant de me servir.

Le café ne valait pas grand-chose mais le pain était bon. J'étudiai le moyen de rentrer dans ses bonnes grâces en lui offrant par exemple de partager ma salle de bains ; mais je n'avais qu'une seule serviette de toilette et la pensée de l'état dans lequel il la mettrait me retint. Je lui offris donc une cigarette à la place.

Il la prit et me montra un panier d'abricots sur la table. Je n'aime pas ces fruits, mais il était plus prudent d'accepter. Au bout d'un moment, il marmotta quelque chose au sujet du petit déjeuner qu'il fallait monter sur des plateaux à chacun des quatre « messieurs et dames ». Je lui offris de l'aider, il refusa mais je sentis que nos relations amicales de la veille étaient renouées. Un peu plus tard, M. et Mme Hamul entrèrent et me furent présentés. Mme Hamul était une vieille femme, petite, replète, triste, vêtue des traditionnelles robe et écharpe noires des matrones turques. Son mari et elle-même ne sachant que le turc, les formalités furent brèves. Je traînai encore un peu à la cuisine et mangeai un autre morceau de pain. Je pensais que le meilleur moment pour m'esquiver était d'attendre que l'on montât les plateaux à Harper et ses amis.

Dès que les Hamul emportèrent les petits déjeuners, je dis à Geven que je devais acheter de l'essence et lui demandai si je pouvais lui rapporter quelque chose de la ville. Il s'offrit aussitôt à m'accompagner. Je refusai en prétextant qu'il fallait partir immédiatement pour être de retour à onze heures. Puis je sortis, le laissant bouder dans son coin, cherchai le tournevis Phillips dans ma chambre et allai au garage.

La Lincoln était une voiture silencieuse, et je savais que le seul bruit qu'ils entendraient serait celui des pneus crissant sur le gravier ; mais j'avais si peur que Harper et Fischer n'apparaissent à un des balcons et ne me hurlent de rester là, que dans ma précipitation je faillis heurter le bord du bassin. En descendant l'allée, je me sentais couvert de sueur et les jambes tremblantes. Pour un peu, j'aurais stoppé et vomi. Cela vous paraît peut-être idiot mais si vous étiez comme moi, l'appréhension du danger, et son souvenir vous affecteraient autant que le danger lui-même. J'ai toujours été jaloux de ces personnages d'*Alice aux pays des merveilles* qui ne souffrent qu'avant d'être blessés. Pour moi, je ressens les choses avant et pendant qu'elles m'arrivent ; puis leur souvenir même me poursuit. J'ai souvent pensé à me suicider pour n'avoir plus ni à penser, ni à sentir, ni à me rappeler, et pour trouver le repos ; mais je me demande si l'au-delà est tel que l'église le décrit. C'est peut-être pire encore que la vie d'ici-bas.

La Peugeot avait repris sa filature. Je conduisis environ huit cents mètres en direction de Sariyer, puis je tournai à gauche dans une des petites routes qui s'enfoncent dans la forêt. C'était un dimanche matin et des familles d'Istanbul allaient envahir les emplacements réservés pour pique-niquer et passer la journée ; mais à cette heure matinale les parcs à voitures étaient encore presque vides et je n'eus pas de mal à trouver sous les arbres un coin discret.

Je décidai de m'attaquer de nouveau à la même portière. J'avais déjà éraflé le cuir une fois, mais si je faisais très attention, cela ne m'arriverait plus. De toute façon, tant que je conduisais moi-même cette voiture, les éraflures se verraient moins que sur toute autre portière. Ma tentative précédente m'avait en tout cas appris quelque chose : si je commençais par enlever toutes les vis du côté de la charnière et si je desserrais seulement les autres, je pourrais probablement écarter suffisamment le panneau pour glisser un coup d'œil derrière, sans avoir à le détacher complètement et à démonter le mécanisme électrique d'ouverture des glaces.

Il me fallut vingt minutes pour vérifier que j'avais choisi la bonne méthode pour écarter le panneau, et cinq secondes de plus pour me rendre compte que je me trompais si je croyais le matériel enlevé. Il était bien là, tel que je l'avais vu sur les photos que Tufan m'avait montrées à Edirné. A l'intérieur de cette portière, il y avait douze petits cylindres enveloppés de papier — sans doute des grenades.

Je remis en place le panneau, serrai les vis et m'assis un moment pour réfléchir. La Peugeot était garée à moins de cent mètres — je pouvais la voir dans le rétroviseur. Je faillis sortir et aller dire au chauffeur ce que j'avais découvert. J'avais besoin de parler à quelqu'un. Mais je me retins. A quoi cela servirait-il de me confier à quelqu'un qui ne voudrait ni ne pourrait me répondre utilement ? Le bon sens m'ordonnait d'obéir aux consignes que j'avais reçues.

Je sortis mon rapport du paquet à cigarettes et ajoutai : 9 h 20. *Inspecté l'intérieur de la portière avant, côté du chauffeur. Matériel toujours en place (cf. photos). En raison durée absence de la villa et impossibilité fournir plus de détails actuellement, renonce à téléphoner depuis le garage.*

Je remis le papier de soie dans le paquet, jetai ce dernier par la portière et revins sur la route. J'eus le temps de voir un homme sortir de la Peugeot et ramasser le rapport. Je retournai à Sariyer pour y faire le plein et fus de retour à la villa avant dix heures.

Je m'attendais un peu à trouver mon Fischer furieux, arpentant la cour et demandant à tous les échos où diable j'avais bien pu passer. Il n'y avait personne. Je rentrai la voiture dans la cour des écuries, vidai les cendriers, brossai la moquette et passai un chiffon sur la carrosserie. La présence du tournevis me préoccupait. Maintenant que je savais que le matériel était encore dans la voiture, il était dangereux de porter cet outil sur moi. Je ne voulais pas non plus le garder dans ma chambre. Je pouvais en avoir encore besoin, il me fallait donc l'avoir sous la main. Je le cachai finalement à l'intérieur d'un vieux pneu accroché au mur du garage. Je rentrai à la maison et fis un brin de toilette. Un peu avant onze heures j'amenai la voiture devant le perron de marbre de la grande entrée.

Dix minutes plus tard, je vis arriver Harper. Il portait une chemise de sport et des pantalons de toile bleue, et tenait une carte à la main. Il me salua d'un signe de tête.

— Vous avez assez d'essence, Arthur ?

— J'ai fait le plein ce matin, monsieur.

— Ah oui ?

Il parut agréablement surpris.

— Vous connaissez un endroit appelé Pendik ?

— De nom, oui. C'est quelque part sur l'autre rive, n'est-ce pas ? On dit qu'il y a là-bas un bon restaurant.

— C'est là, sur la mer de Marmara.

Il me montra l'endroit sur la carte. Depuis Uskudar, sur la rive asiatique du Bosphore, c'était à plus de trente kilomètres au sud, le long de la côte.

— Combien de temps nous faudra-t-il pour y aller ?

— Si nous avons le bac tout de suite, c'est à une heure et demie d'ici à peu près, monsieur.

— Sinon ?

— Comptez dix ou vingt minutes de plus.

— Très bien. Voilà ce que nous allons faire. Nous passerons d'abord en ville déposer Miss Lipp et M. Miller à l'hôtel *Hilton*. Puis vous nous conduirez, M. Fischer et moi, à Pendik. Nous y resterons deux heures je pense. Au retour, nous nous arrêterons à l'hôtel *Hilton* pour reprendre les autres. Compris ?

— Oui, monsieur.

— Qui a payé l'essence ?

— C'est moi, monsieur. Il me reste encore un peu de l'argent turc que vous m'avez donné. Voici le reçu du garage.

Il l'écarta de la main.

— Combien vous reste-t-il ?

— Quelques livres seulement.

Il me donna deux billets de cinquante livres.

— Voilà pour vos frais. Vous avez encaissé aussi deux chèques au nom de Miss Lipp. Remboursez-vous dessus.

— Très bien, monsieur.

— Au fait, Arthur, inutile de chercher noise à M. Fischer, vous entendez ?

— Il me semble que c'est plutôt lui qui me cherche querelle, monsieur.

— On vous a donné la chambre et la salle de bains que vous aviez demandées, n'est-ce pas ?

— Oui, monsieur.

— Alors tenez-vous tranquille.

Je n'eus pas le temps de lui faire remarquer que depuis la veille au soir, je n'avais même pas aperçu Fischer, et que je lui avais encore moins cherché noise, car il revenait déjà vers la maison.

Ils en ressortirent tous cinq minutes plus tard. Miss Lipp dans une robe de toile blanche, Miller avec son appareil de photo et son étui à objectifs, et Fischer en marinière, jeans et espadrilles blanches, tel un baigneur d'âge canonique à Antibes. Un parfait trio de touristes.

Harper s'assit devant, à côté de moi, les autres derrière. Personne n'ouvrit la bouche jusqu'à Istanbul. Je n'eus pas l'impression qu'ils se taisaient à cause de moi. Ils avaient l'air absorbé des personnes qui vont à un important rendez-vous d'affaires, qui ont examiné tous les aspects des négociations en cours et n'ont plus qu'à attendre les réactions de la partie adverse. Cependant deux d'entre eux paraissaient équipés pour visiter les monuments célèbres et les deux autres pour déjeuner au bord de la mer. Cela donnait une atmosphère assez bizarre. La Peugeot nous suivait toujours, cependant. Ses occupants sauraient sans doute prendre les initiatives voulues lorsque le groupe se scinderait en deux. Quant à moi, je n'avais qu'à attendre la suite des événements.

Miss Lipp et Miller descendirent devant le *Hilton*. Un car de touristes me barra la route assez longtemps pour me permettre de voir qu'ils entraient dans l'hôtel et qu'un homme sortait de la Peugeot et les suivait. L'opération stupéfiants reprit soudain un sens. Le fournisseur d'opium brut attendait sans doute dans sa chambre la venue de Miller, le chimiste consommé, pour lui proposer des échantillons que celui-ci essayerait et évaluerait. Plus tard, s'ils donnaient satisfaction, mais dans ce cas-là seulement, Harper conclurait le marché. Pour l'heure, un bon repas s'annonçait.

Nous dûmes attendre quelques minutes le bac à voitures pour Uskudar. De la jetée, on distingue facilement les casernements sur l'autre rive dont Florence Nightingale fit un hôpital pendant la guerre de Crimée. Pour dire quelque chose, je les montrai à Harper.

— Qu'est-ce que c'est ? dit-il d'un ton rauque.

— Rien de bien spécial, monsieur, ce n'est que l'hôpital

de Florence Nightingale. L'endroit s'appelait alors Scutari.

— Écoutez, Arthur, nous savons que vous avez une licence de guide, ne nous rebattez pas les oreilles avec vos boniments, voulez-vous ?

Fischer éclata de rire.

— Je pensais que cela vous intéresserait, monsieur.

— Ce qui nous intéresse, c'est d'arriver à Pendik. Où est ce maudit bac dont vous nous avez parlé ? bougonna-t-il assez méchamment pour plaire à Fischer.

Je ne pris pas la peine de lui répondre. Le bac accostait. Je me demandai ce qu'ils auraient dit si je leur avais révélé la mission exacte de la Peugeot couleur sable, derrière nous dans la file de voitures, et d'où émanaient les ordres auxquels obéissait son chauffeur. Cette pensée me divertit un bon moment.

A Uskudar, je pris la route d'Ankara ; elle est large et en bon état ; je la suivis pendant vingt-cinq kilomètres environ avant d'arriver à une route secondaire qui menait sur la droite à Pendik. Nous y arrivâmes un peu avant une heure.

C'était un petit port de pêche abrité par une langue de terre. Plusieurs yachts étaient à l'ancre. Deux jetées de bois s'avançaient depuis la route parallèlement au rivage ; un restaurant était construit sur l'une ; l'autre servait de débarcadère aux petits bateaux et aux youyous. L'endroit fourmillait d'enfants.

J'avançai sur la chaussée étroite en direction du restaurant, lorsque Harper me dit de m'arrêter. Nous nous trouvions à la hauteur du débarcadère et un homme avançait de l'autre côté. Il portait une casquette de marin cette fois, mais je le reconnus. C'était le type qui m'attendait au parking du *Hilton* le soir de mon arrivée à Istanbul.

Il avait sûrement reconnu la voiture et leva la main pour saluer Harper et Fischer.

— Garez la voiture, et allez déjeuner, me dit Harper. Venez nous reprendre ici dans une heure.

— Très bien, monsieur.

L'homme à la casquette de marin avait maintenant atteint la chaussée et j'entendis Harper l'accueillir par un :

— Alors Giulio, *sta bene ?*

Ils s'éloignèrent ensemble vers le débarcadère. Dans le rétroviseur j'aperçus un des occupants de la Peugeot descendre vivement sur le quai pour ne pas les perdre de vue.

Au bout du débarcadère, ils montèrent à bord d'un youyou à moteur. Giulio mit les gaz et ils filèrent à toute vitesse vers un groupe de yachts ancrés à deux cents mètres de là. Ils se rangèrent le long d'un petit yacht de croisière, à la cheminée trapue. La coque était noire, les superstructures blanches, et la cheminée cerclée d'une bande jaune. Un drapeau turc pendait à l'arrière. On avait descendu une petite passerelle et un matelot maintenait le youyou avec une gaffe pendant que les trois hommes montaient à bord. Le bateau était trop éloigné pour que je puisse discerner le nom peint sur la coque.

Je garai la voiture et entrai dans un restaurant. L'endroit n'était guère attrayant mais je m'arrangeai pour prendre une table à côté d'une fenêtre afin de ne pas perdre le yacht de vue. Je demandai au garçon comment s'appelait le bateau et appris que c'était le *Bulut*. Il était loué à un monsieur italien très riche, signor Giulio, qui pouvait avaler deux homards d'affilée.

Je ne poussai pas plus loin mon enquête ; les hommes de Tufan trouveraient certainement tous les renseignements voulus auprès du commissaire de police. Du moins savais-je maintenant à quoi ressemblait Giulio et où était ancré le bateau dont Miss Lipp avait parlé à Miller. Je pouvais aussi deviner que Giulio n'était pas plus le vrai locataire du bateau que Fischer n'était celui de la villa Sardunya. Les riches Italiens nantis de yachts ne déambulent pas dans le parking du *Hilton* d'Istanbul pour emmener des voitures truffées d'armes de contrebande ; ils emploient des comparses pour faire ce boulot.

Au moment précis où l'on me servait ma côtelette grillée, je vis le *Bulut* se mettre en route. Une minute ou deux plus tard, son ancre de proue sortait de l'eau et un bouillonnement d'écume blanche jaillissait à la poupe. Le youyou resta sur place amarré à une bouée. Les seules personnes visibles sur le pont du bateau étaient les deux marins aux treuils. Le *Bulut* traversa la baie en direction d'une île noyée au loin dans la brume. Je me demandai si les types de la Peugeot réquisitionneraient une vedette pour les suivre ; mais nulle embarcation ne quitta le port. Au bout d'une heure, le *Bulut* revint et jeta l'ancre au même endroit. Je réglai l'addition et allai à la voiture.

Giulio ramena Harper et Fischer à l'embarcadère dans le youyou, mais ne descendit pas à terre avec eux. Ils échangèrent des adieux que je pus voir mais pas entendre, puis se dirigèrent vers la voiture. Harper portait une boîte de carton plate d'environ soixante centimètres sur quinze grossièrement ficelée.

— O.K. Arthur, me dit-il en s'asseyant dans l'auto. Nous repartons au *Hilton*.

— Très bien, monsieur.

Pendant que je démarrais, il jeta un coup d'œil sur la jetée.

— Où avez-vous mangé ? me demanda-t-il, à ce restaurant là-bas ?

— Oui, monsieur.

— Bien mangé ?

— Très bien.

Il fit par-dessus son épaule une grimace à Fischer :

— Fiez-vous à Giulio !

— Geven, notre cuisinier, sait faire lui aussi de la bonne cuisine, dit Fischer sur la défensive, et je vais vous le prouver.

— Il sait surtout se saouler, fit Harper d'un ton bref.

— Il nous a fait une *castadina* avant votre arrivée, on se serait cru au *Quadri*, rétorqua Fischer qui commençait à s'énerver.

Il se pencha vers le siège avant. Son haleine empestait l'ail et le vin.

Je ne pus résister à la tentation.

— Je m'excuse d'intervenir, monsieur, dis-je à Harper,

mais je crois que M. Fischer a raison. Geven est un excellent chef. Le bouillon de poulet qu'il m'a servi hier soir était parfait.

— Quel bouillon ? demanda Fischer, nous n'en avons pas eu.

— Geven était bouleversé, dis-je. Vous vous rappelez, monsieur Fischer, que vous lui avez dit qu'il ne méritait pas une salle de bains ; ça l'a tellement bouleversé qu'il a jeté tout le bouillon qu'il devait vous servir.

— Je ne lui ai jamais dit ça, hurla Fischer.

— Un instant, coupa Harper, le cuisinier n'a pas de salle de bains ?

— Il a toutes les mansardes des domestiques pour lui seul.

— Mais pas de salle de bains ?

— Il n'y en a pas là-haut.

— A quoi pensez-vous, Hans ? vous voulez qu'il nous empoisonne ?

Fischer se renversa sur la banquette arrière avec une telle violence que la voiture fit une embardée :

— Je suis fatigué, hurla-t-il, de tout organiser de mon mieux et de ne recevoir que des critiques. Je ne ferai pas..., ne trouvant plus ses mots en anglais, il continua en allemand.

Harper lui répondit dans la même langue. Je ne sais pas ce qu'il lui dit, mais cela lui cloua le bec. Harper alluma une cigarette. Au bout d'un moment, il s'adressa à moi :

— Vous êtes un sacré vaurien, n'est-ce pas, Arthur ?

— Monsieur ?

— Si vous étiez tant soit peu intelligent, vous ne penseriez qu'à profiter au maximum de cette histoire sans prendre de risques. Mais ce n'est pas votre genre. Votre misérable petit orgueil a besoin de se manifester, n'est-ce pas ?

— Je ne comprends pas, monsieur.

— Mais si. Je n'aime pas avoir des imbéciles à mes côtés, ça m'agace. Je vous avais déjà prévenu. Je n'y reviendrai pas. La prochaine fois que vous aurez envie de faire le malin, laissez tomber, en vitesse, sinon votre joli portrait risque d'être endommagé à tout jamais.

Je jugeai plus sage de ne pas répondre.

— Vous prétendez encore ne pas comprendre, Arthur ?

Il me frappa méchamment le genou du revers de la main. La douleur me fit sursauter et la voiture fit une nouvelle embardée. Il me frappa à nouveau.

— Attention à la voiture ! qu'est-ce qu'il y a ? vous ne pouvez pas parler en conduisant ? ou avez-vous donné votre langue au chat ?

— Je comprends, monsieur.

— C'est mieux. Maintenant faites vos excuses à M. Fischer comme un gentil petit Égyptien.

— Pardon, monsieur.

Fischer, satisfait, me signifia son absolution par un bref ricanement.

Le ferry d'Uskudar était bondé d'automobilistes du dimanche et il nous fallut attendre une demi-heure notre tour avant de monter à bord. Miss Lipp et Miller se trouvaient déjà dans le hall de l'hôtel quand j'arrivai. Miller eut son sourire sardonique et selon son habitude monta le premier dans la voiture, avant Miss Lipp.

— Vous avez pris tout votre temps, dit-il à la cantonade.

— Le bac était bondé, répliqua Harper. Vous avez passé un bon après-midi ?

C'est Miss Lipp qui lui répondit :

— Que les chiens soient nourris et vêtus.

C'était la même phrase que Miller avait prononcée la veille au soir et je me demandai ce qu'elle signifiait.

Harper approuva d'un signe de tête et me dit :

— Rentrons à la villa, Arthur.

Personne ne souffla mot sur le chemin du retour. Je devinai une certaine tension entre eux et j'aurais bien voulu savoir lesquels avaient un rapport à faire aux autres. Quand ils sortirent de la voiture, Harper ramassa la boîte de carton sur le tapis et se tourna vers moi.

— C'est tout pour aujourd'hui, Arthur.

— A quelle heure voulez-vous l'auto demain, monsieur ?

— Je vous préviendrai.

— Elle est très poussiéreuse, monsieur, et je ne puis la laver correctement ici, j'aimerais m'adresser à un garage.

— D'accord.

Cela lui était absolument indifférent. J'allai donc à Sariyer et trouvai un garage qui acceptait de laver la voiture. J'entrai ensuite dans un café et pris une consommation avant de téléphoner à Tufan.

A mon rapport écrit du matin s'était ajouté celui de l'équipe de surveillance, et Tufan en savait plus long que moi. L'autre nom de Giulio était Corzo, et son passeport suisse portait les mentions : profession, dessinateur industriel ; âge, quarante-cinq ans ; lieu de naissance, Lugano. Le yacht avait été loué une semaine auparavant, pour une durée d'un mois, par une agence d'Antalya. L'équipage se composait de trois hommes du pays, de bonne réputation. Quant à Miss Lipp et Miller, ils avaient déjeuné au grill-room du *Hilton*, puis loué une voiture. Ils avaient ensuite visité la ville pendant trois quarts d'heure puis étaient revenus au *Hilton*. Pendant que Miss Lipp se faisait faire un shampooing et une mise en plis par le coiffeur de l'hôtel, Miller avait lu les journaux français sur la terrasse.

— Alors c'est la rencontre avec Giulio dont il leur tardait d'avoir des nouvelles, dis-je.

— Que voulez-vous dire ?

Je lui expliquai que sur le chemin du retour à la villa, j'avais senti combien il leur tardait d'être seuls pour s'entretenir librement.

— Alors vous devriez être à la villa en ce moment. Retournez-y immédiatement.

— S'ils veulent parler sans témoins, je ne pourrai pas surprendre leur conversation. La partie de la maison qu'ils habitent est tout à fait à l'écart. Je n'y ai même jamais mis les pieds.

— Il y a bien des fenêtres ?

— Oui mais elles donnent sur leur terrasse privée. Je n'aurais aucune excuse de m'y trouver.

— Eh bien, passez-vous d'excuse.

— Vous m'avez dit de ne pas prendre de risques.

— Pas de risques inutiles ! mais une conversation de cette importance justifie des risques.

— Qui sait si cette conversation sera importante ? ce n'est de ma part qu'une supposition. Je ne sais même pas si il y aura vraiment une discussion quelconque. Il se peut que Harper ait simplement voulu faire part aux autres d'un renseignement particulier qu'il tiendrait de Giulio. Il ne lui aura pas fallu plus d'une minute pour le transmettre.

— Il est certain que le rendez-vous à Pendik était important. Nous devons savoir pourquoi. Jusqu'à présent tout ce que vous avez appris c'est par les cancans d'un cuisinier abruti. Quand ces gens qui ont caché des armes et des munitions dans une voiture et qui possèdent des faux passeports sont entre eux, de quoi discutent-ils ? Quel est leur sujet de conversation ? C'est à vous de le découvrir.

— Il y a quelque chose que je les ai entendu dire hier soir c'est : « Que les chiens soient nourris et vêtus. » On dirait une plaisanterie qui leur est familière.

Il demeura silencieux un instant et je m'attendis à un nouvel éclat de colère. Mais en vain. Au lieu de cela il dit pensivement :

— Voilà une plaisanterie intéressante.

— Qu'est-ce que cela veut dire ?

— Quand un des anciens sultans se préparait à recevoir une certaine classe de personnes, il les faisait attendre très longtemps, parfois une journée entière. Puis quand il estimait qu'ils étaient suffisamment humiliés, il donnait cet ordre : « Que les chiens soient nourris et vêtus ! » Alors on les introduisait dans la salle d'audiences du Grand Vizir, on leur donnait de la nourriture et on les revêtait de cafetans.

— Quelle classe de personnes ?

— Les ambassadeurs des puissances étrangères. — Il fit une pause. Sans doute évoquait-il la scène. Puis il me congédia sèchement. — Faites-nous vos rapports comme convenu.

Je montai dans la voiture. L'homme du garage qui gardait la clef de la pompe à essence était rentré chez lui. Il ne restait que celui qui avait lavé la voiture. Cela ne me plut guère. Je devrais revenir faire le plein le lendemain matin et il ne me paraissait pas particulièrement souhaitable pour l'instant de multiplier les occasions de faire par téléphone un rapport à Tufan.

Quand j'arrivai à la villa, il faisait presque nuit, les lumières étaient allumées dans les pièces donnant sur la terrasse. Je garai la voiture et me dirigeai vers la cuisine.

Geven était de joyeuse humeur. Fischer lui avait maintenant donné la chambre à côté de la mienne et lui avait dit de partager ma salle de bains. Était-ce pour se venger de mes coups d'épingle ou parce qu'on manquait vraiment de salle de bains ? Impossible de le dire. Geven, par quelque obscur raisonnement, avait décidé que l'idée venait de moi. En un sens je pense qu'il avait raison, alors pourquoi le détromper ? Il m'offrit un grand verre de brandy, et je lui fis un grand sourire idiot comme si je méritais effectivement cette marque de reconnaissance. Il avait préparé des spaghettis à la bolonaise pour le personnel. Les espions, eux, avaient du potage en boîte et un *siskebab* de mouton « dur comme de la semelle », fut-il fier de préciser. Les spaghettis s'avérèrent délicieux. J'en pris deux fois. Lorsque les Hamul arrivèrent, je m'esquivai prétextant du travail à faire sur la voiture.

La terrasse s'étendait sur le devant et le côté droit de la maison ; j'avais remarqué une porte ménagée dans le mur à côté du garage. Il y avait derrière un verger planté de figuiers. Peut-être pouvait-on de là accéder à la terrasse.

La porte n'avait pas de serrure, mais une simple clenche ; les gonds en étaient rouillés ; et avant d'essayer d'ouvrir, je les enduisis d'un peu d'huile à l'aide de la jauge de l'auto. La porte céda sans bruit et je la refermai derrière moi. Puis j'attendis, pour habituer mes yeux à l'obscurité et parce que les espions n'étaient pas encore rentrés dîner. Leurs voix me parvenaient faiblement. Je savais bien que Tufan m'aurait ordonné d'approcher pour surprendre leur conversation ; mais je n'en fis rien. Le sol était inégal. Il me faudrait me diriger à tâtons jusqu'à la balustrade. Je préférais m'y risquer pendant qu'ils étaient loin de la terrasse à se casser les dents sur les *siskebab* de Geven.

Quinze à vingt minutes plus tard, on servit le dîner et je me glissai doucement vers la terrasse. Dès que je l'atteignis et pus jeter un coup d'œil vers la balustrade, je réalisai qu'il me serait impossible de m'approcher suffisamment des fenêtres du salon où ils avaient coutume de se tenir, pour entendre quoi que ce fût. Elles éclairaient beaucoup trop la terrasse. Je suppose qu'un des agents de malheur très malin, dont on parle dans les livres, se serait caché dans l'ombre ; mais cela me paraissait bien trop risqué quant à moi. Ce n'était pas impossible de gagner un recoin obscur, mais si Harper et Cie décidaient de s'asseoir sur la terrasse comme la veille au soir, je ne pourrais plus m'esquiver.

Je traversai le verger et m'avançai jusqu'à la lisière de la cour d'honneur. C'était le côté qui donnait sur le Bosphore et aucun arbre n'en obstruait la vue. Une balustrade de pierre assez basse bordait la terrasse et se terminait à chaque extrémité par un socle supportant une statue. La première se dressait à plus de dix mètres de l'angle de la terrasse, mais je ne pouvais m'approcher davantage sans être découvert. Le haut du socle m'arrivait à la poitrine. En grimpant d'abord sur la balustrade, ce n'était pas difficile ensuite d'escalader ce socle. La statue représentait une Vestale plus grande que nature toute couverte de crottes d'oiseaux, elle avait l'air solide sur sa base et je pus m'agripper aux pans de sa robe. Du haut du socle, je pouvais voir par-dessus la balustrade de la terrasse, les fenêtres du salon d'angle. C'était peu, mais c'était mieux que rien. S'il leur prenait l'idée de sortir sur la terrasse, je pourrais même saisir quelques mots de leur conversation.

Au bout de vingt minutes ils rentrèrent au salon. Le peu que j'en pouvais apercevoir était un vieux bureau recouvert de cuir, un bout de canapé vert fané, un morceau de miroir, une table basse ronde et quelques chaises dorées. La seule personne que je pus vraiment voir au début était Miller qui s'installa dans un coin du canapé ; mais comme il parlait d'abondance en gesticulant, il ne pouvait pas être seul. Puis Mme Hamul entra apportant le plateau du café qu'elle déposa sur la table ronde et j'entrevis un peu les autres personnes quand elles s'approchèrent pour se servir. Quelqu'un donna à Miller un verre de brandy qu'il avala comme s'il avait eu besoin d'être réconforté à moins que ce ne fût pour faire passer le goût de son dîner... Au bout d'un moment, il s'arrêta de parler et sembla écouter, la tête tournée vers l'un puis vers l'autre de ses interlocuteurs. La glace renvoyant soudain un reflet blanc, il se retourna. Un instant j'aperçus Miss Lipp. Elle avait mis une robe verte ; le reflet blanc provenait d'une grande feuille de papier qui, presque aussitôt, disparut à ma vue. Miller leva la tête pour écouter quelqu'un debout à côté de lui. Une minute ou deux s'écoulèrent, puis la feuille de papier reparut mais comme mise de côté, sur le bureau. Maintenant je pouvais distinguer qu'il s'agissait d'une carte. De si loin et sous cet angle, il était impossible de dire ce qu'elle représentait, mais cela ressemblait à une île affectant plus ou moins la forme d'un triangle. J'essayais d'en mieux distinguer les détails quand Harper s'approcha et la plia en quatre.

Après cela, il ne sembla rien se passer ; puis soudain Harper et Miss Lipp sortirent sur la terrasse par une porte-fenêtre très loin de moi et descendirent le perron de marbre. Ils marchaient apparemment sans but précis ; ils allaient tout simplement faire un tour. Mais je jugeai plus prudent de battre en retraite. S'ils voulaient admirer la vue de la balustrade, je me trouverais en fâcheuse posture.

Je sautai du rebord et m'abritai sous les figuiers. Comme il était facile de le prévoir, ils suivirent la balustrade jusqu'au bout et, quand ils revinrent sur leurs pas, ils n'étaient plus qu'à environ huit mètres de moi. Je surpris quelques bribes de leur conversation.

— ... si je m'en chargeais ? c'était Miss Lipp qui parlait.

— C'est Léo qui a pensé à lui, répondit-il — que Léo s'en charge. De toute façon après-demain, il ne servira plus à grand-chose. Même Arthur pourrait faire le reste.

Elle se mit à rire.

— Cet agneau bêlant ! Il sent si mauvais que vous n'auriez pas besoin de grenades, j'en suis sûre. Ce serait une reddition massive...

Il rit à son tour.

Elle poursuivit :

— Quand arrive le type de Giulio ?

— Demain dans la journée. Je n'ai pas attendu. C'est Giulio qui le sait.

Je n'en entendis pas plus.

Dès qu'ils furent à bonne distance, je retraversai le verger et regagnai la cour, puis ma chambre. Je fermai la porte à clef, Geven allait avoir fini son travail à la cuisine et je ne voulais pas qu'il me dérangeât.

Il fallait que je réfléchisse à ce que j'avais entendu et ça n'était pas très agréable car le rire de la femme me poursuivait ainsi que ses paroles à mon endroit. Je me sentais malade. Une autre fois déjà j'étais passé par là. Jones IV et moi étions montés à Hilly Fields pour retrouver deux filles que nous connaissions. L'une s'appelait Muriel, l'autre Madge. Madge ne vint pas au rendez-vous parce que, d'après Muriel, elle était enrhumée. Nous étions donc là à trois. Muriel était en réalité la bonne amie de Jones, de sorte que moi, j'étais plus ou moins de trop. J'essayai sans succès de trouver une autre fille, mais si on est seul c'est plus difficile. Après quelques tentatives, j'y renonçai et retournai là où j'avais laissé les deux autres roucouler sur un banc sous les arbres. J'avais décidé de m'approcher tout doucement pour les surprendre. C'est comme cela que j'entendis ce qu'ils disaient. Elle expliquait qu'elle devait rentrer chez elle de bonne heure, pour je ne sais plus quelle raison, et il lui demandait si elle pouvait le retrouver le samedi suivant.

— Il y aura aussi Arthur ? demanda-t-elle.

— Je crois que oui.

— Madge ne viendra pas.

— Son rhume sera pourtant passé d'ici là.

— Elle n'est pas enrhumée ; mais elle n'avait tout bonnement pas envie de venir. Elle dit qu'Arthur n'est qu'une petite limace qui lui donne la chair de poule.

Je m'éloignai sans leur dire que j'avais tout entendu. Puis j'allai vomir derrière un buisson. Je haïssais tant cette Madge que cela me faisait mal.

Geven monta et je l'entendis aller à la salle de bains. Un peu plus tard, il en sortit et vint frapper à ma porte. J'avais pris la précaution d'éteindre la lumière pour qu'elle ne filtrât pas et qu'il crût que je dormais. Il frappa une seconde fois. Je l'entendis grommeler entre ses dents. Puis il s'éloigna.

Je faillis changer d'idée et le rappeler. Prendre un verre et bavarder avec quelqu'un ne m'aurait pas déplu à ce moment-là. Mais je me rappelai sa saleté ; son odeur empesterait ma chambre, « le parfum des prolos » aurait dit mon père. D'ailleurs, j'aurais peut-être du mal à me débarrasser du bonhomme à temps pour le message radio de onze heures.

Ce message arriva enfin.

Attention, prenez l'écoute, attention, prenez l'écoute. Passager pour yacht « Bulut » arrivé Pendik dix-sept heures aujourd'hui. Nom : Enrico, autres noms inconnus actuellement. Description : petit, trapu, cheveux noirs, yeux bruns, âge : trente-cinq ans environ. D'après examen rapide individu et bagages, s'agirait plutôt d'un ouvrier que d'un hôte de Corzo. Pouvez-vous identifier cet homme ? Important prendre notes écrites toutes les conversations. Ne pas omettre surtout allusions politiques éventuelles. Essentiel nous tenir au courant de vos progrès. Je répète : Essentiel. Terminé.

On peut se laver soigneusement pour se débarrasser de toute trace de sueur ou de crasse ; mais l'intérieur du corps continue à sécréter d'autres substances. Certaines sentent mauvais. Mais comment les supprimer ?

VIII

Le message radio, ce matin-là, se borna à répéter celui de la veille et ne fut pas plus compréhensible à sept heures du matin qu'à onze heures du soir. Je me levai et allai à la salle de bains. Heureusement que j'avais pensé à emporter ma serviette de toilette dans ma chambre, vue la saleté écœurante que Geven avait laissée derrière lui. La baignoire était frangée d'écume grise et le lavabo de savon à barbe. Il fallait pas mal de patience pour faire fonctionner correctement la chasse d'eau, mais ce n'était visiblement pas la vertu essentielle du « chef ».

Une fois rasé, il avait les yeux encore plus chassieux qu'avec sa barbe de trois jours, mais son humeur était d'une agressive jovialité. Apparemment, Fischer lui avait fait des reproches bruyants et grossiers au sujet du *siskebab.* Mais Geven avait déjà préparé les représailles : le dîner des espions serait composé ce soir de mouton bouilli dans du yoghourt « à la turque ». Fischer apprendrait ainsi à ses dépens qui commandait à la cuisine ; et si ça ne lui plaisait pas, eh bien, qu'il aille ailleurs bouffer de la soupe à cochon avec ses amis les espions, ou qu'il cherche un autre cuisinier !

Je pris mon petit déjeuner, sortis la voiture et allai en ville faire le plein.

Tufan fut tout de suite au bout du fil. Je lui rapportai la conversation surprise la veille, en ne la modifiant que légèrement : « Si je m'en chargeais... Il a été engagé par Léo, que Léo s'en charge... Après-demain matin, il ne servira plus à grand-chose, de toute façon. Grenades,... reddition massive. »

Il me fit répéter lentement. Quand il commença à se plaindre que le rapport était bien court, je lui parlai de la carte. J'avais deviné que ceci l'intéresserait vivement.

— Vous dites que cela ressemblait à la carte d'une île ?

— D'après moi, oui. La forme était à peu près celle d'un triangle.

— Était-ce une carte en couleur ?

— Non, en noir et blanc.

— Ça pouvait donc être une carte marine ?

— Je crois que oui.

Il ajouta, pensif :

— Un bateau, la carte d'une île, des grenades, des masques, des fusils, une reddition...

— Et quelque chose que Fischer doit accomplir aujourd'hui même, lui rappelai-je.

Il ne fit pas attention à ma remarque, mais poursuivit son idée :

— Vous êtes sûr que cette île avait une forme triangulaire ?

— C'est ce qui m'a semblé, mais la carte n'était pas posée tout à fait à plat. C'était difficile de bien voir. Ça pourrait tout aussi bien être le plan d'une piscine...

Il ne releva pas davantage ma plaisanterie :

— Est-ce qu'elle pouvait avoir la forme d'un rognon ?

— Peut-être. Quelle importance ?

— C'est la forme de l'île Yassiada où certains prisonniers politiques sont gardés à vue en attendant de passer en jugement. Ce n'est qu'à quinze kilomètres de Pendik. A-t-on mentionné le nom de Yassiada devant vous ?

— Non.

— Ou Imrali ?

— Non. C'est une île ça aussi ?

— C'est une ville, située sur une île à soixante kilomètres de Pendik. C'est là que Mendérès a été pendu.

— Quelle est la forme de cette île ?

— Elle ressemble à une tête de chien. Il faut absolument que vous m'envoyiez un autre rapport ce soir, même si vous ne savez rien de plus.

— Je ferai mon possible.

— Avant tout, cherchez cette carte !

— Comment faire ?

— Vous pouvez fouiller la maison, la nuit ; de toute façon vous devez vous arranger pour jeter un coup d'œil de plus près sur cette carte.

— Je ne sais pas comment je pourrai m'y prendre. Même s'ils la sortent encore ce soir, je ne pourrai pas m'approcher davantage.

— Avec des jumelles, si.

— Je n'en ai pas.

— En rentrant à la villa, arrêtez-vous en chemin. C'est l'Opel qui est de service aujourd'hui. Un des agents de la voiture vous en donnera une paire.

— Et si Harper la découvre ? que lui dirai-je ?

— Arrangez-vous pour qu'il ne la voie pas. J'attends votre rapport ce soir sans faute. Si c'est nécessaire, contactez directement le personnel de surveillance. Est-ce clair ?

Il raccrocha.

Je rentrai à la villa avec la voiture. Juste avant d'arriver à Sariyer, sur la route côtière, je stoppai. L'Opel s'arrêta cent mètres derrière moi. Quelques minutes après, un homme en sortit et s'approcha de la Lincoln. Il portait un étui à jumelles en cuir. Il me le tendit sans dire un mot et repartit vers l'Opel.

Je les posai sur le siège et démarrai. Elles étaient trop grandes pour tenir dans une de mes poches. Il faudrait que je trouve le moyen de les cacher dans ma chambre ou dans le garage. Je m'en voulais. J'aurais dû me méfier. Une carte appâte toujours les Services de Contre-Espionnage. J'aurais dû tenir ma langue.

Mis à part le problème de cacher les jumelles, j'aurais de toute façon été de mauvaise humeur ; j'avais assez de bon sens pour m'en rendre compte. Les jumelles n'étaient qu'une cause d'ennui passager. Par contre, la conclusion à laquelle Tufan avait abouti me donnait beaucoup plus de souci.

Ce que dès le début, il croyait avoir deviné et dont maintenant il était sûr, c'était qu'une nouvelle conspiration, un autre coup d'État se tramait contre le Comité d'Union Nationale. La dernière tentative de renversement du Comité avait été l'œuvre d'un groupe d'officiers dissidents, recrutés à l'intérieur du pays. Comment ne pas supposer que la tentative suivante serait financée et menée de l'extérieur par des terroristes à gages ? Quoi de plus vraisemblable que d'imaginer l'envoi d'un commando pour libérer des officiers qui attendent de passer en jugement?

Tufan l'avait bien dit : « Un bateau, la carte d'une île, des grenades, des masques à gaz, des fusils, une reddition. » Tout concordait parfaitement.

Mais Tufan ne connaissait pas ces gens. Moi, je les connaissais. Je savais aussi combien ils étaient vils. En fait, à ce moment-là, je ne désirais rien tant que de les voir aller au diable. Mais vraiment, je ne pouvais pas croire qu'on pût choisir des types comme ceux-là pour faire un coup d'État. Je n'aurais pas pu dire pourquoi. Si Tufan avait essayé de me confondre en me demandant à quoi, d'après moi, ressemblent des terroristes à gages et combien j'en avais déjà rencontré, je n'aurais pas pu lui faire de réponse sensée. Je me serais borné à lui dire : « Ces gens-là ne sont pas de taille à prendre un tel risque. »

Quand je rentrai à la villa, je trouvai Fischer debout sur la terrasse en haut de l'escalier. Il me fit signe de m'arrêter devant lui. Pendant qu'il descendait le perron, je me rappelai juste à temps les jumelles et les dissimulai par terre, sous mes pieds.

— On n'aura pas besoin de vos services aujourd'hui, Simpson, me dit-il. Nous sortirons seuls. C'est moi qui conduirai.

— Très bien, monsieur. Le plein d'essence est fait mais je voudrais encore épousseter la voiture.

J'étais apparemment tout sourire mais ne pensais qu'aux maudites jumelles.

— Très bien. Il me renvoya de son geste hautain habituel : Que la voiture soit prête dans une demi-heure.

— Entendu, monsieur.

J'allai au garage et cachai les jumelles derrière un vieux bidon d'huile avant de passer un petit coup de chiffon humide sur la carrosserie.

Un peu avant dix heures, je conduisis la Lincoln dans la cour de devant et laissai dessus la clef de contact. Puis je repartis derrière la maison, passai dans le verger et trouvai une place d'où je pourrais surveiller la voiture en cachette. Quand ils sortiraient, je voulais m'assurer qu'ils partaient bien tous : Fischer, Harper, Miss Lipp et Miller.

Au bout de quarante minutes environ, ils sortirent tous quatre et montèrent dans la voiture. Dès qu'ils furent partis, j'allai à la cuisine. Geven y était, il hachait de la viande et sirotait du brandy. J'en bus une gorgée moi-même et le laissai bavarder un moment avant de lui demander s'il les attendait pour le déjeuner. Non. Il ferait simplement une omelette « pour le personnel ».

Je montai au premier étage. En haut de l'escalier de service, le couloir s'étendait à droite et à gauche, parallèlement au dos de la villa. A droite, il menait à ma chambre et à celle de Geven entre autres ; à gauche, il était fermé par une double porte à deux battants au delà desquelles se trouvaient les chambres de maîtres et les appartements des invités.

Les grandes portes étaient entrouvertes. Par l'entrebâillement j'aperçus un panier d'osier roulant plein de linge sale et le vieil Hamul s'escrimant sur le parquet du corridor avec un ballet à tapis. Mme Hamul était probablement en train de changer les draps de lits.

J'allai à ma chambre et attendis une heure, puis je repartis en flânant le long du corridor.

La porte était encore ouverte et les Hamul s'affairaient toujours dans les chambres à coucher. Je redescendis à la cuisine et bus un autre verre en compagnie de Geven. Il faisait un ragoût ; une autre heure passa avant qu'il ne se décidât à faire l'omelette. J'entendis les Hamul descendre et aller à la buanderie. Dès que j'eus fini de manger, j'annonçai à Geven que j'allais faire la sieste et remontai à l'étage.

D'abord je pris soin de fermer ma porte à clef de l'extérieur au cas où Geven viendrait voir si j'y étais, puis je franchis les double-portes et les refermai derrière moi.

C'était la carte que je cherchais mais je ne savais pas par où commencer. Il y avait environ dix-huit pièces, toutes de formes et de grandeurs différentes. Les unes étaient des chambres à coucher, les autres des salons. Certaines contenaient si peu de meubles qu'on pouvait difficilement deviner à quoi elles avaient servi, quant à celles qui étaient meublées, c'était toujours dans l'affreux style hôtel français. Mais dans toutes, on remarquait la même surabondance de glaces et de lustres.

J'identifiai immédiatement la chambre de Miller grâce à sa valise ouverte sur le lit, puis celle de Fischer à ses chemises dans un tiroir. Mais pas de trace de carte dans l'une ni dans l'autre. L'appartement de Miss Lipp se trouvait juste au-dessus du portique central, et celui de Harper à côté faisait le coin. Il y avait une porte de communication entre les deux. Je fouillai tous les tiroirs, placards et valises. Je regardai dessus et dessous chaque meuble. Les seules cartes que je découvris se trouvaient dans un spécimen du *Europe Touring* posé sur le bureau de Miss Lipp avec quelques romans italiens brochés.

Au delà de l'appartement de Harper et du côté de la maison qui donnait sur le verger, on avait fait d'une des pièces un bureau. Il y avait des tiroirs d'architecte tout le long d'un mur. C'était l'endroit idéal pour cacher une grande carte, et j'étais en train de les fouiller consciencieusement l'un après l'autre quand j'entendis claquer les portières.

Je courus à la chambre de Harper dont les fenêtres donnaient sur la cour de devant et aperçus le toit de la Lincoln en face du portique. Alors, je perdis la tête. Je manquai la porte du corridor et entrai dans la salle de bains. Le temps de trouver la bonne porte, et j'entendis la voix de Fischer dans l'escalier. Inutile d'essayer de me faufiler à travers les pièces.

Je ne connaissais pas assez bien les lieux. Il ne me restait qu'à battre en retraite à travers la chambre de Harper dans le bureau et à fermer la porte. De là, il n'y avait pas d'autre issue que la fenêtre, mais c'était la seule cachette que je pus trouver.

Je l'entendis entrer dans sa chambre, faire tinter de l'argent, puis donner un coup sec. Il était en train de vider le contenu de ses poches sur la table. La porte n'était pas très bien enclenchée et je pouvais entendre chacun de ses mouvements. Je savais qu'il entendrait aussi chacun des miens. Cela me glaça de peur.

— Mon Dieu, cette ville est pire que New York en août, dit-il.

J'entendis Miss Lipp lui répondre. Elle avait dû rouvrir la porte de communication entre leurs appartements, que j'avais fermée.

— Je me demande si Hamul a réparé le robinet. Aide-moi à me déshabiller, Liebchen.

Il s'éloigna. Je m'approchai sur la pointe des pieds de la fenêtre du studio et regardai au-dehors. Il y avait un petit balcon et, quelques mètres en dessous, le toit de la terrasse. Si je pouvais descendre jusque là, il me semblait que je pourrais sauter dans le verger sans me rompre le cou. Le plus difficile était d'ouvrir la porte-fenêtre pour sortir sur le balcon. Elle était fermée par une de ces crémones que l'on manœuvre à l'aide d'une poignée fixée au centre. Quand on ouvre, cela peut faire beaucoup de bruit ; celle-ci n'y manquerait pas. Je retournai à la porte.

On aurait dit qu'ils étaient maintenant tous deux dans son salon. J'entendis la femme rire doucement.

— Trop de vêtements... dit-elle.

Il revint à sa chambre, puis au bout d'un instant entra dans sa salle de bains. J'entendis l'eau couler. J'allai de nouveau à la fenêtre et essayai avec précaution de faire tourner la poignée. Elle fonctionna assez facilement. La partie inférieure de la crémone se souleva et le bas de la porte s'ouvrit brusquement vers l'intérieur avec un petit bruit sourd ; c'est alors que je m'aperçus qu'une moitié en était cassée et que la partie supérieure n'était pas descendue. J'essayai de la faire glisser à la main, mais c'était beaucoup trop dur, j'allais devoir la pousser dans l'encoche, tout en haut. J'appuyai une chaise contre la fenêtre et cherchai autour de moi quelque objet de métal qui ferait l'affaire.

Le bruit de l'eau cessa dans la salle de bains et je m'immobilisai. J'essayai de me rappeler si j'avais dans mes poches quelque chose d'assez résistant pour faire descendre la crémone, une clef peut-être.

— Il faudra que je surveille mon bronzage quand nous rentrerons, dit Miss Lipp. Elle était dans la pièce à côté maintenant.

— Il tient bien.

— Tes cheveux sont mouillés.

Un silence, puis elle poussa un profond soupir et le lit craqua.

Pendant deux minutes, j'espérai qu'ils allaient faire la sieste. Puis ils commencèrent à s'agiter. Au bout d'un moment, je pus distinguer que leur souffle se faisait plus court, ce n'était pas celui du sommeil. Les instants passèrent et j'entendis d'autres bruits. Puis la bête à deux dos se mit à l'œuvre, et fit entendre ses bruits habituels, des halètements, des grognements, des frémissements, pendant que j'étais là comme un crétin, imaginant les longues jambes et les cuisses fines de la femme et me demandant comment diable j'allai sortir sans être vu. Je transpirais tellement que la sueur me coulait dans les yeux et embuait mes lunettes. Même si j'avais essayé à ce moment-là d'ouvrir la fenêtre, je n'aurais pas vu assez clair pour pouvoir le faire.

Ils n'en finissaient pas ; enfin les bruits cessèrent. J'attendis, plein d'espoir, qu'ils aillent dans leurs salles de bains, mais en vain. Il n'y eut qu'un long silence, puis j'entendis Harper dire : « Ici » et son briquet claqua. Vint un autre silence qu'il interrompit pour demander :

— Où dînerons-nous ce soir ?

— Aux *Baux*. Je prendrai le *feuilleté de ris de veau*. Et toi ?

— Un *Avallon* [1], un *Moulin des Ruats* et le *coq au vin*.

— Avec la *cuvée du Docteur* ?

— Bien sûr. Mais franchement pour le moment, je préférerais un sandwich au jambon et un demi de bière.

— Il n'y en a plus pour longtemps, Liebchen. Je me demande qui a bien pu dire à Hans que ce type était un bon cuisinier.

— C'en est un, mais c'est aussi un de ces ivrognes auquel il faut toujours faire des compliments. Sinon il pique une colère épouvantable et vous envoie au diable. Hans ne sait pas s'y prendre avec lui. Je parie qu'Arthur est mieux soigné que nous. J'en suis même fichtrement sûr. Où est le cendrier ?

— Ici, et elle ajouta avec un petit rire : Fais attention.

— *Merde alors*.

— Ce n'est pas la place d'un cendrier.

Et bientôt, tout recommença. Quand, enfin, ils furent épuisés, ils eurent la décence d'aller à leurs salles de bains. Pendant que l'eau coulait, je montai sur la chaise et m'échinai avec ma clef sur cette maudite porte-fenêtre. Du temps qu'ils en aient fini avec leurs ablutions, elle était ouverte. Il fallait que j'attende qu'ils soient endormis, le son de la voix de la femme m'ayant appris qu'elle était de nouveau couchée avec lui.

— Liebchen, dit-elle d'une voix assoupie.

— Oui ? Lui aussi dormait déjà à moitié.

— Sois prudent demain, je t'en prie.

— *Entendu*.

J'entendis le bruit d'un baiser. Je regardai ma montre. Il était trois heures vingt. Je me donnai dix minutes, puis je me glissai vers la porte-fenêtre. Je manœuvrai avec précaution l'un des battants, parce qu'il soufflait dehors une légère brise et je craignais que le courant d'air n'ouvrît la porte de la chambre à coucher. Je me faufilai ensuite sur le balcon. Il n'y avait guère plus d'un mètre jusqu'au toit de la ter-

1. Les mots soulignés sont en français dans le texte original. — Note du traducteur.

rasse et je ne fis presque pas de bruit en sautant. Arrivé au bout, j'eus un peu plus de peine. Je ne suis pas bon grimpeur ; j'essayai donc d'utiliser le treillis comme échelle. Il céda sous mon poids, je perdis l'équilibre, m'agrippai aux branches d'un pêcher en espalier et retombai sur le sol.

Je réussis à gagner ma chambre sans rencontrer personne. Quand j'eus fait un brin de toilette et changé de chemise, j'allai chercher la voiture et la rentrai au garage.

Si, à ce moment-là, j'avais remarqué que les garnitures des portières avaient été défaites, les choses auraient été tout autres pour Harper, Lipp et Miller, mais je n'y pris pas garde. Je n'eus même pas l'idée de le faire. J'étais encore bien trop bouleversé pour penser à autre chose qu'à paraître le plus naturel possible. Mettre l'auto au garage n'était qu'une façon de montrer aux autres que j'étais là et faisais mon travail.

Je rentrai à la cuisine. Elle était déserte. Je trouvai la bouteille de brandy de Geven, en pris une lampée, et grillai une cigarette. Quand j'eus retrouvé mon calme, je sortis et descendis à pied l'allée jusqu'à la route.

L'Opel était garée à côté de la jetée des bateaux de pêche. Je m'en approchai lentement, aperçus à l'intérieur les types qui me surveillaient. Parvenu à leur hauteur, je dis le mot de passe « Tufan » puis je continuai quelques pas. J'entendis alors une des portières s'ouvrir. L'un des hommes me rattrapa et marcha à mes côtés.

— Qu'est-ce qu'il y a ? C'était le policier-type, brun aux yeux durs, à la chemise à poches boutonnées, beige clair. Il parlait en français.

— Demain il va se passer quelque chose de grave, mais je ne sais pas quoi exactement. Je n'ai surpris qu'une partie de leur conversation. Il faut en informer le major Tufan.

— Très bien. Pourquoi n'avez-vous pas conduit la voiture aujourd'hui ?

— Ils m'ont dit qu'ils n'avaient pas besoin de moi. Où sont-ils allés ?

— A Istanbul, à Beyoglu, jusqu'à un garage près du consulat d'Espagne. On y trouve des pièces de rechange pour voitures américaines. Le chauffeur, Fischer, y est resté dix minutes avec la voiture. Les deux autres et la femme sont allés à pied à l'hôtel *Divan*. Ils y ont déjeuné. Fischer les y a rejoints et y a mangé aussi. Puis ils sont retournés au garage, ont repris la voiture et sont revenus ici. Le major Tufan dit que vous devez lui donner des renseignements concernant une carte.

— Si j'en ai. Dites-lui que j'ai fouillé les chambres à coucher pendant qu'ils étaient sortis, mais que je n'ai pas pu mettre la main dessus. J'essaierai de fouiller les pièces de réception cette nuit. Il sera peut-être très tard quand je pourrai faire mon rapport. Serez-vous encore ici ?

— Il y aura quelqu'un.

— Parfait.

Nous revînmes sur nos pas, vers l'Opel, je traversai la route et enfilai l'allée. J'avais maintenant de quoi m'occuper l'esprit. D'après ce que j'avais entendu dans la cour la veille au soir, je savais que Fischer était chargé d'une mission spéciale, ce jour-là. L'avait-il déjà accomplie ou non ? Le fait de descendre en voiture à Istanbul pour faire un bon repas avec ses acolytes ne pouvait vraisemblablement pas constituer une mission spéciale. D'un autre côté, pourquoi m'avait-on prié de rester à la villa ? et que signifiait cette visite à un garage ? La voiture était en parfait état et ne nécessitait aucune réparation. Pourquoi Fischer n'avait-il pas été à l'hôtel *Divan* en même temps que les trois autres ? Pourquoi était-il resté en arrière ?

Bien sûr, j'aurais dû penser immédiatement au contenu des portières. Si je ne le fis pas, c'est pour une raison bien simple : je savais par expérience le temps qu'il fallait pour enlever et remettre un des panneaux, et Fischer n'était pas resté assez longtemps au garage pour vider une des portières, encore moins pour en vider quatre. L'idée que sa mission aurait pu être de donner les ordres au lieu d'en exécuter ne me vint pas à l'esprit, *à ce moment-là*. Et, j'en suis sûr, ne vint *jamais* à celui de Tufan. Cela m'aurait pourtant évité une aventure effroyable.

Quand je traversai la cour des écuries pour jeter un coup d'œil à la voiture, j'étais tout de même sur mes gardes. Je regardai d'abord dans le coffre à bagages dans le cas où on y aurait rangé quelque chose ; puis j'examinai le moteur. D'habitude, rien que par les marques de graisse et les traînées d'huile, on peut dire si on a réparé un moteur. Je fis chou blanc, bien sûr. Ce n'est qu'en ouvrant la porte pour vérifier si on n'avait rien caché dans le coffre à gants, que je vis les éraflures.

La personne qui avait enlevé les panneaux avait fait juste ce que j'avais toujours soigneusement évité ; elle s'était servie d'un tournevis ordinaire pour retirer les vis Phillips. Il y avait des éraflures et des marques brillantes sur le métal ainsi que des entailles dans le cuir là où l'outil avait dérapé. Bien sûr, à première vue, personne ne les aurait remarquées, mais moi j'étais si bien averti de ce que cachaient ces panneaux que la moindre marque ne pouvait manquer de me sauter aux yeux. J'examinai les quatre portières, l'une après l'autre, et constatai aussitôt qu'elles avaient toutes eu la garniture enlevée puis remise. Je constatai également d'après le poids des portières quand je les fis jouer sur leurs charnières, que les objets lourds qu'elles avaient si bien dissimulés n'y étaient plus. Ils avaient probablement été retirés au garage situé près du consulat d'Espagne. Qui pouvait dire où ils se trouvaient maintenant ?

Je me demandai si j'allais immédiatement redescendre à la route et faire mon rapport à l'Opel, ou si j'attendrais d'avoir quelques détails complémentaires au sujet de la carte. Je décidai d'attendre. Si le matériel était entreposé au garage, il y serait certainement encore le lendemain matin. Si, ce qui était plus probable, il avait été emporté, le mal était fait et deux ou trois heures de retard ne feraient pas grande différence. De toute façon, je n'avais pas du tout envie de redescendre sur la route. J'avais déjà couru assez de risques ce jour-là, et il fallait encore que je me mette en chasse pour retrouver cette maudite carte. Je crois que j'ai fait preuve de bon sens. Je ne peux pas supporter les gens qui donnent des conseils après coup, mais il me semble à présent évident que c'est Tufan qui est responsable des erreurs commises, pas moi.

Les affaires se gâtèrent avec Geven pendant notre repas à la cuisine ; ou plutôt pendant que moi je mangeais et que lui prenait son brandy. Il était environ sept heures et il n'avait pas cessé de boire depuis une heure. Pendant cette heure-là, il avait dû absorber près du tiers d'une bouteille. Il n'était pas encore tout à fait ivre, mais il s'en fallait de peu.

Il avait confectionné un rizotto vraiment délicieux, en ajoutant du foie de poulet finement haché et des piments. Je m'étais servi deux fois et essayai de le décider à y goûter lui-même, quand Fischer fit son entrée.

— Geven !

Geven leva la tête et lui décocha son sourire mouillé :

— *Vive la compagnie* [1], lui dit-il d'un air engageant, et saisissant un verre graisseux, il ajouta : Un petit verre, monsieur ?

Fischer refusa de comprendre l'invitation.

— Je désirerais savoir ce que vous nous préparez pour dîner, ce soir, dit-il.

— C'est tout prêt.

Geven le renvoya d'un geste de la main et se tourna vers moi.

— Eh bien, pouvez-vous me dire ce que c'est ? reprit Fischer, puis apercevant mon assiette, il ajouta : Ah je vois, c'est du rizotto, n'est-ce pas ?

La lèvre de Geven frémit.

— Ça, c'est pour les domestiques. Pour le maître et ses invités, j'ai prévu un plat plus conséquent, à la mode du pays.

— Quel plat ?

— Vous ne comprendriez pas.

— Je voudrais le savoir.

Geven répondit en turc. Je compris un seul mot : *kuzu*, agneau.

1. En français dans le texte. — Note du traducteur.

A ma stupéfaction et à celle de Geven également, Fischer lui répondit dans la même langue.

Geven se dressa et hurla je ne sais quoi.

Fischer hurla aussi fort et sortit de la pièce sans laisser à Geven le temps de répondre.

Geven s'assit, sa lèvre inférieure tremblait si fort que lorsqu'il essaya de boire une gorgée de brandy, la plus grande partie coula le long de son menton. Il remplit son verre à nouveau et me jeta un coup d'œil menaçant.

— *Pislik !* dit-il. *Domuz !*

Ce sont des mots très grossiers, en turc. Comprenant qu'il les adressait à Fischer, je ne répondis pas et continuai à manger.

Il remplit mon verre et le poussa vers moi :

— A votre santé, dit-il.

— D'accord.

— Il n'y aura pas d'avancement de ce côté de la mer, alors, buvons mon garçon ; qu'ils aillent se faire foutre !

Il aurait volontiers lâché un mot plus grossier, mais l'éducation anglaise qu'il avait reçue à Chypre le retint.

— Buvons !

J'obéis.

— Qu'ils aillent au diable !

Il se mit à chanter :

— A bas tous les sergents, les femmes-officiers, les caporaux et leurs salopards de fils ! A notre santé !

Je bus une gorgée.

— Qu'ils aillent se faire foutre !

Il vida son verre, se pencha au-dessus de la table à hacher, en respirant bruyamment et fit d'un ton menaçant :

— Je vous préviens, si cet animal dit un mot de plus, je le tue.

— C'est un pauvre type.

— Vous le défendez ? Sa lèvre tremblait.

— Non, non, mais à quoi cela vous avancerait-il ?

Il se versa une nouvelle rasade. Ses deux lèvres frémissaient maintenant comme s'il se creusait la tête pour résoudre le difficile dilemme que ma question avait posé.

Les Hamul entrèrent à ce moment-là pour préparer le service du dîner et je vis que, du premier coup d'œil, le vieil homme avait compris la situation. Il se mit à parler à Geven. Il se servait d'un dialecte de la campagne dont je ne comprenais pas un mot ; mais l'atmosphère parut se détendre un peu. Geven grimaça quelques sourires et se laissa même une fois aller à rire. Cependant, il continua à boire, et quand j'essayai de m'esquiver vers ma chambre, il eut un brusque sursaut de rage.

— Où allez-vous ?

— Vous êtes occupé. Je vous dérange.

— Asseyez-vous. Vous êtes mon invité dans cette cuisine. Vous ne buvez rien. Pourquoi ?

J'avais un grand verre de brandy devant moi. J'en pris une gorgée.

— A notre santé !

Je bus encore et essayai de trouver ça bon. Pendant qu'il regardait ailleurs, je réussis à verser la moitié de mon brandy dans l'évier. Ça ne servit pas à grand-chose. Dès qu'il remarqua que mon verre était à demi-vide, il le remplit à nouveau.

Le dîner était commandé pour huit heures et demie, Geven était alors complètement ivre. C'est Mme Hamul qui se chargea de dresser les plats. Il était appuyé contre le fourneau, son verre à la main, un sourire béat sur les lèvres, la regardant vider le répugnant contenu de la cocotte sur le plat de service. Enfin, on servit le dîner.

— Qu'ils aillent se faire pendre !

— A notre santé !

A ce moment-là, un bruit confus parvint de la salle à manger. Puis la porte du corridor s'ouvrit avec fracas et on entendit des pas précipités. Miss Lipp appela « Hans » ! et Fischer entra en coup de vent dans la cuisine. Il avait une assiette pleine à la main.

Lorsque Geven se retourna en vacillant pour lui faire face, Fischer hurla quelque chose en turc et lui lança l'assiette à la tête.

Elle heurta l'épaule du cuisinier et se brisa par terre ; mais Geven eut la figure tout éclaboussée et la sauce dégoulina sur son tablier.

Fischer n'arrêtait pas de hurler. Geven le fixait d'un air stupide. Puis au moment où Fischer lui jetait sa dernière insulte et s'apprêtait à repartir, une expression des plus bizarres passa sur le visage du cuisinier. On aurait dit un sourire radieux.

— *Monsieur est servi* [1], articula-t-il.

Au même instant, je vis sa main attraper le couteau à viande.

Je hurlai pour prévenir Fischer, mais il était déjà dans le couloir. Geven fut sur lui en un éclair. Le temps que j'arrive à la porte, Fischer reculait déjà en hurlant au secours. Du sang ruisselait d'une blessure qu'il avait maintenant au visage et de ses mains, il essayait de se protéger. Geven s'acharnait sur lui comme un possédé.

Comme je courais en avant et m'accrochais au bras qui tenait le couteau, Harper arriva de la salle à manger.

— *Senden illâlah !* gueula Geven.

Alors Harper le frappa sur la nuque et il tomba comme un sac vide.

Les bras et les mains de Fischer dégoulinaient de sang et il restait là à les regarder comme si ce n'étaient pas les siens.

Harper me jeta un coup d'œil :

— Vite, la voiture !

J'avançai la Lincoln au pied de l'escalier et entrai dans la maison par la grande porte. Ce n'était pas le moment de faire des manières.

Fischer était affalé dans un cabinet de toilette dallé de marbre donnant sur le hall d'entrée. Harper et Miss Lipp enveloppaient ses mains et ses bras avec des serviettes ; Miller essayait d'éponger la blessure de son visage ; les Hamul tournaient en rond, affolés.

Harper m'aperçut et me désigna Hamul :

1. En français dans le texte. — Note du traducteur.

— Demandez au vieux où habite le docteur le plus proche ! Je ne veux pas un hôpital, mais un cabinet privé.

— Je lui demanderai, marmonna Fischer. Son visage était gris cendre.

Je saisis Hamul par le bras et le fis approcher.

Il y avait deux docteurs à Sariyer, dit-il, mais le plus proche habitait dans l'autre direction, au delà de Büyükdere. Si on l'appelait au téléphone, il viendrait à la villa.

Harper secoua la tête quand Fischer lui eut traduit ceci :

— C'est nous qui nous dérangerons, dit-il, nous lui donnerons cinq cents livres et lui expliquerons que vous avez trébuché sur un ventilateur électrique ; ça devrait aller comme ça.

Il regarda Miss Lipp.

— Toi et Léo feriez mieux de rester ici, ma chère. Moins on est, mieux ça vaut.

Elle acquiesça d'un signe de tête.

— Je ne sais pas où habite ce docteur, dis-je, puis-je prendre Hamul comme guide ?

— O.K.

Harper s'assit au fond de la voiture avec Fischer et une provision de serviettes de rechange ; Hamul s'installa devant, à côté de moi.

Le docteur habitait sur la route côtière à trois kilomètres de là. Quand nous fûmes à destination, Fischer dit à Hamul de rester à attendre dans l'auto avec moi, de sorte que je ne pus aller expliquer aux types de l'Opel ce qui se passait. Je supposais qu'ils le demanderaient eux-mêmes au docteur par la suite. Hamul tapota un moment le cuir du siège puis se recroquevilla et s'endormit. J'essayai de sortir sans le réveiller, mais au bruit de la portière qui s'ouvrait, il se redressa aussitôt. Alors je me résignai à attendre tranquillement, en fumant une cigarette. J'aurais peut-être dû en profiter pour rédiger un message au sujet des portières vides et le laisser tomber à ce moment-là. Hamul ne l'aurait pas remarqué — mais je croyais encore pouvoir faire un rapport verbal, plus tard.

Ils restèrent plus d'une heure chez le docteur. Quand ils en sortirent, Fischer n'avait pas, à première vue, l'air trop mal en point. Il portait au visage un pansement adhésif et son bras gauche reposait dans une de ces écharpes dont on se sert pour des blessures légères, plutôt que pour des fractures graves. Mais quand il fut plus près, je m'aperçus que ses deux mains et ses avant-bras étaient tout empaquetés de bandes et que sa main gauche était fermée sur un gros pansement afin de lui immobiliser les doigts. Je descendis de voiture et lui ouvris la portière. Il sentait le désinfectant et l'alcool à 90°.

Harper et lui montèrent sans dire un mot et ne desserrèrent pas les dents jusqu'à la villa.

Miller et Miss Lipp les attendaient sur la terrasse. Quand je stoppai dans la cour, ils descendirent le perron. J'ouvris la portière de Fischer. Il sortit, passa devant eux et entra. Toujours pas un mot. Hamul s'en alla chez lui, derrière la maison. Miller et Miss Lipp s'approchèrent de Harper.

— Comment va-t-il ? demanda Miller.

Son ton ne témoignait pas de la moindre sollicitude, mais d'un simple besoin d'information.

— A la main gauche, on a fait sept points de suture à une des plaies et quatre à l'autre ; quelques points aussi au bras gauche. A l'avant-bras droit, il en a sept. Les autres blessures sont superficielles. Le docteur les a simplement pansées. Il lui a aussi fait quelques piqûres et administré un calmant.

Ses yeux allèrent à Miss Lipp :

— Où est le cuisinier ?

— Parti, dit-elle. Quand il s'est réveillé, il a demandé s'il pouvait aller dans sa chambre. Nous l'y avons autorisé. Il a fait ses paquets et a filé sur son scooter. Nous n'avons pas essayé de le retenir.

Il approuva de la tête.

— Quant à Fischer... commença Miller en montrant les dents, comme s'il voulait dévorer quelqu'un.

Harper l'interrompit avec fermeté :

— Rentrons, Léo.

Puis il se tourna vers moi :

— Pour le moment, vous pouvez garer la voiture, Arthur ; mais j'en aurai peut-être besoin plus tard pour aller à Pendik ;

alors ne vous éloignez pas. Faites-vous du café à la cuisine, je saurai ainsi où vous trouver.

— Très bien, monsieur.

Quand j'entrai dans la cuisine, je vis que quelqu'un, sans doute Mme Hamul, avait fait la vaisselle et rangé la pièce. Le feu de charbon de bois dans la cuisinière n'était pas tout à fait éteint mais je n'entrepris pas de le raviver. Je trouvai une bouteille de vin rouge et me servis.

Je commençais à me faire du souci. Il était presque dix heures et demie et le message radio était pour onze heures ; ce n'est pas que ça m'ennuyait de manquer un de leurs « essentiel nous tenir au courant de vos progrès » ; mais ce qui m'inquiétait c'était de n'avoir pas encore fait savoir que les portières étaient vides à présent. Il est certain que la mésaventure de Fischer avait semé la pagaille et qu'ils allaient être obligés de modifier leurs plans. Si cela impliquait que je devais passer la nuit à conduire Harper à Pendik et à l'en ramener, il faudrait que je fasse passer mon message dans un paquet à cigarettes. J'allai dans l'arrière-cuisine pour ne pas risquer d'être surpris par Harper et écrivis le message suivant sur un bout de papier arraché à une étagère.

... Portières vidées, inspecter garage près Consulat d'Espagne.

Quand j'eus terminé, je me sentis plus à l'aise. L'autre travail que j'avais été chargé d'exécuter cette même nuit, la recherche de la carte mystérieuse, ne me tracassait pas du tout. En fait, cela peut paraître drôle maintenant, mais au point où les choses en étaient, je l'avais complètement oublié.

Vers onze heures et demie, quand j'eus vidé la bouteille, j'entendis une porte s'ouvrir et Harper arriva de la salle à manger. Je me levai.

— Je regrette de vous faire veiller si tard, Arthur, me dit-il, mais M. Miller et moi, avons une petite discussion amicale et nous voudrions que vous nous aidiez à savoir lequel de nous deux a raison. Venez.

Je le suivis. Nous traversâmes la salle à manger, suivîmes le couloir et entrâmes dans le salon où je les avais aperçus la veille.

La pièce était en forme de L et plus grande que je ne l'avais imaginée. En regardant par les fenêtres, je n'avais vu que le côté le plus court du L. L'autre côté s'étendait jusqu'au hall d'entrée et comportait une petite estrade avec un piano à queue. Ce salon avait dû servir autrefois pour des « soirées » musicales.

Miss Lipp et Miller étaient assis au bureau, Fischer dans un fauteuil, la tête rejetée en arrière ; il fixait le plafond. Un instant, je le crus mort, mais quand j'entrai, il se tourna lentement vers moi et me dévisagea. Il avait l'air bien mal en point.

— Asseyez-vous, Arthur, dit Harper, en me désignant une chaise en face de Miller.

Je m'assis. Miss Lipp surveillait Miller. Miller me surveillait de derrière ses lunettes. Il arborait son sourire le plus étincelant, mais je n'avais jamais vu sourire moins amusé, c'était plutôt une grimace.

Harper se renversa contre le dossier du canapé.

— En réalité, il y a deux problèmes, Arthur, me dit-il. Voyons. Combien de temps faut-il pour aller à Pendik à cette heure de la nuit ? Autant que de jour ?

— Un peu moins, peut-être ; cela dépend des bacs pour Uskudar.

— Combien y en a-t-il la nuit ?

— Toutes les heures, monsieur.

— Donc, si nous en manquons un, il faut bien compter plus de deux heures de trajet ?

— Oui.

Il se tourna vers Miller :

— Deux heures pour aller à Pendik, deux heures pour convaincre Giulio, deux heures de plus pour convaincre Enrico...

— S'il veut bien se laisser convaincre, intervint Miss Lipp.

Harper approuva :

— Bien entendu. Ajoutons deux heures pour rentrer ici ; ça ne fait pas une nuit bien reposante, Léo.

— Alors remettez vos projets à plus tard, coupa Miller.

Harper secoua la tête.

— Vous oubliez nos chefs, Léo ; remettre nos projets, pour eux, signifie tout abandonner. Que diront-ils ?

— Ce n'est pas leur tête qu'ils risquent.

Miller regarda Fischer avec amertume...

— ... Si vous n'aviez pas... commença-t-il, mais Harper le coupa net.

— On a déjà discuté de ça, Léo. N'y revenez pas tout le temps.

Miller haussa les épaules.

Harper se tourna vers moi :

— Nous voudrions tenter une expérience, Arthur, voulez-vous aller jusque là et vous appuyer le dos au mur ?

— Ici ?

— C'est ça, votre dos touchant le mur.

Il alla jusqu'à Fischer, ramassa une grosse corde qui était posée sur ses mains bandées et m'en jeta un bout. Je vis que l'autre extrémité était attachée à un des pieds du canapé.

— Voilà de quoi il s'agit, Arthur, poursuivit-il. J'ai dit à M. Miller que vous pouviez tirer ce canapé sur deux mètres à la seule force de vos bras. Bien entendu, en prenant appui contre le mur de façon à vous aider de votre poids. Vous n'avez le droit de vous servir que de vos bras. M. Miller prétend que vous n'y arriverez jamais et a parié cent dollars. Moi je fais le pari inverse. S'il gagne, c'est moi qui paye ; si je gagne, nous partageons l'enjeu, vous et moi, cinquante dollars pour chacun. D'accord ?

— Je veux bien essayer, dis-je.

— Parfait, allez-y, fit Miller. Vos épaules contre le mur, vos talons pas à plus de dix centimètres et joints.

Il s'approcha pour voir si je ne trichais pas.

J'ai toujours détesté ces jeux de société ; en fait, je n'ai jamais aimé les épreuves de résistance physique. Elles me rappellent inévitablement tous ces camarades d'école que je surpris un jour aux cabinets. Ils s'étaient mis en ligne pour voir qui pisserait le plus loin. Tout à coup, ils éclatèrent de rire et se visèrent tous les uns les autres. Je me trouvai dans la ligne de tir par hasard et ne goûtai pas du tout la plaisanterie.

Le rugby me fait le même effet, c'est un jeu grossier, enfantin, nauséabond, homosexuel. J'ai évité d'y jouer chaque fois que je l'ai pu. A présent, tout exercice physique me donne aussitôt la colique.

A vrai dire, je ne pensais pas avoir la moindre chance d'ébranler ce gros canapé, encore moins de le tirer sur deux mètres. D'ailleurs, je n'ai pas beaucoup de force dans les bras. A quoi me servirait-elle ? Je suis assez costaud pour soulever une valise et conduire une voiture, ça me suffit.

— Allez-y, dit Miller. Tirez de toutes vos forces !

J'aurais dû faire ce qu'il me disait et me laisser tomber de tout mon long. Harper aurait perdu cent dollars et moi, j'aurais évité cette épreuve. Mais voici que Miss Lipp se mit de la partie.

— Un instant, Arthur, dit-elle, moi, j'ai essayé et je n'y suis pas arrivée. Mais vous, un homme, avec les belles épaules que vous avez, je suis sûre que vous pouvez le faire !

Si je ne l'avais pas entendue la veille me traiter « d'agneau bêlant », j'aurais compris que ce n'était qu'un grossier traquenard. Car je n'ai pas du tout les épaules larges ; au contraire elles sont étroites et tombantes. Les femmes qui comptent sur ce genre de flatterie me dégoûtent. J'étais vraiment embêté. Malheureusement cela me fit rougir. Elle sourit ; elle croyait probablement que je prenais son sale compliment au sérieux.

— Je ne connais rien à ce genre de jeu, dis-je.

— Le truc c'est de tirer la corde régulièrement, Arthur, ne donnez pas de secousses. Tirez régulièrement et quand le canapé commencera à s'ébranler, continuez à tirer d'une main puis de l'autre. Pas difficiles à gagner ces cinquante dollars. Je suis sûre que vous y arriverez.

La bonne femme commençait à m'énerver singulièrement. « Ça va, espèce de femelle, me dis-je à moi-même, je vais te montrer ce que je sais faire », et je fis juste le contraire de ce qu'elle m'avait recommandé. Je donnai à la corde une secousse aussi forte que possible.

Le canapé se déplaça de quelques centimètres ; mais bien

entendu, tout ce que j'avais réussi à faire, était d'avoir sorti les pieds des marques qu'ils avaient imprimées dans l'épais tapis. Ensuite je continuai simplement à tirer et il glissa un peu plus. A mesure qu'il approchait de moi, cela devenait plus facile parce que je pouvais tirer vers le haut, en même temps.

Harper regarda Miller :

— Qu'en dites-vous, Léo ?

Miller tâta mes bras et mes épaules comme s'il achetait un cheval :

— Il est mou, pas du tout en forme, fit-il d'un ton aigre.

— N'empêche qu'il a réussi, insista Harper.

Miller étendit la main, comme pour couper court.

Harper sortit un billet de son portefeuille :

— Voici, Arthur. Cinquante dollars !

Il s'arrêta une seconde puis continua tranquillement :

— Que diriez-vous d'en gagner deux mille ?

Je le regardai ébahi.

Je m'assis avec plaisir car mes jambes flageolaient. Avec deux mille dollars, je pourrais acheter un passeport d'Amérique centrale, valable longtemps ; et ce serait un vrai passeport. Je le savais, parce que j'avais étudié la chose. Du moment que vous ne mettez pas les pieds dans le pays en question, vous ne courez aucun risque. Un passeport comme ça, ça s'achète. Voilà comment leurs consuls à l'étranger se remplissent les poches. Bien sûr, je savais que ce n'était qu'un rêve. Même si j'exécutais ce qu'ils me demandaient, Harper n'allait pas pouvoir me payer parce que Tufan l'aurait mis sous les verrous bien avant. N'empêche que c'était un beau rêve.

— Ce serait magnifique, dis-je.

Ils me regardaient tous avec attention.

— Vous ne voulez pas savoir comment vous pouvez les gagner ? demanda Harper.

Je n'allais pas le laisser prendre l'avantage. Je me calai dans mon siège.

— Il s'agit probablement de prendre la place de M. Fischer, répondis-je ; s'il n'avait pas eu ce petit accident ce soir...

Miss Lipp éclata de rire :

— Je vous avais bien dit qu'Arthur n'est pas aussi bête qu'il en a l'air, fit-elle.

— Qu'avez-vous deviné d'autre, Arthur ? reprit Harper.

— Rien de plus que ce que Miss Lipp a bien voulu me confier, monsieur ; que vous êtes des gens raisonnables et tolérants, indulgents en ce qui concerne certaines choses que la loi réprouve d'ordinaire, mais que vous n'aimez pas prendre des risques inutiles.

— Je vous ai confié tout cela, Arthur ? fit-elle en simulant l'étonnement.

— En tout cas, c'est ce que j'ai cru comprendre, Miss Lipp.

Harper sourit :

— C'est bon, Arthur, ça suffit. Nous avons monté un coup.

— Il me semble que j'ai le droit d'en savoir plus long.

— D'accord, Arthur. Nous partons demain après-midi vers trois heures, avec tous nos bagages car nous ne reviendrons pas à la villa. Avant le départ on vous fera un exposé complet de l'affaire, ne vous en faites pas. Tout ce qu'on vous demandera sera de tirer sur une corde au bon moment et au bon endroit. On se charge de tout le reste.

— Ça regarde la police ?

— Ça l'intéresserait si elle était au courant, mais elle ne sait rien. Je vous le répète, ne vous faites pas de soucis. Vous avez pris des risques bien plus grands à Athènes, et pour beaucoup moins de deux mille dollars.

— A ce propos, monsieur, il me semble que j'ai gagné le droit de recouvrer ma lettre.

Harper regarda Miller puis Fischer d'un air interrogateur. Ce dernier se mit à parler en allemand. Il s'exprimait lentement et avec effort et je devinai que le calmant avait commencé à faire son effet. Mais son attitude ne laissait pas de doutes. Celle de Miller non plus. Harper se tourna alors vers moi et secoua la tête.

— Je regrette, Arthur, il faudra que vous attendiez encore un peu. En fait, mes amis semblent penser que vous serez peut-être notre caution en cas de coup dur dans les douze heures qui viennent.

— Je ne comprends pas.
— Mais si.
Il grimaça.
— Je parie qu'une idée tournicote dans votre petite cervelle depuis cinq minutes. « Si un coup de main pour tirer une corde vaut deux mille dollars aux yeux de ces gens-là, que donnerait la police si on lui refilait le tuyau ? »
— Je vous assure que...
— Bien sûr, Arthur. Je plaisantais.
Son ton était des plus amicaux.
— Mais je voulais vous faire comprendre le problème. Votre lettre n'a guère d'importance dans cette affaire. Avez-vous les clefs de la voiture ?
— Oui.
— Donnez-les-moi.
Je les lui tendis.
— Vous comprenez. Nous ne voulons pas courir le risque que vous changiez d'idée et alliez nous moucharder, expliqua-t-il.
— Nous ne voulons pas non plus que vous utilisiez le téléphone, dit Miller.
— D'accord.
Harper réfléchit un moment :
— Il va falloir aider Hans à se déshabiller et à prendre les antibiotiques que le docteur lui a ordonnés. Je crois qu'il serait préférable que nous ajoutions dans sa chambre un lit pour Arthur.
— Pour qu'il profite de ce que je suis sans défense pour me tuer et s'enfuir par la fenêtre ? grogna Fischer d'une voix pâteuse.
— Oh ! je ne crois pas qu'Arthur aille jusque là, n'est-ce pas, Arthur ?
— Bien sûr que non.
— Bon. Mais nous ne voulons pas non plus que Fischer se fasse du souci. Le docteur nous a bien dit qu'il avait besoin de repos. Vous aussi, Arthur, vous seriez content d'avoir une bonne nuit de sommeil ! la nuit prochaine il ne sera pas ques-

tion de dormir. Vous ne voudriez pas prendre deux bons cachets de somnifère ? ou même trois ?

J'hésitai.

— Oh ! ça ne vous fera pas le moindre mal, Arthur.

Miss Lipp me gratifia de son sourire enjôleur.

— Vous savez, si vous êtes gentil, et avalez bien vos cachets, j'en prendrai un moi-même. Nous avons tous besoin d'une bonne nuit de repos.

Comment aurais-je pu refuser ?

IX

J'AVAIS la tête lourde et un goût de nausée dans la bouche. Je mis du temps pour me rappeler l'endroit où je me trouvais. J'entendais un fort ronronnement. Lorsque je réussis enfin à ouvrir les yeux, j'aperçus Fischer. Le bruit venait du rasoir électrique qu'il tenait gauchement dans sa main blessée.

J'avais couché sur un matelas posé à même le plancher et dans les couvertures de la chambre que j'occupais avant. Je roulai le matelas et me mis debout avec peine. Fischer me lançant un regard mauvais me dit :

— Vous ronflez comme un goret !

Je constatai avec plaisir qu'il avait déjà enfilé son pantalon et sa chemise. Harper ou Miller avaient dû l'aider. Cela n'avait pas été une tâche agréable de le déshabiller, la veille au soir. Il avait fallu le toucher ; toucher quelqu'un, un homme surtout, m'est très désagréable.

— Quelle heure est-il ? demandai-je.

Après m'avoir fait avaler les somnifères, ils m'avaient tout pris jusqu'à ma montre. Ils ne m'avaient laissé que ma veste de pyjama.

— Onze heures environ. On a mis vos vêtements ici, me dit-il en me montrant une porte.

Je l'ouvris et me trouvai dans une des chambres sommairement meublées que j'avais vues la veille. Mes affaires étaient entassées sur une chaise longue recouverte de velours marron. Je dissipai un premier motif d'inquiétude : l'étui à cigarettes où l'on ne semblait pas avoir découvert le message se trouvait toujours dans ma poche revolver. Je n'y touchai pas. Avec un peu de chance, pensai-je, je pourrai y ajouter d'autres précisions. Mes papiers étaient bien tous là, et la radio toujours dans son étui.

J'entendis Fischer me dire depuis la chambre :

— Je n'ai plus besoin de la salle de bains. Vous pouvez venir, si vous voulez.

— Je vais d'abord déjeuner.

— Bon, mais apportez ici vos papiers et votre argent.

A quoi bon discuter ? J'obéis, enfilai un pantalon et me dirigeai vers la cuisine.

J'y trouvai Mme Hamul. Elle dut trouver étrange de voir le chauffeur non rasé, en veste de pyjama, à onze heures du matin. Elle me regarda comme si j'étais devenu fou. Je lui demandai du café. Elle me servit du thé et du pain grillé de la veille. Le thé était acceptable ; j'avais déjà la tête moins lourde. Tout en mangeant mes toasts, je me demandais si mes connaissances de turc suffiraient pour la convaincre, elle ou son mari, de porter un message à la voiture de surveillance, sur la route.

Miss Lipp survint juste à ce moment-là, très soignée, très élégante dans une robe blanche à rayures jaunes.

— Bonjour, Arthur. Comment vous sentez-vous ?

— Bonjour, Miss Lipp. Très mal en point, merci.

— Vous ne paraissez pas brillant, en effet ; ça ira mieux lorsque vous aurez fait un brin de toilette. Comment dit-on des œufs en turc ?

— *Yumurta*, je crois.

Mme Hamul nous entendit et se mit à gesticuler pour montrer qu'elle avait compris. Je remontai.

Je trouvai Miller en train d'aider Fischer à faire les valises. Je glissai le paquet à cigarettes vide et un crayon dans ma trousse à rasoir et allai à la salle de bains. Il y avait un verrou à la porte. Pendant que mon bain coulait, j'ajoutai au message que j'avais écrit la veille :

Suis forcé de remplacer Fischer blessé. Suis étroitement sur-

veillé. Coup prévu pour ce soir. Ignore détails. Miller probablement chef de la bande.

La chambre était vide lorsque je revins ; je m'habillai, fis mon sac et descendis à la cuisine.

Miss Lipp surveillait les Hamul qui préparaient le déjeuner. Elle me regarda quand j'entrai.

— Les autres sont dehors sur la terrasse, Arthur ! Allez-y donc aussi prendre quelque chose !

— D'accord.

Je traversai la salle à manger pour aller dans le hall. J'eus alors un moment d'hésitation. Je me demandais comment descendre jusqu'à la route et remonter sans me faire voir. Ils étaient sur la terrasse. Je ne pouvais donc pas passer par la cour. Je devais m'arranger pour faire l'aller-retour en accomplissant un crochet derrière les arbres. Mais cela pouvait demander vingt minutes ou davantage. Et si Miss Lipp venait sur la terrasse et s'étonnait de mon absence ? Non, mieux valait attendre et me contenter de jeter plus tard le paquet de cigarettes.

La première chose que je vis sur la terrasse fut la boîte en carton que Harper avait ramenée de Pendik. Elle était ouverte et posée sur une chaise. Harper, Fischer et Miller examinaient quelque chose étalé sur deux chaises à la fois. C'était un palan, mais d'un modèle inhabituel. Les poulies à triple gorge, en alliage léger, étaient si petites qu'on pouvait les tenir toutes deux dans la main. La « corde » était en réalité un cordon blanc de six millimètres environ d'épaisseur et il y en avait une bonne longueur. Sur une autre table était déposé un appareil qui ressemblait à une large ceinture munie d'un mousqueton à chaque extrémité, comme on en voit sur les laisses à chiens.

Fischer leva les yeux et me dévisagea avec arrogance.

— Miss Lipp m'a dit de venir boire quelque chose, fis-je.

Harper me désigna une table qui portait une bouteille et des verres :

— Servez-vous. Vous viendrez ensuite voir ce matériel de plus près.

Je me versai un peu de *raki* puis allai examiner le cordon. On aurait dit de la soie.

— C'est du nylon, expliqua Harper, et ça peut supporter un poids d'une tonne — c'est aussi légèrement élastique, il ne faut pas l'oublier. Il y a beaucoup de jeu dans ce palan. Vous savez vous servir de tout ça ?

— Oui.

— Montrez-moi, reprit Miller. Il ramassa la ceinture, l'attacha autour d'un des piliers de la terrasse. Montrez-moi comment vous vous y prendriez pour renverser ce pilier.

J'accrochai une des poulies à la ceinture, attachai l'autre à la balustrade et me mis à tirer sur le palan.

— O.K. dit Harper ; ça va. Léo vous devriez porter le palan. Arthur est trop gros. Cela se remarquerait sur lui. Je crois qu'il peut prendre l'étrier et la corde d'amarrage. Hans ne devrait se charger que de son revolver et de la gourde d'eau.

— Cela ne me plaît guère car j'ai la peau très délicate, fit remarquer Miller.

— Oh ! ce ne sera pas long. Dès que vous serez entré ; vous pourrez l'enlever.

Miller furieux, soupira et se tut.

— Pouvez-vous me dire ce que je ferai, moi ? demandai-je.

— Vous n'aurez qu'à tirer sur le palan. Oh vous voulez dire ce que vous aurez à transporter de tout ce matériel ? Vous, vous devrez vous charger de cet étrier — il montrait la ceinture – et de cette corde-là, le tout roulé sous votre chemise. Cela vous tiendra chaud un moment, mais vous aurez tout le temps ensuite pour vous rafraîchir. Vous avez des questions à poser ?

J'en avais une douzaine, il le savait bien ; mais à quoi bon les poser? il n'y répondrait pas.

— Qui va porter le sac ? demanda Miller.

— Vous feriez mieux de le prendre vous-même plié dans votre poche.

Miss Lipp vint annoncer que le déjeuner serait prêt dans une demi-heure.

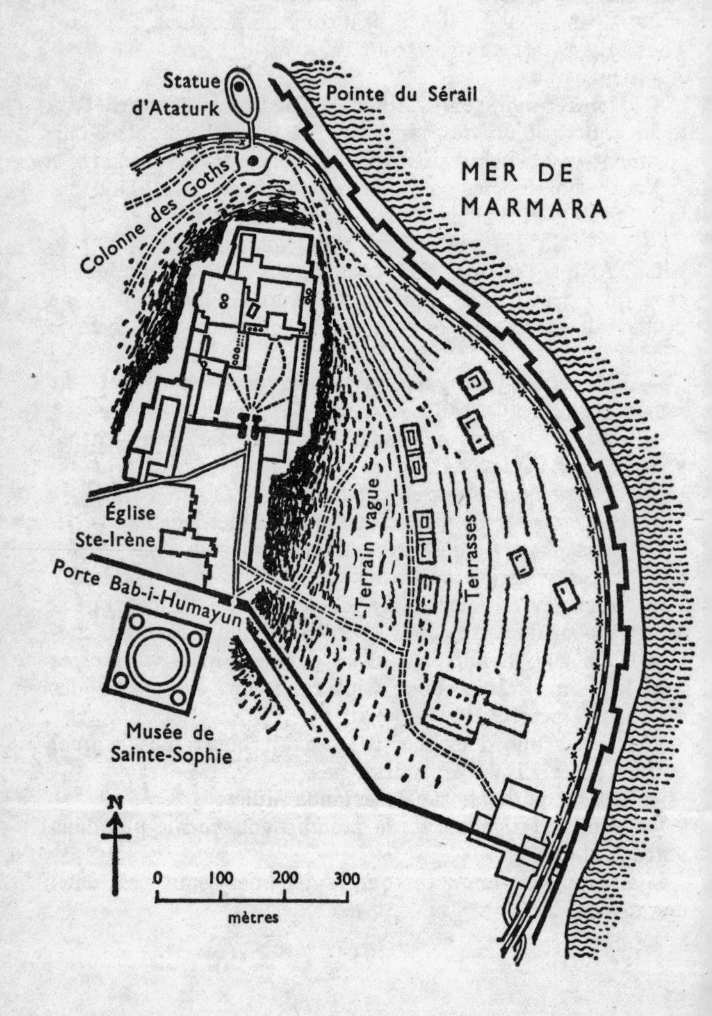
Statue
d'Ataturk
Pointe du Sérail
MER DE
MARMARA
Colonne des Goths
Église
Ste-Irène
Porte Bab-i-Humayun
Terrain vague
Terrasses
Musée de
Sainte-Sophie
N
0
100
200
300
mètres

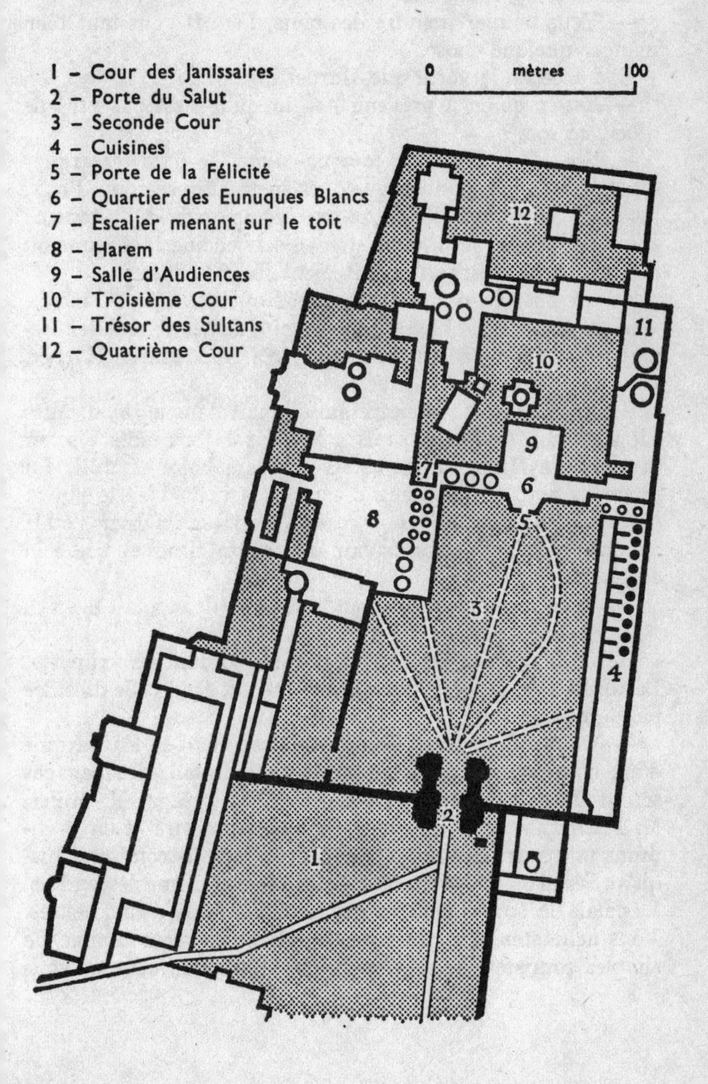
1 – Cour des Janissaires
2 – Porte du Salut
3 – Seconde Cour
4 – Cuisines
5 – Porte de la Félicité
6 – Quartier des Eunuques Blancs
7 – Escalier menant sur le toit
8 – Harem
9 – Salle d'Audiences
10 – Troisième Cour
11 – Trésor des Sultans
12 – Quatrième Cour
0
mètres
100
1
2
3
4
5
6
7
8
9
10
11
12

— Le déjeuner !

Miller parut contrarié.

— Vous pouvez prendre des œufs, Léo. Il vous faut bien manger quelque chose.

Elle accepta le verre que Harper lui tendait :

— Est-ce qu'on a prévenu Arthur qu'il n'est pas près de dîner, ce soir ?

— Non, Miss Lipp, dis-je avec calme. Je ferai remarquer qu'on devait me donner quelques instructions aujourd'hui ; jusqu'ici on ne m'a donné qu'une bonne crampe d'estomac ! Par ailleurs, que je dîne ou non ce soir et que je déjeune ou non maintenant m'est parfaitement indifférent !

Elle rougit. Peut-être avais-je dit quelque chose d'inconvenant. Mais je vis bien vite que cette sacrée femme se retenait tout simplement d'éclater de rire ! Elle regarda Harper.

— O.K. entrons ici, dit-il.

Il franchit la porte-fenêtre qui donnait dans le salon. Miss Lipp et moi, fûmes les seuls à le suivre. J'entendis Fischer demander à Miller de lui verser encore à boire et Miller lui répondre qu'il ferait mieux d'exercer sa main blessée plutôt que de la dorloter. Puis je cessai d'écouter. Harper s'était avancé jusqu'au bureau, avait ouvert un tiroir et tiré « la carte ».

— Vous reconnaissez cet endroit ? me demanda-t-il.

— Oui.

C'était le plan du Sérail et des routes bordant les remparts. La forme triangulaire qui m'avait frappé, était celle dessinée par le rivage.

— Voilà ce que nous allons faire, continua-t-il. En partant d'ici, nous irons jusqu'à un garage à Istanbul. Nos bagages seront dans le coffre de la Lincoln. Au garage, M. Miller, M. Fischer, vous et moi descendrons de voiture et en prendrons une autre qui nous y attendra. Je vous conduirai jusqu'au Sérail où M. Miller, M. Fischer et vous-même descendrez. Le palais de Topkapi est ouvert au public jusqu'à cinq heures. Vous achèterez tous trois des billets et entrerez comme de simples touristes. Vous traverserez la seconde cour et vous

vous dirigerez vers la porte de la Félicité. Si vous voyez que les guides ne s'occupent pas de vous, vous passerez dans la troisième cour et tournerez à gauche. Vous avancerez encore un peu — vous ferez soixante pas exactement — et vous arriverez dans une cour à gauche devant un grand portail de bronze flanqué d'une petite porte. Tous deux sont fermés à clef, mais M. Miller aura la clef de la petite porte. Vous trouverez au-delà un couloir avec un escalier qui mène au toit des appartements des Eunuques blancs — il me l'indiqua sur le plan — ici. Puis vous fermerez la porte derrière vous et vous attendrez. C'est compris jusqu'ici ?

— Parfaitement compris. Mais pourquoi toute cette mise en scène ?

— Je croyais que vous aviez deviné, dit-il avec un large sourire. Nous allons nous offrir une partie seulement du butin des vieux sultans, une petite partie seulement, pour la bagatelle d'un million de dollars.

Je regardai Miss Lipp.

— J'ai bien ouvert les yeux, vous savez, Arthur, dit-elle. Il y a quelques obsidiennes, des grenats, et des tourmalines vertes. Mais la plupart des autres pierres ont vraiment de la valeur. Il y a par exemple dans cette salle du trône six rubis sang de pigeon qui doivent peser plus de vingt carats chacun. Vous savez ce que vaut une seule de ces pierres précieuses, Arthur ? Et les émeraudes sur les coffrets du Coran ! Mon Dieu !

Harper dit avec un gros rire :

— Oui, chérie, je crois qu'Arthur a compris. Il se tourna à nouveau vers le plan : — Maintenant parlons des gardiens du musée. Ils ne sont pas très nombreux et on les relève à huit heures. Vous laissez une heure à l'équipe de nuit pour s'installer et à neuf heures vous vous mettez en mouvement. Vous montez par les escaliers jusqu'au toit puis tournez à gauche. Vous voyez des petits dômes, des coupoles comme on les appelle, vous les laissez sur votre gauche ; ensuite la pente du toit va en diminuant jusqu'à ce que vous arriviez à la voûte de la Porte. Vous la franchissez par le toit de la salle d'Audiences, et continuez jusqu'au moment où vous voyez les cheminées des cuisines sur votre droite. Vous prenez de nouveau à gauche, traversez le toit du musée des miniatures et de la tapisserie et au bout, vous trouvez une différence de niveau d'un mètre avec le toit de la salle du Trésor. C'est là qu'il vous faudra faire attention. Ce toit mesure dix mètres de large, mais il est en forme de coupole. Il y a cependant un replat sur le pourtour. Vous vous y installerez donc en toute sécurité. La coupole a trois mètres de diamètre ; elle vous servira de point d'appui pour accrocher le palan. M. Miller fera les nœuds lui-même. L'étrier mis en place, il s'installera dessus. Vous n'aurez plus qu'à le descendre le long du mur jusqu'au niveau d'un volet d'acier six mètres plus bas. Il se chargera du reste.

— Lui ?

Il me regarda, amusé :

— Vous le croyez trop âgé pour ce genre d'exercice ? Arthur, quand M. Miller se met au boulot, personne ne lui arrive à la cheville ; il a une agilité de mouche !

— Vous avez parlé d'un volet d'acier ?

— On pourrait le soulever avec un simple cure-dents. Le mur est en pierre de taille et mesure un mètre vingt d'épaisseur ; il résisterait à un obus de 75 mais les volets qui protègent l'ouverture des fenêtres n'ont que six millimètres et ne sont maintenus que par des verrous à glissière. Ils ne plaquent même pas. De plus, il n'y a pas de dispositif d'alarme.

— Mais si ces joyaux ont une telle valeur...

— Avez-vous jamais mis la tête à une de ces fenêtres, Arthur ? Il y a un à-pic de cent mètres dessous. Il est impossible de monter ni de descendre par ce côté-là. C'est pourquoi nous allons le faire par le haut. Le problème est de ressortir de l'enceinte. Leur dispositif de sécurité repose sur le fait que le palais est entouré de remparts comme une vraie forteresse. Il y a des portes, naturellement, gardées la nuit par des sentinelles ; mais on peut les franchir si on sait se débrouiller. Et nous saurons le faire. Vous sortirez de là aussi facilement que vous y serez entré.

Son regard chercha le mien et se fit dur :

— Vous voyez, Arthur, nous sommes des professionnels !

Je détournai les yeux avec effort et rencontrai ceux de Miss Lipp. J'y trouvai la même dureté.

— Je regrette, dis-je. Moi, je ne suis pas un professionnel.

— Ce n'est pas nécessaire, fit-elle.

— Je refuse, monsieur Harper.

— Et pourquoi ?

— Parce que j'ai trop peur !

Il sourit.

— J'aime vous l'entendre dire, Arthur. Vous m'avez donné beaucoup de souci à un certain moment, vous savez.

— J'ai vraiment peur.

— Mais oui. Et pourquoi pas ? Moi aussi, j'ai peur. Dans quelques heures j'aurai encore plus peur. C'est normal. Si on n'a pas un peu la frousse, on néglige de prendre des précautions.

— Je ne parle pas d'avoir un peu la frousse, monsieur Harper, je serai si paralysé par la peur que je ne pourrai vous être d'aucune utilité.

J'étais sincère. Je me voyais au sommet de ce toit avec un à-pic de cent mètres jusqu'à la route, moi qui ai si facilement le vertige !

Il y eut un moment de silence, puis elle se mit à rire :

— Je ne vous crois pas, Arthur, dit-elle. Comment donc ! Avec deux bras et deux mains solides, vous auriez peur de vous aventurer là où Hans Fischer se risque avec la moitié d'une main seulement ! Vous ne parlez pas sérieusement ?

— Je regrette, dis-je à nouveau.

Second silence. Il lui jeta un coup d'œil et lui fit un léger signe de tête. Elle sortit sur la terrasse.

— Mettons bien les choses au point, Arthur, voulez-vous ? me dit-il. Tout ce que je vous demande, c'est de faire une courte promenade en voiture, un peu de marche à pied et puis de tenir une corde une vingtaine de minutes. Vous ne courez aucun danger. Personne ne vous tirera dessus. Une fois l'opération terminée, vous toucherez vos deux mille dollars. C'est d'accord ?

— Oui, mais...

— Laissez-moi finir. Supposons que vous nous laissiez tomber, qu'allons-nous faire ?

— Trouver quelqu'un d'autre, sans doute.

— Mais, qu'allons-nous faire de vous ? Il s'arrêta. — Vous voyez, Arthur, il ne s'agit pas seulement de mener à bien le boulot. Vous en savez trop maintenant pour ne pas travailler avec nous. Si vous vous obstinez à rester en dehors du coup, nous devrons prendre les mesures qui s'imposent, vous me comprenez, n'est-ce pas ?

J'étais bien obligé, il le voyait. J'avais le choix entre crever de peur là-haut sur le toit du Sérail, ou me faire expédier en deux temps trois mouvements à la morgue.

— Prenez donc un autre verre et cessez de vous faire du souci ; ne pensez qu'aux deux mille dollars.

Je haussai les épaules.

— D'accord. Je voulais seulement vous dire ce que j'en pensais.

— Tout se passera bien pour vous, Arthur, — et il repartit sur la terrasse.

J'avais sur le bout de la langue de lui demander ce qui se passerait pour M. Miller si j'avais le vertige et tombais dans les pommes pendant que je tiendrais la corde ; mais je jugeai plus prudent de me taire. S'il se rendait compte que je n'avais pas seulement peur mais que j'étais aussi sujet au vertige, il pouvait décider qu'après tout je représentais un risque vraiment trop grand. De plus, je commençai à voir la situation sous un angle tout autre. Les fameux « terroristes » de Tufan n'étaient après tout que des escrocs de grand chemin. J'avais vu clair dans leur jeu. Pas lui. Mais il restait un allié puissant et j'avais encore de fortes chances de faire étouffer toute l'affaire dans l'œuf. Je n'avais qu'à ajouter ces quelques mots : « Raid projeté sur Trésor du Sérail » au message que j'avais caché dans le paquet à cigarettes et le faire ramasser par la voiture de police. Et ce serait la fin de tous mes ennuis. Ce serait au tour de Harper de rire jaune. J'avais plaisir à imaginer toute l'équipe rassemblée menottes aux poings, regardant Tufan me tendre un passeport britannique flambant neuf !

— Pourquoi riez-vous, Arthur ? me demanda Harper.

Je me versai à boire comme il me l'avait conseillé :

— Vous m'avez recommandé de penser aux deux mille dollars, monsieur Harper, dis-je, c'est ce que je fais.

— Vous êtes un drôle de type, Arthur, ajouta-t-il d'un ton aimable, mais je notai une lueur inquiétante dans ses yeux et je me dis que je ferais bien de me tenir sur mes gardes.

Cependant que dirait-il et que ferait-il s'il apprenait qu'à la douane, à Edirné on avait fouillé l'intérieur des portières de sa voiture ? et s'il savait que, depuis lors, le Service de Sûreté était au courant de tous ses faits et gestes et laissait faire..., si en d'autres termes on lui révélait combien il était vulnérable ? non que j'eusse la moindre intention de l'en avertir ; je n'avais pas oublié la correction qu'il m'avait infligée à Athènes ; mais j'aurais aimé pouvoir lui dire, sans courir de risques, que c'était ce sale passeport égyptien qui était cause de tout. J'aurais voulu voir la gueule qu'il aurait faite ! Je le voudrais encore !

Hamul entra en traînant les pieds et fit signe à Miss Lipp que l'on pouvait se mettre à table. Elle me jeta un coup d'œil.

— Apportez votre verre, Arthur.

Ces messieurs et dame me faisaient sans doute l'honneur de m'inviter à leur table pour mieux me tenir à l'œil.

Miller engloutissait sa nourriture, l'air lugubre. L'omelette aurait pourtant été fort à mon goût s'il n'avait pas parlé maladies contagieuses tout le temps. Comment cultive-t-on des virus en laboratoire ? Dans des œufs ma foi ! Il ne tarissait pas sur le sujet. Les autres n'y prêtaient pas attention ; ils en avaient l'habitude, c'est sûr ; mais cela me donna la nausée ; de toute façon, je n'avais pas très faim.

Au dessert, Harper me jeta un regard par-dessus la table.

— Dès que les Hamul auront desservi, dit-il, vous feriez mieux de commencer à descendre les bagages. Ils pensent que nous allons à Ankara passer deux ou trois jours ; peu importe donc s'ils vous voient. L'essentiel est d'avoir le temps de tout nettoyer avant de partir.

— Nettoyer quoi ?

— Effacer toutes nos empreintes digitales ; avec un peu de chance on ne saura jamais que c'est nous qui avons séjourné ici. Le loyer est réglé d'avance, la propriétaire ne s'inquiétera donc pas si elle ne nous voit pas revenir. Les Hamul passeront leur torchon sur la plupart des meubles. Ils font bien les pièces, je l'ai remarqué. Ils pourraient cependant négliger les poignées de fenêtres, les glaces ; c'est à nous de le faire, dans le cas où...

A deux heures, j'avais descendu tous les bagages et demandé à Harper la permission de monter dans ma première chambre pour la nettoyer. Il m'y autorisa :

— O.K. Arthur, mais ne traînez pas. Je veux que vous aidiez M. Fischer.

Je me précipitai en haut. Dans la salle de bains j'ajoutai quelques mots au message. Puis je passai le torchon partout mais sans conviction — Tufan avait déjà *mes* empreintes — et revins dans la chambre de Fischer.

A trois heures moins le quart, Harper sortit la voiture du garage et l'amena dans la cour d'honneur.

A trois heures, Harper, Miller et moi, nous montâmes dans la chambre de ce dernier. Là, j'enlevai ma chemise et installai une partie du matériel autour de ma taille, Miller fit de même pour le reste. Harper nous aida à tout disposer avec soin pour qu'on ne remarquât rien. Les mousquetons de l'étrier descendaient à l'intérieur des jambes de mon pantalon. C'était très désagréable. Harper me fit arpenter la pièce pour voir si rien ne clochait.

— On dirait que vous avez fait pipi dans votre culotte, gémit-il. Vous ne pouvez pas marcher d'une façon plus naturelle.

— Les mousquetons s'entrechoquent tout le temps.

— Eh bien remontez-en un et baissez l'autre.

Après différents tâtonnements, il s'avoua satisfait. Nous descendîmes donc nous faire inspecter par Miss Lipp. Elle fit à Miller les mêmes reproches que Harper m'avait adressés quelques instants plus tôt, mais lui c'était à cause des poulies du palan.

Alors qu'on y mettait bon ordre, je réussis à faire passer le paquet à cigarettes de ma poche revolver dans celle de ma chemise, pour qu'il soit plus facile de le prendre au moment propice.

Fischer devenait nerveux. Avec ses pansements, il ne pouvait pas porter une montre au poignet et il ne cessait de regarder l'heure sur celle de Miller... Ce dernier, agacé, lui dit d'un ton rogue.

— Vous n'êtes bon à rien, fichez-nous la paix.

— Nous devons partir. Après quatre heures et demi, ils comptent les gens qui entrent.

— Je vous préviendrai quand il sera temps, lui répondit Harper. Si vous ne pouvez rester en place, Hans, allez vous asseoir dans la voiture.

Fischer, boudeur, se le tint pour dit, tandis que Miller remontait dans sa chambre pour une ultime vérification. Harper se tourna vers moi.

— Vous paraissez avoir chaud, Arthur. Il vaut mieux que vous ne conduisiez pas avec tout cet attirail sous votre chemise. Cela vous mettrait en nage. Miss Lipp connaît la route. Vous passerez derrière.

— Entendu.

J'avais espéré pouvoir laisser tomber le message en sortant le bras à un carrefour ; mais inutile de discuter avec lui, je le savais bien.

A trois heures et demi, tout le monde monta dans la voiture. Miller naturellement s'installa le premier à l'arrière. Harper me fit signe de le suivre, Fischer monta après moi, et Harper ferma la portière. Ainsi donc, je n'étais même pas à côté d'une fenêtre.

Miss Lipp se mit au volant, Harper à côté d'elle.

De ma place, je ne pouvais pas voir la route dans le rétroviseur. Une minute ou deux plus tard, sous prétexte de faire plus de place à Fischer pour son bras en écharpe, je réussis à me retourner à demi et à jeter un coup d'œil par la vitre arrière. La Peugeot suivait.

Miss Lipp conduisait à une bonne allure, mais sans prendre de risques ; comme il y avait peu de circulation, le trajet fut vite fait. A quatre heures moins dix, nous passions devant le palais Dolmabahçe et suivions la ligne du tram pour monter jusqu'à la place du Taksim. J'avais pensé que le garage dont Harper avait parlé serait celui qui se trouve près du consulat d'Espagne et à peu de distance à pied de l'hôtel *Divan*, dont j'avais entendu parler par le type de la voiture de filature. Mes suppositions paraissaient exactes jusqu'ici.

Puis, soudain, elles semblèrent s'avérer fausses.

Au lieu de tourner à droite à la place du Taksim, Miss Lipp continua tout droit pour redescendre vers Galata. Je fus tellement surpris que je faillis perdre la tête et lui dire qu'elle allait dans la mauvaise direction. Je me rappelai juste à temps que je n'étais pas censé connaître l'itinéraire. Mais mon trouble n'échappa pas à Miller.

— Que se passe-t-il ?

— Ce piéton, là-bas... je croyais qu'il allait traverser.

C'est une réflexion que font à tout instant les étrangers qui conduisent à Istanbul pour la première fois.

Il grommela :

— Il vient de sa campagne comme les autres. Il n'a jamais entendu parler des automobiles !

C'est alors que Miss Lipp prit brusquement à gauche et nous descendîmes une rampe derrière un garage en sous-sol. Ce n'était pas très grand, il y avait juste assez de place pour une vingtaine de voitures et pour une station de graissage avec fosse. Un fourgon minibus Volkswagen se trouvait sur la fosse et devant lui, se tenait un homme en bleu de mécano, un torchon graisseux à la main.

Miss Lipp rangea la Lincoln à gauche et s'arrêta.

— Nous y sommes dit Harper. Sortons.

Il avait déjà ouvert sa portière ; Miller aussi. Il ouvrit également celle de Fischer. En me glissant hors de la voiture derrière Miller, je tirai le paquet à cigarettes de ma poche de chemise et le cachai dans la paume de ma main.

Harper s'installa alors au volant du fourgon.

— Dépêchez-vous, dit-il, et il tira sur le démarreur.

L'autre portière était de notre côté. Miller l'ouvrit en hâte et monta. Je fis semblant de trébucher en le suivant et laissai le paquet de cigarettes glisser de ma main.

Je le vis tomber sur le dallage taché d'huile et montai dans la voiture. La portière se refermait sur moi quand j'entendis Fischer pousser un juron parce qu'elle lui heurtait l'épaule. Je me penchai pour la lui tenir ouverte. C'est ainsi que je vis la catastrophe se produire.

En tendant sa main valide pour saisir la barre d'appui et monter, il poussa du pied gauche le paquet de cigarettes qui tomba dans la fosse sous le fourgon. Il le fit involontairement. Il ne s'en aperçut même pas.

Miller s'assura que la porte était bien fermée.

— En route, dit Harper, et il embraya.

Le fourgon bondit en avant. Mes mollets heurtèrent l'arête d'une valise ; je m'assis dessus, mon visage se trouva ainsi juste à la hauteur de la lunette arrière.

On déboucha en haut de la rampe et on laissa passer un autobus avant de prendre à gauche, la direction du pont de Galata. Par la vitre arrière, j'aperçus la Peugeot arrêtée en face du garage.

Elle était encore là lorsque je la perdis de vue. Elle n'avait pas bougé. Elle attendait, fidèle jusqu'à la mort, la sortie de la Lincoln.

X

PENDANT quelques minutes, je me refusai à croire que c'était vrai, et je ne pus m'empêcher de regarder par la lunette arrière si la Peugeot nous suivait quand même. Il n'en était rien. Fischer jurait en massant son épaule gauche que la portière avait meurtrie.

Miller ricanait en lui-même, comme à quelque plaisanterie connue de lui seul. Lorsque nous dépassâmes dans un cahot les rails du tram sur le pont de Galata, je renonçai à regarder en arrière et fixai le plancher. A mes pieds, je vis, mêlés à des copeaux, des bouts de papier déchirés à un journal d'Athènes.

Trois des six caisses du fourgon, servaient de siège. Les autres devaient être vides car elles rebondissaient et glissaient de droite et de gauche. Les caisses sur lesquelles Miller et Fischer étaient assis, étaient probablement vides elles aussi, car ils devaient se cramponner pour ne pas tomber. La mienne était plus stable ; elle contenait vraisemblablement les grenades, les revolvers et les munitions arrivés d'Athènes dans les portières de la Lincoln. J'aurais voulu que tout explose à l'instant même ! L'idée ne me vint même pas de me demander comment on allait les utiliser, j'étais trop inquiet de mon propre sort.

Lorsque Harper eut dépassé Aya Sophia et prit la direction de la Porte du Vieux Sérail, il se mit à nous parler par-dessus son épaule.

— Léo passera le premier. Hans et Arthur suivront ensemble cent mètres derrière. C'est Arthur qui payera, car Hans avec ses pansements n'y arriverait pas. D'accord ?

— Oui.

Il entra dans la cour des Janissaires et s'arrêta sous les arbres en face de l'église Sainte-Irène :

— Je ne m'approche pas davantage car il traîne des guides partout, il ne faut pas qu'ils vous voient sortir de la camionnette. En route, Léo. A ce soir.

Miller descendit et se dirigea vers la Porte Ortakapi. Il avait environ cent cinquante mètres à franchir ; quand il en eut couvert la moitié Harper nous dit :

— O.K. vous deux. Préparez-vous. Arthur, tenez-vous tranquille, Léo et Hans sont armés tous les deux et n'hésiteront pas à tirer si vous essayez de leur fausser compagnie.

— Je n'oublie pas les deux mille dollars.

— Bonne idée. Je vous suis de tout près pour être bien sûr que vous entrez sans encombre.

— Ça ira très bien.

Je désirais leur montrer à cet instant précis que je jouais le jeu, car quoique malade de peur, j'avais imaginé pour la suite un moyen sans danger de contrecarrer leur plan qu'ils ne pourraient me reprocher. J'avais encore sur moi ma licence de guide. Tufan m'avait recommandé de ne pas trop m'en vanter afin de n'avoir pas à la produire. Il m'avait prévenu qu'en tant qu'étranger cela pourrait m'attirer des ennuis avec les gardiens du musée. Ce genre d'ennuis était justement ce dont j'avais besoin à ce moment-là ; plus il y en aurait, mieux cela vaudrait.

Fischer et moi, nous avançâmes vers la Porte ; Miller suivait à quelques pas ; je vis un guide s'approcher de lui. Miller poursuivit son chemin sans lui accorder la moindre attention.

— Par ici, dit Fischer, en hâtant un peu le pas.

Les mousquetons commencèrent à me battre les tibias.

— Pas si vite, dis-je, si ces crochets se balancent trop fort, on les verra.

Il ralentit aussitôt.

— Ne vous faites pas de souci pour les guides, dis-je, j'ai ma licence sur moi. C'est moi qui ferai le boniment.

En approchant de la Porte, je commençai à lui débiter le « topo » habituel sur les exécutions hebdomadaires, le billot du bourreau, la Fontaine, l'exécuteur des Hautes Œuvres qui était aussi le Jardinier en chef...

Le guide qui s'était avancé vers Miller nous observait ; j'en profitai pour élever légèrement la voix afin qu'il m'entendît bien et fût bien au courant de ce que je faisais. J'espérais qu'il nous suivrait et se plaindrait au gardien de la Porte, mais son attention fut attirée ailleurs et il s'en alla.

J'étais déçu mais j'avais déjà combiné un autre plan.

Sous le porche, il y a un guichet où l'on achète les billets d'entrée. Quand ce fut mon tour, je tendis au type trois coupures d'une livre et lui demandai :

— Deux billets, s'il vous plaît, en lui présentant ma licence de guide.

Il aurait dû voir que je commettais là trois fautes. En lui présentant ma licence de guide et en lui demandant quand même deux billets, je semblais ignorer que les guides sont admis gratuitement ; deuxièment un vrai guide aurait dû savoir que trois livres étaient le prix de six billets ; enfin dernière faute, je lui avais parlé en anglais.

Le portier était un homme à l'air hagard et maussade, à la petite moustache noire. J'espérais qu'il ferait des histoires. Mais non. Il se contenta de jeter un coup d'œil à ma licence, me tendit un billet, prit une des livres et me rendit soixante kurus. J'enrageais. Je ramassai la monnaie très lentement espérant qu'il se raviserait.

— Allons-y, dit Fischer.

Du coin de l'œil, je pouvais apercevoir Harper approcher de la porte. Impossible de reculer. Il y a toujours quelques guides racolant les clients à l'intérieur de la seconde cour. C'est même précisément là que trois ans auparavant j'avais été pris. Cet incident m'avait valu une nuit de prison. J'espérais de tout cœur que cela allait se reproduire.

Et naturellement, il n'en fut rien ! Comme c'était la dernière heure d'ouverture du musée ce jour-là, les guides étaient tous occupés à terminer les visites avec leurs clients ou au café le plus proche à étaler leurs grosses fesses bien au frais.

Je fis de mon mieux. Quand nous longeâmes le côté droit de la Seconde Cour, je déballai à Fischer le « laïus » habituel sur les cuisines du Sérail — les porcelaines Sung, Yuna et Ming — mais personne ne nous prêta la moindre attention. Miller était déjà arrivé à la Porte de la Félicité et la contemplait niaisement comme un vrai touriste. Quand il entendit nos pas derrière lui, il pénétra dans la Troisième Cour.

J'hésitai. Une fois entrés, la Salle d'Audiences et la Bibliothèque d'Ahmed III nous cacheraient aux yeux du public de l'autre côté de la cour. Seule la présence d'ailleurs très improbable d'un garde sortant de la Bibliothèque des Manuscrits pourrait nous empêcher de gagner la Porte dont Miller avait la clef.

— Pourquoi vous arrêtez-vous ? me demanda Fischer.

— Il nous a dit de nous arrêter ici.

— Seulement au cas où des guides nous observeraient.

On entendit des pas sur le pavé derrière nous. Je tournai la tête. C'était Harper.

— Ne vous arrêtez pas, Arthur, continuez d'avancer, dit-il d'une voix basse mais tranchante.

Il n'était plus qu'à six pas de moi, et vu l'expression de son visage, je n'osai pas le laisser m'approcher davantage.

Je franchis donc avec Fischer la Porte de la Félicité. Je crois que ma soumission aux ordres de Harper était devenue aussi instinctive que le besoin de respirer.

Comme il nous l'avait dit, il y avait exactement soixante pas à faire. Personne ne nous remarqua. Miller avait déjà ouvert la porte quand Fischer et moi l'atteignîmes. Tout ce dont je me souviens de l'extérieur de cette porte, ce sont ses moulures de bois dessinant un octogone. Soudain je me retrouvai avec Fischer sur mes talons dans un corridor étroit, pavé, voûté dont Miller refermait la porte à clef.

Le corridor mesurait environ six mètres de long et se terminait par un mur nu auquel était fixé un placard vitré abritant un tuyau à incendie enroulé sur lui-même. L'escalier en colimaçon qui s'élevait vers le toit, était en fer et portait une marque de fabrique allemande ; la même que sur le tuyau à incendie. Miller s'avança jusqu'au pied de l'escalier et examina d'un air appréciateur :

— Épatante cette fille, dit-il.

Fischer haussa les épaules :

— Pas difficile pour une fille qui a appris à interpréter les photos aériennes pour la Luftwaffe. Un aveugle s'en serait bien tiré si on lui avait montré les agrandissements dont elle disposait. C'est moi qui ai découvert le moyen d'arriver jusqu'ici, de se procurer une clef et qui ai organisé tout le reste.

Miller ricana :

— C'est quand même elle, la première à y avoir pensé, Hans ; et c'est Karl qui a monté le coup. Dans cette affaire nous sommes seulement les techniciens. Eux sont les artistes.

Il avait l'air de s'amuser beaucoup et ressemblait plus que jamais à un loup. Je me sentis défaillir.

Fischer s'assit sur les marches. Miller enleva sa veste et sa chemise et détacha le matériel enroulé autour de sa maigre poitrine. A quoi bon ne pas se mettre à l'aise et se faire du souci ? Je me déboutonnai donc moi aussi et enlevai l'étrier et la corde d'amarrage. Fischer les attacha au palan. Puis il sortit de sa poche un sac de velours noir de la taille d'une chaussette, fermé par une coulisse et muni d'un clip à ressort. Il fixa le clip à l'un des mousquetons de l'étrier et dit :

— Maintenant, nous sommes parés. Puis regardant sa montre, il ajouta : – Dans une heure à peu près Giulio et Enrico se mettront en route.

— Qui c'est ? demandai-je.

— Des amis qui nous amèneront le bateau, répondit Miller.

— Un bateau ? comment parviendra-t-il jusqu'à nous ?

— C'est nous qui irons le chercher, répondit Fischer. Vous connaissez les chantiers, le long de la côte près des remparts de la vieille ville, là où les bateaux déchargent du bois de chauffage ?

Je les connaissais. En hiver on se chauffe au bois, à Istanbul. Les chantiers à bois s'étendent sur plus d'un kilomètre le long de la route côtière au sud-est de la Pointe de Sérail, là où il y a assez de fond pour que les caboteurs s'approchent tout près du bord. Mais ici, nous en étions à trois kilomètres.

— Il faudrait avoir des ailes...

— La Volkswagen viendra nous chercher, dit Fischer en adressant un sourire de connivence à Miller.

— Je voudrais bien en savoir un peu plus long, dis-je.

— Cela ne fait pas partie de l'opération, répondit Miller. Notre rôle se borne à sortir de la Salle du Trésor et à revenir tout bonnement par le toit des cuisines jusqu'au mur de la Cour des Janissaires. Arrivés là, nous dominerons le parking réservé aux voitures des visiteurs. Le mur n'a que six mètres de haut, de plus il y a des arbres qui nous dissimuleront. Nous n'aurons qu'à nous laisser descendre jusqu'au sol avec notre attirail, puis...

— Puis, coupa Fischer, qu'à faire un peu de marche à pied pour rejoindre la Volskwagen qui sera là.

Je répondis à Miller :

— M. Fischer devra-t-il descendre à la corde avec une seule main ?

— Il s'assiéra dans l'étrier. Une main suffit pour tenir les boucles.

— Dans la cour extérieure, nous sommes encore à l'intérieur de l'enceinte.

— Nous arriverons bien à en sortir.

D'un geste d'impatience de la main, il chassa le sujet de son esprit et chercha des yeux une place pour s'asseoir. L'escalier de fer offrait ses marches, il les examina.

— Tout est crasseux ici, gémit-il ; que ces gens ne meurent pas tous de maladies infectieuses est incroyable ! Ils sont immunisés sans doute. Déjà avant le règne de Constantin, une cité s'élevait ici ; depuis plus de deux mille ans la peste, la vérole, le choléra, le charbon, la dysenterie sévissent tour à tour.

— C'est une affaire classée, à présent, Léo, dit Fischer, depuis qu'on a assaini les égouts.

— Il nous faut tout de même attendre dans un coin bien sale, poursuivit Miller d'un air lugubre.

Il disposa la corde de nylon sur une des marches pour s'asseoir dessus. Son entrain avait disparu. La pensée des microbes et des bactéries était revenue l'obséder.

Je m'assis sur la première marche. J'aurais bien voulu avoir moi aussi une idée fixe pour m'occuper l'esprit et m'empêcher de penser au danger immédiat et réel qui pesait sur mes poumons, mon cœur et mon estomac.

A cinq heures une sonnerie retentit dans les différents coins du Palais, on entendit quelques appels lointains, les gardiens poussaient dehors le troupeau des visiteurs et fermaient pour la nuit.

J'allais allumer une cigarette lorsque Miller m'arrêta.

— Attendez qu'il fasse sombre. La fumée pourrait se voir dans le soleil avant qu'elle ne se dissipe au-dessus du toit. Il vaut mieux aussi que nous nous taisions. Dehors tout va devenir très calme et nous ne pouvons nous rendre compte de l'acoustique d'un endroit comme celui-ci, inutile de prendre des risques.

Tufan m'avait dit la même chose. Je me demandais ce qu'il faisait. Il devait déjà savoir qu'il avait perdu le contact avec nous, et qu'il ne lui restait plus que la Lincoln et Miss Lipp. Les suiveurs dans la Peugeot l'en avaient sûrement informé par radio. Mais auraient-ils remarqué le fourgon Volkswagen ? Ce n'était pas certain. Si oui, il restait une faible chance à Tufan de découvrir le minibus en déployant les forces de police nécessaire, mais elle restait bien faible. Je songeais au nombre de Volkswagen qui se trouvaient dans la région d'Istanbul. Ils avaient peut-être pu noter le numéro d'immatriculation, ou noter ceci ou noter cela. Fischer se mit à ronfler et Miller lui donna des coups sur la jambe jusqu'à ce qu'il s'arrête.

La portion de ciel que nous pouvions voir en haut de l'escalier, vira au rouge, puis au gris, et enfin au bleu sombre.

J'allumai une cigarette et vis les dents de Miller lancer un reflet jaune à la lumière de l'allumette.

— Avons-nous des lampes ? dis-je à mi-voix. Nous n'y verrons goutte.

— La lune sera presque pleine.

Vers huit heures un murmure de voix monta jusqu'à nous de l'une des cours — je ne sais laquelle — et un homme se mit à rire. Les gardiens de nuit prenaient sans doute la relève. Puis ce fut à nouveau le silence. Un avion passa au-dessus de nos têtes, nous fournissant un sujet de réflexion. Se préparait-il à atterrir à Yesilköy ou venait-il de décoller ?

Fischer tira de sa poche une gourde pleine d'eau avec son gobelet et nous offrit à boire. Le temps passa, interminable. Nous entendîmes le bruit assourdi d'un train qui quittait la gare Sirkeci et haletait en contournant la Pointe du Sérail au-dessous. Il lança un coup de sifflet strident comme le font les trains en France, puis commença à prendre de la vitesse. Comme le bruit s'éteignait, une lumière jaillit aveuglante. Miller avait une lampe-pinceau à la main et regardait sa montre. Il poussa un soupir de satisfaction et dit à mi-voix :

— Nous pouvons y aller !

— Éclaire-moi une minute, Léo, dit Fischer. Miller leva la lampe. De sa main valide, Fischer tira un revolver à canon court de la poche intérieure de sa veste, en retira le cran de sécurité, puis le mit dans une de ses poches de côté ; il le tapota en me lançant un regard significatif.

Miller se leva, je fis de même. Il descendit de l'escalier portant la torche en bandoulière et la passa autour de l'une de ses épaules :

— Je passe le premier, dit-il, Arthur me suit, puis vous, Hans ; nous n'avons rien oublié ? Ah si !

Il alla se soulager dans un coin, près du tuyau à incendie. Quand il eut fini, Fischer l'imita.

Je fumais toujours.

— Éteignez votre cigarette à présent, dit Miller.

Il leva les yeux sur Fischer :

— Vous êtes prêt ?

Fischer fit oui de la tête, puis juste avant que la lampe ne s'éteignît, je le vis faire le signe de croix. Allez donc comprendre ! il va commettre un péché, et le voilà qui demande une bénédiction, ou quelque chose comme ça !

Miller monta lentement l'escalier. En haut, il s'arrêta, regarda autour de lui pour s'orienter. Puis il se baissa vers moi :

— Karl m'a prévenu que vous étiez sujet au vertige, me dit-il avec douceur, vous n'avez qu'à me suivre à trois pas de distance. Ne regardez ni en arrière ni de côté, seulement droit devant vous. On descend une marche après cet escalier en fer, ensuite il y a un revêtement de plomb. Je descendrai le premier, ferai trois pas et attendrai un peu pour laisser à vos yeux le temps de s'habituer.

J'étais resté si longtemps dans le noir que la vive lumière intermittente de la lampe m'avait fait mal. Dehors sur le toit, avec le clair de lune, on y voyait comme en plein jour ; il faisait même trop clair à mon goût. Quelqu'un allait certainement nous voir d'en bas et nous tirer dessus. Fischer dut avoir la même idée, car je l'entendis jurer à mi-voix derrière moi.

Je vis luire un instant les dents de Miller, puis il se mit à progresser vers les trois coupoles qui dominent le quartier des Eunuques Blancs. Il y avait un espace d'environ un mètre cinquante entre les coupoles et le bord du toit. Prenant soin de regarder seulement en avant et de ne pas me rapprocher du vide (comme me l'avait recommandé Miller) je n'éprouvais aucune impression de vertige. Un moment j'eus de la peine à ne pas me laisser distancer. Harper avait comparé Miller à une mouche ; il me rappelait plutôt un perce-oreille, à en juger par l'adresse avec laquelle il faisait le tour de la dernière coupole et se laissait glisser en s'appuyant sur la légère bosse que faisait le centre du toit. Il ne s'arrêta qu'une fois. Il venait de franchir le toit de la Salle d'Audiences pour éviter les trois verrières de la Porte de la Félicité et revenait sur le toit du quartier des Eunuques lorsqu'une autre verrière se présenta, il ne restait plus que soixante centimètres de large pour traverser.

J'entrevis le vide au-dessous de moi ; j'allai m'agenouiller pour continuer à quatre pattes, lorsqu'il revint vers moi, me saisit par le bras et m'attira jusqu'à lui. Ce fut si vite fait que je n'eus pas le temps d'avoir le vertige et de perdre l'équilibre. Ses doigts me serraient comme un étau.

Nous nous trouvions maintenant à la hauteur des cuisines. Je pouvais voir leurs dix cheminées trapues et coniques alignées sur notre droite.

Miller prit à gauche. Le toit était plat maintenant sur plus de neuf mètres ; je n'eus donc aucune peine à le suivre. Il y eut un rebord d'un mètre environ à franchir, ce qui nous amena au-dessus de la grande Salle d'Exposition des miniatures.

Devant nous, je vis se dresser une coupole et au-delà le sommet d'une autre, plus petite, celle qui, je le savais, surmontait le Musée du Trésor.

Miller avançait maintenant plus lentement, faisant avec prudence le tour de la grande coupole. De temps à autre, il s'arrêtait. Puis je le vis enjamber un parapet. Ses pieds durent trouver un appui en contrebas, car seules restèrent visibles sa tête et ses épaules.

Je contournai à mon tour la grande coupole et me dirigeai vers le parapet lorsque Miller se retourna et me fit un signe de tête. Il s'était avancé d'un ou deux mètres vers le rebord extérieur du toit ; j'obliquai donc vers lui. C'est ainsi qu'en arrivant au parapet j'eus la vision brutale de ce qu'il y avait derrière.

J'aperçus le toit arrondi de la Salle du Trésor, la coupole et un rebord plat d'environ un mètre de large qui en faisait le tour et sur lequel se tenait Miller. Mais derrière lui, c'était le vide ; un vide béant et noir, puis tout au fond, horriblement loin, le mince cheveu blanc d'une route qui s'étirait au clair de lune.

Je me sentis sur le point de perdre l'équilibre et de tomber ; je me jetai à genoux et me cramponnai au revêtement de plomb du toit. Puis je commençai à faire des efforts pour vomir. Je n'y pouvais rien, je n'y ai jamais rien pu. D'après ce que j'ai entendu décrire par les gens qui sont sujets au mal de mer, c'est à peu près la même sensation ; cependant le vertige est bien pire. Mon estomac était vide, mais cela n'arrangeait pas les choses. Je ne pouvais retenir mes haut-le-cœur.

Fischer se mit à me donner des coups de pied et me pria d'une voix sifflante de me taire. Miller s'avança et me fit franchir le parapet en me tirant par les chevilles, puis il m'assit le dos appuyé à la coupole. Il me fourra la tête entre les genoux. J'entendis le raclement que fit Fischer quand il l'aida à passer par-dessus le parapet puis ce qu'ils se dirent à mi-voix.

— Est-ce qu'il tiendra le coup ?

— Il faudra bien.

— Quel crétin ! Fischer me donna de nouveaux coups de pied parce que mes nausées reprenaient.

Miller l'arrêta.

— Vous n'avancerez à rien comme ça. Il faudra que vous l'aidiez. Tant qu'il ne s'approchera pas du bord, il pourra faire ce qu'on attend de lui.

J'ouvris les yeux juste assez pour entrevoir les pieds de Miller. Il installait la corde d'amarrage autour de la coupole. Puis il tira dessus et amena un des bouts entre mon dos et le flanc contre lequel j'étais appuyé. Un peu plus tard, il s'accroupit devant moi et se mit à faire des nœuds à la corde. Ensuite il accrocha la poulie supérieure du palan. Enfin il approcha sa tête tout près de la mienne et me dit :

— Vous m'entendez, Arthur ?

— Oui.

— En restant ici vous n'aurez pas le vertige, n'est-ce pas ?

— Je ne sais pas.

— Vous vous sentez en sécurité ?

— Oui.

— Alors écoutez. Vous pouvez manœuvrer le palan de l'endroit où vous êtes. Ouvrez les yeux et regardez-moi.

Je réussis à le regarder. Il avait enlevé sa veste et paraissait plus maigre que jamais.

— Hans se tiendra près du bord et de sa main valide maintiendra ma veste. Comme cela les cordes ne risqueront pas de se couper en frottant. Vous me comprenez ?

— Oui.

— Vous n'aurez pas à vous approcher du bord. Laissez seulement filer la corde et tirez quand on vous le dira.

— Je ne sais pas si j'en aurai la force. Et si je lâchais ?

— Ce serait grave, alors. Vous auriez affaire à Hans, il ne serait pas long à vous expédier en bas.

En souriant, il découvrit ses dents qui me parurent autant de pierres tombales. Il s'empara brusquement d'une des spires de la corde qui traînait sur le revêtement de plomb à côté de lui et me la fourra entre les mains.

— Préparez-vous à encaisser la tension de la corde et n'oubliez pas qu'elle prête. Peu importe la vitesse avec laquelle vous me ferez descendre et remonter. Hans vous donnera le signal pour laisser filer, arrêter puis me hisser. Il me montra une saillie qui courait le long du revêtement.

— Appuyez vos pieds ici, comme cela.

Le jour où maman est morte, l'Iman est venu et a récité les versets du Coran : « Vous connaissez à présent les tourments dont vous avez nié l'existence. »

Miller fit passer autour de ma poitrine le bout de la corde et la noua solidement. Puis la fit plaquer.

— Vous êtes prêt, Arthur ?

— Oui, fis-je d'un signe de tête.

— Alors regardez Hans.

Mes yeux se portèrent d'abord sur les jambes de Fischer, puis remontèrent le long de son corps. Il était couché sur le côté droit, l'épaule posée sur la veste de Miller et la main droite sur le palan prêt à le diriger. Je n'osais pas porter mon regard plus avant, j'étais sûr de m'évanouir.

Je vis Miller enfiler une paire de gants, s'installer, puis s'accroupir et disparaître.

— C'est le moment ! me dit Fischer à voix basse.

La corde ne se tendit pas tout de suite, le nylon devait d'abord prêter. Mes mains étaient moites. J'avais enroulé la corde autour de ma manche gauche pour mieux m'assurer. Quand la corde se tendit, la boucle se serra comme un garrot. Puis la tension diminua et je perçus les balancements que faisait Miller avec l'étrier à mesure que le palan descendait.

— Halte !

Fischer appuya la paume de sa main droite sur le palan. La poulie sur la corde d'amarrage à côté de moi s'arrêta.

— Laissez aller lentement.

Quand la corde se remit à filer autour de mon bras les balancements reprirent.

— Comme ça, oui, doucement.

Je continuai à donner de la corde. Les balancements étaient maintenant moins fréquents, je percevais seulement par moments une vibration. Miller s'aidait des pieds pour se maintenir le long du mur dans sa descente. Je voyais le rouleau de corde à côté de moi diminuer peu à peu. Je fus saisis d'un autre motif d'épouvante. Le bout de la corde était attaché autour de ma poitrine. Je ne pouvais la défaire sans tout lâcher. Si la longueur de corde ne suffisait pas à Miller pour atteindre le volet, Fischer m'obligerait à me rapprocher du bord.

Il restait deux mètres de corde lorsqu'il leva les mains.

— Arrêtez. Tenez bon.

Mon soulagement fut tel que je ne sentis même pas la douleur qui avait envahi mon bras gauche, maintenu trop serré par la boucle. Je me contentai de fermer les yeux et de baisser la tête.

Je perçus de légères vibrations courir le long de la corde puis quelques secondes plus tard, le bruit assourdi d'un outil contre les volets de fer. Les minutes passèrent.

Je commençai à avoir le bras gauche complètement insensible. Puis j'entendis un autre bruit en bas, un bruit qui sonnait creux. Il ne dura qu'une seconde ; Fischer siffla dans ma direction. Je rouvris les yeux.

— Laissez descendre encore un peu, très doucement.

J'obéis. Je sentis la tension de la corde se relâcher brusquement. Miller était à l'intérieur du Musée.

— Arrêtez.

Je desserrai la corde enroulée autour de mon bras que je massai ; le sang revint provoquant quelques picotements, je n'essayai pas de les faire passer en massant davantage. Ils m'obligeaient à penser à mon bras à l'exclusion de toute autre préoccupation. C'était comme le jour où le maître d'éducation physique m'avait forcé à plonger. Les élèves d'une École de Cadets doivent savoir nager. Une fois par semaine, les garçons qui ne savaient pas étaient conduits en escouade et au pas à la Piscine municipale de Lewisham pour y prendre des leçons. Quand ils savaient nager, ils devaient apprendre à plonger. La natation me plut assez, mais quand j'avais la tête sous l'eau une angoisse me prenait. Je réussis un certain temps à éviter de plonger en racontant à mon moniteur que j'avais des maux d'oreilles, jusqu'au jour où il exigea un certificat médical. J'essayai d'en établir un moi-même mais j'ignorais les termes qu'il fallait employer, il découvrit donc la supercherie. Je m'attendais à ce qu'il m'envoyât avec un billet chez «le Crin» ; il préféra m'obliger à plonger, je dis bien plonger. Il me saisit par un bras et une jambe et me jeta dans l'eau à l'endroit où il y avait le plus de fond et il répéta ceci à plusieurs reprises. Je n'étais pas plus tôt revenu sur le bord, suffoquant à demi, qu'il me précipitait à nouveau dans la piscine. Un des employés finit par intervenir et l'obligea à s'arrêter. Ce moniteur était marié. J'écrivis une lettre à sa femme lui disant qu'il « s'amusait » avec certains garçons au vestiaire et qu'il les obligeait à le caresser. Je ne pris pas la peine de contrefaire mon écriture, c'était la même que sur le certificat. Je suis donc certain qu'il la reconnut. Cependant il ne pouvait pas le prouver parce qu'il avait déchiré le certificat. Il me coinça dans un couloir, m'accusa et me traita de « sale petite crapule » ; cela n'alla pas plus loin. Mais le coup avait porté. Quand je m'en rendis compte, je sautai de joie. Si j'avais su qu'il « s'amusait » effectivement avec les garçons au vestiaire. j'aurais pu le dire à la police. Quoi qu'il en soit, il se le tint pour dit. Il avait des cheveux bruns, bouclés, peu épais, et une moustache d'officier. Il donnait en marchant l'impression d'avoir des ressorts sous la semelle de ses souliers. Le trimestre suivant, il passa dans une autre école.

J'entendis Fischer siffler pour m'avertir, j'ouvris les yeux.

— Préparez-vous.

J'enroulai la corde autour de ma taille cette fois-ci, pour pouvoir faire poids de tout mon corps et me maintenir loin du bord, en cas de besoin.

— Vous êtes prêt ?

Je répondis oui d'un signe de tête et m'arc-boutai. Il y eut une brève secousse quand Miller s'installa à nouveau sur l'étrier. Puis Fischer me fit un signe.

— Tirez.

J'obéis. Le frottement de la corde contre la veste placée sur le rebord du toit freinait terriblement. La sueur me coulait dans les yeux. Je dus m'arrêter deux fois et attacher la corde autour de ma taille pour m'essuyer les mains et soulager les crampes que j'avais dans les doigts ; cependant le rouleau de corde ne cessait de grossir, puis Fischer commença à se servir de sa main valide pour tirer sur une des cordes du palan.

— Doucement... plus doucement... arrêtez.

Soudain, le palan cessa de se tendre, et Miller arborant un large sourire traversa le toit en rampant vers moi. Il me tapota la jambe.

— *Merci, mon cher collègue* [1], me dit-il.

Je fermai les yeux et hochai la tête. Malgré mes bourdonnements d'oreille je l'entendis annoncer à Fischer qui démontait le palan :

— J'ai pu ramener tout ce que nous avions décidé de prendre, et même un peu plus pour faire bonne mesure. J'ai même réussi à refermer les volets.

Je le sentis défaire la corde qui m'entourait la poitrine. Lorsque je rouvris les yeux, il accrochait à sa ceinture le petit sac de velours. Fischer bataillait avec les nœuds de la corde d'amarrage. Je rampai jusqu'à lui et commençai à l'aider.

1. En français dans le texte. — Note du traducteur.

Tout ce que je souhaitais maintenant était de filer au plus vite, mais je savais que j'avais besoin de leur aide.

Nous dûmes aider Fischer à remonter jusqu'à la partie supérieure du toit car il ne pouvait pas se servir de sa main blessée. Puis Miller réussit à me soulever assez haut pour que je me hisse au-dessus du parapet. Je continuai à quatre pattes jusqu'à l'abri de la grande coupole. Lorsque Miller me rejoignit, je pouvais me tenir debout.

Nous revînmes dans le même ordre qu'à l'aller, Miller en tête. Cette fois cependant nous n'eûmes pas à faire de détours. Nous laissâmes sur la droite le quartier des Eunuques blancs, pour passer sur le toit des cuisines et déboucher sur le haut du mur près de la Porte du Salut. Un seul endroit s'avéra difficile — pour moi du moins — lorsque nous arrivâmes à proximité du château d'eau ; je réussis tout de même à passer sur les mains et les genoux. Nous parvînmes enfin sur le haut du rempart qui domine la Cour des Janissaires.

Il y avait une rangée de grands platanes près du mur. Miller se servit donc d'une des branches qui surplombaient pour arrimer le palan. Il fit descendre d'abord Fischer dans l'étrier puis moi ; lorsque son tour arriva, il ne voulut pas se servir de l'étrier, car pour cela il aurait dû abandonner le palan dans l'arbre — non qu'il y attachât beaucoup de prix, dit-il, mais il ne voulait pas laisser de traces derrière nous, susceptibles de révéler la façon dont nous avions procédé. Il passa donc la corde en double sur la branche et descendit en rappel. Elle n'était plus tout à fait assez longue pour lui permettre d'arriver jusqu'en bas ; il dut donc se laisser tomber d'une hauteur de deux mètres, tirant derrière lui l'autre bout de la corde. Il le fit avec la légèreté d'un chat et se mit à la replier, il n'était même pas essoufflé, malgré les efforts qu'il lui avait fallu déployer.

Fischer prit alors la tête du groupe et avança en direction du rempart d'enceinte qui s'étend parallèlement à la route que prennent de jour les voitures des visiteurs. Miller marchait derrière moi. Un peu plus tard, nous vîmes la lumière de la Salle des Gardes à proximité de l'énorme Porte Bab-i-

Hümayun. Fischer ralentit l'allure. Jusqu'à maintenant les arbres nous avaient cachés ; mais ils n'allaient pas plus loin. La masse de l'église Sainte-Irène se dressait sur la droite, de l'autre côté de la route, à cinquante mètres ; au delà il y avait un embranchement, un côté menait à la Porte, l'autre se rétrécissait puis descendait la colline à gauche vers la mer en dessinant une courbe.

Fischer s'arrêta pour observer la Porte.

Nous en étions à moins de cinquante mètres et je pouvais apercevoir la sentinelle. Elle portait son fusil sur l'épaule, le canon dirigé vers le haut.

Fischer me murmura à l'oreille :

— Quelle heure est-il ?

— Dix heures moins cinq.

— Il faut attendre.

— Attendre quoi ?

— Pour descendre sur la gauche par la colline. On relève la sentinelle dans cinq minutes. Cela nous facilitera les choses.

— Où nous dirigeons-nous ?

— Vers la voie ferrée, à l'endroit où elle enjambe le mur d'enceinte.

Un tronçon de la voie longeait en effet le côté intérieur du mur d'enceinte sur près d'un kilomètre, mais il y avait des gardes à chaque extrémité. Je le lui dis.

Il se contenta de ricaner :

— Des gardes, oui, des portes, non.

Miller siffla doucement pour nous dire de faire moins de bruit.

Une tache de lumière rectangulaire apparut lorsque la porte de la Salle des Gardes s'ouvrit. La silhouette de deux hommes se découpa un instant sur le seuil. Puis tandis que les sentinelles se relayaient, Fischer me toucha le bras.

— Allons-y.

Il s'élança hors du couvert des arbres, puis franchit un terrain vague pour déboucher sur la route. Elle descendait en pente rapide puis se rétrécissait en un simple sentier. Trente secondes plus tard, le revers de la pente nous cachait à la vue des sentinelles. Fischer jeta un rapide coup d'œil derrière lui pour voir si nous le suivions, puis continua d'avancer, mais plus lentement.

Devant nous s'étendait un bras de mer, avec dans le fond les lumières de Selimiye et d'Haydarpasa sur la côte asiatique. D'autres lumières passaient sur l'eau, celles d'un bac et de petites barques de pêcheurs. Lorsqu'il fait jour, les touristes gaspillent des mètres de pellicule pour essayer de filmer le panorama. Je suppose que la chose en vaut la peine. Personnellement je ne souhaite pas la revoir, sous quelque forme que ce soit.

Après deux minutes de marche on arriva à un second sentier qui filait sur la droite vers le mur d'enceinte. Fischer le coupa et poursuivit droit devant lui à travers un autre terrain vague. On y discernait des traces dè fouilles archéologiques et une partie avait été autrefois aménagée en terrasses, probablement pour y planter une vigne ; plus bas courait le talus de la voie ferrée.

Les abords en étaient protégés par une palissade de bois. J'attendis avec Miller que Fischer eût trouvé l'endroit où elle était en mauvais état et où nous pourrions passer (il l'avait repéré lors d'une reconnaissance antérieure) c'était à une trentaine de mètres plus loin, à droite. Escaladant quelques planches brisées, nous retombâmes sur le bord du talus et nous longeâmes le caniveau. Cinq minutes plus tard, le mur d'enceinte s'offrit de nouveau à nos yeux. Nous fîmes encore cent mètres, le talus finissait là. Pour continuer, il nous fallait escalader et suivre la voie tout le long du viaduc.

Fischer s'arrêta puis se retourna :

— Quelle heure est-il ?

— Dix heures et quart, dit Miller. Où est exactement le poste de garde ?

— De l'autre côté du viaduc à une centaine de mètres.

Puis se tournant vers moi :

— Écoutez-moi ; un train va passer. Lorsque nous le verrons arriver à l'entrée du viaduc, nous nous précipiterons sur le haut du talus. Dès que le dernier wagon sera passé, nous longerons les voies en marchant vite. Nous aurons à peine franchi une vingtaine de mètres que nous entendrons une forte explosion plus loin devant nous. Alors, nous commencerons à courir, mais pas trop vite. Vous avez l'expérience des gaz lacrymogènes ?

— Oui.

— Eh bien alors ce ne sera pas une chose nouvelle pour vous, mais ne vous faites pas de souci. Ce seront nos grenades, pas les leurs. C'est nous qui ferons de la fumée. A ce moment-là le train sera juste arrivé à l'autre bout du viaduc. Les gardes ne comprendront pas ce qui se passe. Ils penseront que le train a sauté. Peu importe d'ailleurs. Les gaz et la fumée les empêcheront de réfléchir et de voir. Si l'un d'entre eux oppose de la résistance, une balle ou une grenade aura vite fait de le mettre à la raison. Nous profiterons de leur confusion pour passer. Et alors comme je vous l'ai dit, la Volkswagen sera là, à nous attendre.

— Et notre confusion à nous ? dis-je. Comment nous diriger au milieu des gaz et de la fumée ?

Miller approuva :

— J'ai posé la même question, mon cher. Nous devions avoir des masques, mais Karl n'a pas voulu en entendre parler. Avec tout le barda que nous avions déjà à cacher sur nous, comment emporter encore des masques ?

— J'ai tenté l'expérience, ajouta Fischer d'un ton aigre. J'ai essayé d'entrer dans le Sérail en cachant sur moi un masque. Ils m'ont arrêté à cause de la bosse que cela faisait dans ma poche. Ils ont cru que j'essayais d'introduire en fraude un appareil photo. Ils ne badinent pas à ce sujet, vous savez. C'était rudement gênant !

— Comment vous en êtes-vous tiré ? demanda Miller.

— J'ai dit que j'étais docteur.

— Et ils vous ont cru ?

— On n'a qu'à se dire docteur pour que tout le monde vous croie sur parole. Nous n'avons pas à nous faire du souci pour la direction à prendre. Il n'y a qu'à suivre la voie et à s'en remettre à Karl. Pour nous le travail est terminé. Nous n'avons plus qu'à attendre le train.

Nous l'attendîmes vingt-cinq minutes.

— C'est un train mixte, nous dit Fischer, qui transporte d'habitude des journaux, des sacs de courrier et quelques voyageurs pour les petites localités situées entre Istanbul et Pehlivanköy.

Nous l'entendîmes haleter en approchant du viaduc, faisant autant de bruit et se donnant autant d'importance que s'il avait été l'Orient Express. Une légère brise soufflait de la mer. La fumée noire qui sortait à flots de la cheminée de la locomotive tomba sur le côté du talus où nous nous trouvions et nous enveloppa.

— *Los ! Vorwärts !* s'écria Fischer.

Toussant, crachant, Miller et moi nous nous élançâmes à sa suite pour gravir le talus.

Nous restâmes près de trente secondes à voir défiler les roues du train tapant sur un raccord de rails, à moins de deux mètres de notre nez. Puis ce fut la dernière boîte d'essieu.

— *Los !* répéta Fischer.

Et nous avançâmes en trébuchant le long de la voie entre le bout des traverses et le parapet du viaduc.

Nous devions être arrivés à une soixantaine de mètres du poste de garde lorsque la première grenade explosive éclata ; même à cette distance la détonation me fit vibrer le tympan. Devant moi, je vis Fischer se mettre à trotter. Presque tout de suite après, il trébucha sur quelque chose et tomba. Je l'entendis haleter de souffrance lorsque son bras gauche heurta une traverse ; il était déjà debout et repartait lorsque j'arrivai à sa hauteur.

On entendait maintenant des cris là-bas devant nous et le bruit sec et le grésillement que faisaient les grenades lacrymogènes et les fumigènes en explosant. La fumée du train continuait à se déverser à flots. Ce n'est qu'un peu plus tard que je sentis l'odeur des gaz. Je franchis trois mètres encore et vis Fischer porter à son front sa main droite enveloppée d'un pansement blanc. C'est à ce moment-là que la nappe de gaz m'enveloppa et que l'irritation de mes sinus commença à gagner mes yeux. A demi suffoqué, je continuai à courir d'un pas mal assuré. Au moment où les larmes commencèrent à m'aveugler, une seconde grenade explosive éclata. Puis une forme imprécise se dressa devant moi parmi les volutes de fumée et un masque me dévisagea. Une main s'empara de mon bras et me guida vers la droite. J'entrevis vaguement à travers mes larmes une pièce éclairée et un homme en uniforme, les mains levées, la tête baissée, qui s'appuyait à un mur. Puis le bras à qui appartenait la main qui me soutenait m'aida à descendre une longue suite de marches.

J'étais à présent hors de la nappe de fumée et voyais devant moi la porte du fourgon Volkswagen. La main me poussa dedans, je faillis tomber. Fischer était déjà à l'intérieur, il toussait, il crachait. D'autres grenades éclatèrent sur le viaduc quand Miller se hissa avec peine derrière moi. On entendit courir, les hommes masqués s'entassèrent à l'intérieur du fourgon. Quelqu'un mit le contact, la voiture démarra aussitôt. J'étais accroupi sur le plancher, appuyé à une des caisses vides, et quelqu'un me marchait sur les pieds. La puanteur des gaz flottait partout. J'entendis Harper, assis à l'avant, dire :

— Tout est O.K. Léo ?

Miller toussait et riait en même temps :

— Les chiens se sont nourris et vêtus eux-mêmes, fit-il le souffle court.

XI

En plus de Harper, il y avait cinq hommes qui portaient des masques, mais les yeux me faisaient encore si mal que je ne pouvais pas les identifier. L'un s'appelait Franz et parlait aussi bien l'allemand que le turc. Je le sais parce que je l'ai entendu discuter dans les deux langues. A Fischer il s'adressait en allemand. Je crois que les quatre autres ne savaient que le turc. Je n'en suis pas absolument sûr car je ne suis resté auprès d'eux que quelques minutes pendant lesquelles je n'ai pas arrêté de tousser.

Nous avions parcouru environ cinq kilomètres, quand le fourgon ralentit, fit un demi-tour et stoppa.

Harper ouvrit la porte de dehors.

Miller qui en était le plus près descendit le premier. Je suivis, Fischer sur mes talons. Les autres types s'écartèrent juste assez pour nous laisser passer. Puis Harper referma la portière et le fourgon repartit.

— De ce côté, dit-il.

Nous étions en face d'un des grands chantiers de bois, près d'une jetée de déchargement et de quelques caïques échoués. Il nous conduisit le long de la jetée. Je commençais à y voir assez bien pour reconnaître Giulio debout dans le you-you du *Bulut*. Nous sautâmes à côté de lui. J'entendis Giulio demander qui j'étais et on lui répondit qu'il le saurait plus tard. Puis le moteur démarra et nous nous éloignâmes à toute vitesse de la jetée.

Le *Bulut* était ancré à quatre cents mètres environ. Un homme, probablement Enrico, nous attendait sur le pont près de l'échelle de coupée pour nous aider à grimper à bord. Nous nous engouffrâmes tous dans le salon.

Le temps de descendre les quelques marches qui y menaient, et Harper dénouait déjà le cordon de la bourse de velours qu'apportait Miller, pendant que les autres faisaient cercle. J'aperçus des douzaines de pierres vertes et de pierres rouges qui scintillaient et j'entendis Giulio aspirer bruyamment. Personnellement je ne trouvai pas ces pierres d'une grosseur extraordinaire, mais j'avoue que je ne suis pas expert en la matière.

Harper s'esclaffa :

— Il n'y a pas plus beau, Léo. Vous êtes un as !

— Ça représente combien ? demanda Fischer.

— Au minimum un million et demi de dollars, répondit Harper. Décampons le plus vite possible, Giulio.

— *Pronto.*

Giulio me bouscula en courant vers l'échelle. Il y avait des sandwiches et des boissons au bout de la table. Pendant qu'ils s'extasiaient à perdre haleine sur les pierres, je me versai un grand verre de whisky.

Harper me jeta un coup d'œil méfiant :

— Le magot ne vous intéresse pas, Arthur ?

J'eus soudain envie de le frapper. Je haussai les épaules, affectant l'indifférence :

— Ce n'est pas de compter vos cailloux qui m'intéresse, moi, mais de toucher mes deux mille dollars.

Ils me considérèrent tous en silence un moment, puis les moteurs se mirent en marche faisant vibrer le pont.

Harper se tourna vers Miller : « Il me semble qu'Arthur s'est bien comporté, ce soir ?

— Il a été un fichu encombrement, dit Fischer méchamment.

Harper ne releva pas cette remarque et attendit la réponse de Miller :

— Qu'en dis-tu Léo ?

— Il avait peur, répondit celui-ci, mais il nous a bien aidés. Étant donné les circonstances, je crois qu'il a fait de son mieux.

Harper se tourna alors vers moi.

— Qu'est-ce qui vous tracasse, Arthur ?

— Je me demande comment vous comptez écouler tout ça !

— Ah ! c'est ce qui vous embête ? Il fut à nouveau tout sourire. — Notre Arthur se fait de la bile pour les limiers qui vont lui mordre les fesses ? Eh bien ! ne vous en faites pas. Il n'y a pas de danger. Tout ce qu'ils savent pour le moment, c'est qu'une poignée d'hommes armés a attaqué en Volkswagen un de leurs postes de garde. De sorte que la première chose qu'ils vont faire sera d'établir des barrages sur toutes les routes qui sortent de la ville afin d'intercepter le fourgon. Ils le trouveront, abandonné dans le quartier de Galata. Alors ils mettront en marche la routine habituelle : « Quel en est le propriétaire ? Où est-il ? A quoi ressemble-t-il ? Et ça ne les mènera nulle part ! A ce point de l'enquête, ils se seront mis à chercher dans une autre direction. Quelque « gros malin » se demandera pourquoi c'est justement ce poste-là qui a été attaqué, pourquoi il n'y a pas eu de victimes, et beaucoup d'autres « pourquoi ». Il se peut même qu'il ait l'idée de vérifier le Trésor du Musée et qu'il tombe ainsi sur la bonne réponse. Alors il renforcera les barrages sur les routes et jettera son filet... mais nous ne serons pas dedans. Nous allons aborder à un petit village à quatre-vingt-dix kilomètres d'ici et à deux heures de voiture d'Edirné et de la frontière.

Il me tapota le bras.

— Dans ce petit village, Arthur, il y a Miss Lipp qui nous attend.

— Avec la Lincoln ?

— Évidemment. Nous n'avons pas l'intention de faire la route à pied, ni de laisser nos bagages.

Je ne pus m'empêcher d'éclater de rire. C'était irrésistible et ne présentait aucun risque car Harper croyait que c'était la perfection de son plan que je trouvais si drôle, alors que c'était justement le sacré défaut qu'il comportait qui me mettait en joie. J'imaginais la tête de l'inspecteur des douanes quand il verrait la Lincoln se présenter à la frontière — si toutefois Tufan la laissait arriver jusque là — et quand il me reverrait dedans. Je riais de si bon cœur que Fischer ne put s'empêcher de m'imiter. Depuis bien des jours je n'avais trouvé la vie si belle. Je mangeai quelques sandwiches et bus un autre verre. Il y avait du saucisson à l'ail dans ces sandwiches, mais je ne ressentis pas la moindre crampe d'estomac. Je croyais être au bout de mes peines.

L'endroit où nous devions débarquer était un petit port du nom de Serefli, à quelques kilomètres au sud de Corlu. Harper déclara qu'il nous faudrait cinq heures pour l'atteindre. Je me débarrassai du mieux que je pus de la saleté que m'avait value mon expédition sur le toit du Sérail puis j'allai m'étendre au salon et m'endormis. Les autres s'installèrent dans les cabines tandis que Giulio et Enrico se chargeaient de la manœuvre du bateau. J'appris par la suite qu'ils avaient envoyé l'équipage passer la soirée à terre à Pendik et qu'ils avaient profité de l'obscurité pour sortir du port inaperçus. La vedette de la police du port, qui aurait dû avoir le *Bulut* à l'œil, n'avait rien vu.

Il commençait à faire jour quand je fus réveillé par un bruit de voix. Harper et Miller prenaient leur café au salon et Fischer essayait de rendre ses pansements plus présentables en les brossant. Il avait l'air de ne pas être d'accord avec Harper à propos de je ne sais quoi. Comme ils parlaient en allemand je ne risquais pas de comprendre. Puis Harper me regarda et vit que j'étais réveillé.

— Arthur sait se servir d'un tournevis, dit-il, si vous lui montrez ce qu'il doit faire.

— Quelle portière ? demanda Fischer.

— Qu'est-ce que ça peut faire ? La portière arrière droite ?

— Nous parlions de mettre en sûreté notre butin, m'expliqua Harper. Il me semble que les types de la douane ne pensent guère à fouiller l'intérieur des portières.

— Arthur n'est pas au courant de ces choses-là, fit Miller d'un ton facétieux.

Ils rirent de bon cœur de ce trait d'esprit pendant que j'essayais de prendre l'air ébahi. Heureusement Enrico entra juste à ce moment-là pour annoncer que nous arriverions au port dans dix minutes.

Je bus un peu de café et avalai un sandwich rassis. Harper monta à la timonerie. Une demi-heure plus tard, le soleil se levait et nous jetions l'ancre le long d'un môle de pierre.

Les pêcheurs sont gens matinaux et le port était déjà en pleine effervescence. Des bateaux déchargeaient sur le quai les calmars pêchés au cours de la nuit. Des caïques à moteur à deux temps gagnaient le large en ahanant. Un fonctionnaire du port vint encaisser les droits. Au bout d'un moment, Harper descendit au salon pour nous prévenir qu'il allait à terre s'assurer que Miss Lipp était bien au rendez-vous. Il confia le petit sac de velours à Fischer.

Un quart d'heure plus tard, il revenait annoncer que la Lincoln était garée dans une petite rue à côté d'un café restaurant de la grand-place. Miss Lipp était dans ce restaurant à prendre son petit déjeuner. La ruelle était très tranquille. Fischer et moi pourrions nous occuper de la portière. Nous avions une demi-heure pour exécuter ce travail.

Fischer emprunta un tournevis à Enrico et nous descendîmes à terre. Personne n'avait l'air de s'intéresser à nous, probablement parce que nous avions trop piteuse apparence. Je ne pus découvrir nulle part ni l'Opel ni la Peugeot, mais cela ne m'inquiéta pas outre mesure. Je savais que l'une ou l'autre serait de faction. Nous trouvâmes facilement la voiture et je m'attaquai à la portière. C'était un tournevis ordinaire qu'on m'avait donné mais à force d'enlever les garnitures, les vis avaient fini par prendre du jeu et je ne fis pas de nouvelles éraflures sur le cuir. Il me fallut dix minutes pour retirer le panneau, cinq secondes à Fischer pour glisser le sac de velours sans gêner le mécanisme d'ouverture de la glace et un quart d'heure plus tard j'avais tout remis en place. Fischer et moi nous faufilâmes alors sur le siège arrière. Deux minutes après, Miss Lipp sortit du restaurant et s'installa au volant. Si elle avait pris un peu de repos la nuit précédente, cela n'avait pu être qu'à l'auberge de Corlu ; mais elle avait l'air aussi fraîche et dispose que d'habitude.

— Bonjour, Hans, bonjour, Arthur. Voici nos amis qui traversent la place, dit-elle.

L'instant d'après ils étaient là. Harper s'assit à l'avant à côté d'elle, Miller à ma gauche. Elle le salua et démarra aussitôt la portière fermée.

De Silivri à Corlu, où nous devions retrouver la grande route, Istanbul - Edirné, il y a dix-huit kilomètres d'une route secondaire. Les premiers kilomètres, elle est très sinueuse, de sorte que j'attendis qu'elle devienne plus droite pour risquer un coup d'œil en arrière.

La Peugeot était là ; j'entrevis même derrière elle une autre voiture. L'Opel était de service elle aussi.

Harper était en train d'expliquer à Miss Lipp comment s'était passée l'opération de la veille et à combien s'élevait le butin. Miller y ajoutait son mot de temps en temps. Des deux côtés, on échangeait de chaudes félicitations. On se serait cru dans l'autocar de l'équipe victorieuse d'un match. Je n'avais pas besoin de prendre part à la conversation ni de l'écouter. J'avais tout loisir pour réfléchir.

On pouvait expliquer la présence des deux voitures derrière nous de différentes façons. Miss Lipp avait probablement conduit la Lincoln directement du garage à Corlu, après notre départ, la veille.

Le temps qu'elle quitte la ville d'Istanbul, Tufan avait dû apprendre que les hommes n'étaient plus dans la voiture et comprendre que son seul espoir de rétablir le contact avec eux était de ne pas perdre de vue la Lincoln. Il avait pu envoyer l'Opel pour prévenir toute autre manœuvre. A moins qu'il n'ait voulu remédier au fait qu'en dehors de la ville même, la liaison radio ne fonctionnait plus, tandis que les deux voitures pouvaient communiquer entre elles ; en cas de rapport urgent, l'une pouvait s'arrêter et téléphoner à Istanbul pendant que l'autre maintenait sa filature. Puis une troisième éventualité me vint à l'esprit. Tufan était certainement au courant de l'attaque du poste de garde. Dès qu'il avait eu les détails — grenades fumigènes, lacrymogènes et explosives, six hommes munis de masques — il en avait déduit que cette attaque et la Lincoln faisaient partie de la même histoire. De plus, s'il savait aussi que le *Bulut* avait quitté Pendik et que la Lincoln s'était arrêtée à Corlu, il pouvait vraisemblablement en déduire qu'il fallait envoyer du renfort dans ce secteur.

La seule chose dont j'étais sûr, me disais-je avec amertume, c'est que Tufan ne serait pas le « gros malin » qui allait penser à vérifier le Trésor du Musée. Il en serait encore à sa théorie d'une tentative de coup d'État. Ma foi, il ne tarderait pas à déchanter.

C'est alors que Miss Lipp s'écria : — Karl !

Miller s'interrompit au milieu de sa phrase.

— Qu'y a-t-il ?

— Regarde cette voiture beige qui nous suit. Elle m'a déjà prise en filature hier lorsque je suis sortie d'Istanbul. J'ai eu l'impression de l'avoir déjà vue, dans la journée. J'en étais tellement sûre qu'en m'arrêtant à Corlu, je l'ai attendue. Quand je ne l'ai pas vue reparaître, j'en ai conclu qu'elle avait pris une autre route et je n'y ai plus pensé.

— Que personne ne se retourne, dit Harper.

Il orienta le rétroviseur pour regarder derrière. Un moment plus tard, il dit :

— Essaye de ralentir.

C'est ce qu'elle fit. Je savais ce qui allait se produire. La Peugeot maintiendrait la distance. Une minute plus tard, Harper remit le rétroviseur dans sa position normale.

— Crois-tu pouvoir la semer ?

— Pas sur une route comme celle-ci.

— O.K. Continue à rouler. Elle ne ressemble pas à une voiture de police. Je me demande...

— Vous croyez que c'est Franz... coupa Fischer.

— Alors ça va chauffer !

— Pourquoi pas ?

— Il aurait eu intérêt à le faire hier soir quand nous étions dans le fourgon, dit Miller.

— Je n'en suis pas tellement sûr, répondit Harper. Il a pu juger préférable d'attendre que nous soyons hors de la ville.

— Mais Franz ignorait cette partie de l'opération, fit remarquer Miss Lipp.

— S'il t'a suivie il a pu deviner...

— Nous ne tarderons pas à le savoir, dit Harper d'un ton menaçant. Ils ne sont que deux dans cette voiture. Si Franz est dans le coup, il nous a tendu plus loin une embuscade avec ses deux comparses. Ils seront donc cinq. Nous ne sommes que trois à être armés, nous devons donc nous débarrasser d'abord de ceux-là. Quand nous arriverons à un endroit avec des arbres, nous stopperons en bordure de la route, O.K. ?

— Puis-je me retourner pour jeter un coup d'œil sur cette voiture ? demandai-je.

— Pourquoi faire ?

— Pour savoir si je la reconnais.

Il me fallait bien intervenir d'une façon ou d'une autre. S'ils se mettaient à tirer sur des agents turcs, ces derniers riposteraient — et ils ne s'embarrasseraient pas de questions pour connaître l'identité des gens qui les attaquaient.

— O.K. dit-il, mais faites-le discrètement.

Je me retournai.

— Alors ? me demanda-t-il.

— Je ne reconnais pas la voiture beige, répondis-je. Mais il y en a une autre derrière, une Opel grise.

— Oui, fit remarquer Miss Lipp. Elle nous suit aussi depuis un certain temps : mais ça ne veut rien dire, la route est trop étroite pour qu'elle puisse doubler.

— Je suis presque sûr de l'avoir vue devant le garage hier après-midi.

Je n'eus pas de peine à laisser percer dans ma voix ma réelle inquiétude.

— Il y a beaucoup d'Opel grises, dit Miller.

— Oui mais elles n'ont pas toutes une antenne radio aussi longue. C'est pourquoi je l'ai remarquée.

Harper tourna de nouveau le rétroviseur de son côté et regarda avec attention.

— Vous feriez mieux de jeter un coup d'œil vous-même, Léo, dit-il d'un ton farouche. Vous voyez l'antenne ?

Miller obéit et poussa un juron.

— Ce pourrait être une coïncidence.

— Peut-être. Nous parions ?

— Oh non, dit Fischer.

— Bon, ça va, fit Miller. Que décidons-nous ?

Harper réfléchit un moment, puis demanda :

— Combien y a-t-il d'ici à Corlu ?

— Trois kilomètres environ, répondit Miss Lipp.

— Alors il a dû monter son coup entre Corlu et Edirné.

— Vous croyez ?

— Donc, au lieu de prendre à Corlu la route de gauche pour Edirné, nous changeons nos plans et tournons à droite.

— Cela nous ramènera à Istanbul, fit remarquer Miller.

— Nous nous arrêterons en route, à l'aéroport, et sauterons dans le premier avion en partance.

— Nous abandonnerons la voiture ? demanda Miss Lipp.

— Ne te fais pas de souci, chérie. Nous nous paierons une flottille de Lincoln lorsque nous aurons écoulé notre marchandise.

Les sourires réapparurent sur toutes les lèvres.

J'essayais de réfléchir. Il était à peine sept heures et demie ; nous mettrions un peu moins d'une heure pour aller de Corlu à l'aéroport de Yesilkoÿ. C'était mercredi. Le Musée du Trésor resterait donc fermé jusqu'au lendemain. Si le « gros malin » ne s'était pas déjà mis au travail, ou si Tufan ne s'était pas décidé à couvrir les agissements d'un groupe de terroristes imaginaires et à avertir la police de ce qui se tramait, d'ici deux heures, très vraisemblablement Harper et le reste de la bande auraient quitté le pays. En ce cas, si personne ne se décidait à leur barrer la route, c'était à moi de le faire. Mais la question était de savoir si j'y étais vraiment décidé. Pourquoi ne pas m'enfuir avec eux tout simplement et empocher mes deux mille dollars ? Mon état de fatigue et mon désarroi devaient être encore bien grands pour me faire oublier que mon passeport était périmé et qu'aucune compagnie aérienne n'accepterait de me vendre un billet. Loin de réfléchir à cela, une question stupide me vint à l'esprit et, tout bêtement je la posai.

— Et moi, qu'est-ce que je deviens ?

Harper se retourna pour me lancer son sourire méchant et glacial.

— Qu'est-ce que vous devenez, Arthur ? Quelle question ! vous avez une autre idée en tête ? Vous voulez vous mettre du côté de Franz ? ou de la police ?

— Bien sûr que non. Je voulais seulement en avoir le cœur net.

— Nous sommes donc cinq à le vouloir. Ne vous faites pas de souci, Arthur. Tant que nous ne serons pas sains et saufs dans l'avion avec le butin, nous ne vous lâcherons pas d'une semelle, même pour aller aux toilettes. Vous voyez comme nous avons besoin de vous !

Fischer et Miller trouvèrent ça extrêmement drôle. Miss Lipp continuait à regarder la route et à surveiller les deux voitures qui nous suivaient.

En arrivant à Corlu nous prîmes la grande route d'Istanbul sur la droite. Harper commença à mettre en place le nouveau dispositif.

— La première chose à faire c'est de sortir le sac de la portière. Hans, vous feriez mieux de changer de place avec Arthur. Il peut se mettre au travail tout de suite.

— Impossible, rétorqua Fischer, la garniture est maintenue par sept vis, quand la portière est fermée, on ne peut pas les atteindre, il faudrait l'ouvrir.

— L'ouvrir en grand ?

— Oui, presque.

Harper jeta un coup d'œil sur les lourdes portières. Comme elles s'ouvraient vers l'avant le vent s'engouffrerait. Nous marchions à plus de soixante. Il était hors de question de démonter le panneau en roulant. Il hocha la tête :

— Très bien. Voilà ce que nous allons faire. Une fois arrivés à l'aéroport Élisabeth et Léo prendront tous les passeports, s'occuperont de l'achat des billets et des fiches d'embarquement et passeront les bagages à la douane. D'accord ?

Ils approuvèrent d'un signe de tête.

— Je les suivrai pour connaître la destination et l'heure du départ de l'avion et pour que nous sachions tous comment la situation se présente. Puis je reviens à la voiture, Arthur la mène au parking. Là nous démontons la portière et nous sortons le magot. Ensuite Hans appelle les porteurs qui chargent les bagages et nous abandonnons la voiture. D'autres questions ?

— Vous pourriez commencer par sortir les bagages, dit Miller, quand la voiture sera devant l'entrée.

— Oui peut-être, si nous avons le temps. Sinon il vaut mieux prendre le magot d'abord.

— Il nous faut bien avoir quelques bagages à la douane, fit remarquer Miss Lipp, sinon on nous passera à la fouille.

— Oui. Nous prendrons d'abord le petit sac, nous nous occuperons ensuite des valises.

Ils approuvèrent à mi-voix. Miller demanda :

— S'il y a deux avions en partance, lequel prendrons-nous ?

— Si l'un doit survoler une large portion du territoire turc pour rejoindre Alep ou Beyrouth par exemple, nous prendrons l'autre. Sinon nous partirons sur le premier.

La discussion s'engagea ensuite sur les villes où ils préféreraient aller. Je me demandai quelle serait leur réaction si je leur disais que mon passeport était périmé. Harper ne verrait sans doute qu'une solution : s'ils ne pouvaient m'emmener avec eux ni courir le risque de me laisser derrière du fait que j'en savais trop, ils n'auraient plus qu'à me faire disparaître du tableau. Il y aurait donc un cadavre sur le plancher de la voiture, lorsqu'ils l'abandonneraient. Par contre si j'attendais qu'on vérifie nos passeports à l'aéroport, ils seraient presque réduits à l'impuissance. Moi je pourrais me défendre de toutes mes forces en exigeant à grands cris de comparaître devant un agent du Service de la Sûreté et leur demander d'en référer à

Tufan. Les trois hommes étaient armés, il est vrai ; mais même s'ils réussissaient à se tirer de ce mauvais pas en employant les grands moyens, j'aurais plus de chance de m'en sortir sain et sauf.

— Quelqu'un a des questions à poser ? demanda Harper. Non ? O.K. alors passez-moi vos passeports.

Je faillis vomir, mais je fis semblant d'étouffer une quinte de toux.

Fischer me demanda de prendre son passeport dans sa poche intérieure. Miller tendit le sien et Harper le feuilleta. Je lui passai celui de Fischer.

Miss Lipp dit alors à Harper :

— Mon sac est par terre, si tu veux les mettre dedans.

— O.K. Et le vôtre, Arthur ? *Est-ce que tous les élèves ont bien remis leur copie ?*

Je lui tendis mon fichu passeport et attendis.

Il prit son temps pour lire mes caractéristiques personnelles.

— Vous savez, Arthur, je vous aurais donné au moins trois ans de plus. Trop d'*ouzo*, pas assez d'exercice, ça se paye. Et soudain il changea de ton. — Attendez un peu ! mais ce passeport est périmé depuis deux mois !

— Périmé ? Impossible. *Je suis sûr que je vous ai remis ma copie avec les autres, monsieur.*

— Regardez ! Il se pencha vers moi et me fourra mon passeport sous le nez.

— Mais on ne m'a fait aucune difficulté à la frontière ! Vous voyez bien le visa là.

— Quelle importance, espèce de crétin ? Votre passeport est périmé !

Il me jeta un regard furibond et se tournant soudain vers Miss Lipp lui demanda :

— Qu'en penses-tu ?

Sans quitter la route des yeux, elle répondit :

— Quand on sort du pays, les types du bureau d'immigration ici veillent seulement à ce que la carte de sortie soit correctement remplie. Il passera sans difficulté. Mais c'est le Contrôle au départ qui est bien plus sévère car il est responsable à l'arrivée si les papiers ne sont pas en règle. Il va falloir que nous fassions une demande de renouvellement.

— Sans le timbre du consulat ?

Elle réfléchit un moment. Je crois que j'ai dans mon porte-monnaie un timbre de la poste aérienne suisse. On pourrait s'en servir. Je parie dix contre un qu'ils ne regardent pas de près si on écrit quelque chose en travers. De toute façon je m'arrangerai pour détourner leur attention.

— Et à l'atterrissage, qu'est-ce qui se passera ? demanda Miller. S'il se fait prendre ?

— Ça, c'est son affaire, dit Harper.

— Pas si on le refoule ici.

— Ils ne prendront pas cette peine. Ce n'est pas très grave. La police de l'aéroport le retiendra jusqu'à ce qu'elle ait contacté le consul d'Égypte qui lui renouvellera son passeport.

— Il ne nous a causé que des ennuis depuis le premier jour. C'était Fischer, naturellement.

— Il nous a quand même rendu service la nuit dernière, laissa tomber Miss Lipp. Au fait, il vaudrait mieux que le renouvellement soit écrit de sa main. Faut-il qu'il le fasse en arabe ?

— En français et en arabe, dit Harper en collant le timbre à l'endroit réservé. O.K. Arthur, allez-y. Écrivez en travers du timbre *Bon jusqu'au* [1], voyons, disons jusqu'au dix avril prochain. Maintenant écrivez-le en arabe. Vous savez le faire, n'est-ce pas ?

Je m'exécutai — que pouvais-je faire d'autre ? et lui rendis mon passeport.

A ce moment-là, je ne savais pas du tout où j'en étais. Si l'avion allait à Athènes, je pourrais me passer de mon passeport car j'avais toujours mon *permis de séjour* [1] grec. Mais si nous allions à Vienne, ou à Francfort, ou à Rome, ou — pensée horrible — au Caire, je serais coulé définitivement. Il fallait que j'attende de savoir notre destination exacte

1. En français dans le texte. — Note du traducteur.

avant de décider si j'embarquais avec eux, ou si j'essayais de leur fausser compagnie. Cependant si je décidais de rester ici, ce ne serait pas facile désormais. A quoi me servirait-il de crier au secours si Harper et Fischer ne me lâchaient pas d'un pouce ? Et si le service de contrôle ne me retenait pas pour vérification de passeport ? Qu'y gagnerais-je ? Un direct dans la mâchoire de la part de Harper qui expliquerait à la cantonade : « Je suis désolé, notre ami a fait un faux pas et s'est cogné la tête sur une valise en tombant. Il ira mieux dans un moment. Nous allons nous occuper de lui. » Et ça serait la fin. Je ne pouvais compter que sur les voitures de filature. Malheureusement avant qu'elles contactent à nouveau Tufan, nous serions arrivés à l'aéroport. Il fallait que je donne aux types des voitures le temps de tirer les conclusions correctes et d'envoyer les ordres en conséquence.

Je ne pus imaginer qu'un seul moyen pour nous retarder. Quand j'avais fini de remettre le panneau en place, j'avais glissé le tournevis dans ma poche. Je savais qu'il n'y en avait pas d'autre dans la voiture.

Quand nous traversâmes Mimarsinan, à peu près un quart d'heure avant l'arrivée à l'aéroport, je m'arrangeai pour faire tomber le tournevis de ma poche sur la banquette et pour m'asseoir dessus. Quelques minutes plus tard, je fis semblant de m'étirer les jambes et l'enfouis profondément derrière le dossier, sous la banquette. Si je voulais partir avec eux, je le « trouverais », si je voulais rester à terre, je le chercherais en vain. De cette façon, me disais-je, j'aurais davantage la situation en mains.

C'est alors que Miss Lipp recommença à s'inquiéter de la présence de la Peugeot et de l'Opel.

— Ils nous suivent encore, dit-elle. Je ne comprends pas. Franz doit bien avoir deviné maintenant où nous allons ! Qu'est-ce qu'il essaye de faire ?

— Et si ce n'est pas Franz ? dit soudain Miller.

— Si ce n'est pas Franz, qui est-ce ? demanda Fischer d'un ton irrité. Si c'était la police, elle nous aurait arrêtés. Est-ce que ça ne serait pas Giulio ?

— Quelle question idiote ! répliqua Miller, Giulio fait partie de notre bande. Pas vous. Si vous en étiez, vous ne diriez pas de telles bêtises !

J'ai vraiment un chic tout particulier pour me faire tort à moi-même. Pour les aider je dis : « C'est peut-être Franz qui croit que nous repartons à la villa puisque c'est la même route ».

Harper regarda par-dessus son épaule.

— Quand sera-t-il fixé, Arthur ?

— Quand nous aurons pris à droite vers l'aéroport.

— A quelle distance se trouve l'embranchement ?

— A dix kilomètres environ.

— Et l'aéroport ?

— Deux kilomètres plus loin.

Il se tourna vers Miss Lipp :

— Crois-tu pouvoir les semer assez pour qu'ils ne nous voient pas tourner ?

— Je vais essayer.

La Lincoln bondit en avant. Je vis l'aiguille rouge du compteur de vitesse passer au cent quarante. Harper jeta un coup d'œil en arrière et dit.

— On les a bel et bien semés.

— Nous allons beaucoup trop vite pour une route comme ça, fit-elle remarquer simplement.

Cela n'avait cependant pas l'air de la tracasser outre mesure. Elle doubla deux voitures et un camion comme s'ils étaient à l'arrêt.

Mon erreur m'apparaissait maintenant et j'essayai d'y remédier.

— Il y a un pont un kilomètre plus loin, dis-je en guise d'avertissement. La route est très étroite. Il faudra que vous ralentissiez.

Elle ne répondit pas. Je commençai à transpirer de peur. Si les voitures de surveillance perdaient notre trace, j'étais fichu.

Elle réussit à doubler un convoi de camions militaires cinquante mètres avant le pont. Au-delà, la route faisait un virage, et elle dut ralentir jusqu'au cent ; mais quand je me retournai, je ne vis pas la moindre voiture nous suivre. Elle freina brutalement et prit à droite la route de l'aéroport. Harper eut un ricanement sardonique.

— Rien ne vaut une « Lincoln continentale », rien, quand il s'agit de tirer sa révérence et de mettre les bouts...

Je me sentais écrasé par mon aberrante stupidité. Quand nous arrivâmes devant les bâtiments de l'aéroport, mes jambes tremblaient comme la lèvre de Geven.

Miller sauta de la voiture et s'engouffra dans la gare avant même que la Lincoln ne fût complètement arrêtée. Miss Lipp et Harper s'élancèrent derrière lui pendant que Fischer et moi sortions les bagages, y compris mon sac, et les donnions à un porteur.

Je ne pus m'empêcher de regarder en arrière du côté de la route et Fischer le remarqua. Mon visage défait par l'angoisse, l'amusa.

— N'ayez pas peur. Ils filent droit sur Sariyer, à cette heure.

— Vous avez raison.

Je savais qu'une des autos le faisait effectivement ; mais je savais aussi que les types de Tufan connaissaient leur métier. Quand ils verraient qu'ils ne retrouvaient pas la Lincoln, la seconde voiture ferait demi-tour et viendrait voir à l'aéroport. Combien de temps leur faudrait-il pour y penser ? Cinq minutes ? Dix ?

Harper sortit du bâtiment et se dirigea vivement vers nous.

— Il y a des places libres dans un avion à réaction d'Air France à destination de Rome, dit-il. Il faut monter à bord dans vingt minutes. Vite.

Je conduisis la voiture jusqu'au parking réservé, enclos d'une chaîne en face de l'aérogare, après les taxis, au delà de la boucle de la route. Il ne s'y trouvait encore que quelques autos entre lesquelles, selon les instructions de Harper, je me glissai, en marche arrière.

— Où est le tournevis ? demanda Fischer.

— Sur le plancher.

J'étais encore en train de manœuvrer qu'il cherchait déjà.

— Il a peut-être glissé sous une banquette, dit Harper,

d'un ton impatient. O.K. Arthur, ça va bien. Ouvrez les portes, qu'on y voie !

J'arrêtai, sortis et me mis aussitôt à feindre de fouiller sous les sièges. Mais dans une Lincoln, c'est vite fait, car ils descendent jusqu'au plancher.

— Oh ! pour l'amour du ciel ! fit Harper furieux.

Tout à coup il agrippa ma veste.

— Vous avez dû le mettre dans votre poche.

Il se mit à tâter mes vêtements.

— Je l'ai posé par terre.

— Eh bien, il n'y est pas, dit Fischer.

Harper regarda sa montre.

— On a dû le faire tomber en sortant les bagages.

— Voulez-vous que j'aille voir ?

— Non, prenez-en un dans la trousse à outils.

— Elle n'en contient pas, dit Fischer, je l'ai déjà remarqué.

— O. K. Regardez s'il est tombé par terre là-bas.

Pendant que Fischer se hâtait d'aller voir, Harper examina la voiture garée à côté de nous, une Renault, et essaya d'ouvrir les portières de devant. Bien entendu, elles étaient fermées à clef. Puis il essaya le coffre à bagages qui, à mon grand désespoir, s'ouvrit tout de suite. En un clin d'œil, il dénicha une trousse et en sortit un tournevis.

Il grimaça :

— Si le propriétaire revient, nous le lui achèterons en souvenir, dit-il, et il s'attaqua immédiatement au panneau de la portière arrière de la Lincoln.

Il fallait que je fusse désespéré pour trouver le courage de faire ce que je fis. Pendant que j'étais planté là à le regarder stupidement, je pris conscience du bruit du moteur qui tournait toujours. Je n'avais pas fini de m'aligner sur les autres voitures quand il m'avait ordonné d'arrêter, si bien que j'avais oublié de couper le contact.

La portière à côté du siège du chauffeur était ouverte ainsi que les deux portières arrière. Il était penché au-dessus du panneau de droite du côté opposé à celui où je me trouvais.

Je jetai un coup d'œil vers l'entrée du parking pour m'assurer que Fischer n'était pas en train de revenir puis je m'avançai délibérément vers la portière du chauffeur et me penchai par-dessus le siège comme si je voulais couper le contact ; en même temps je jetai un coup d'œil par-dessus le dossier.

Harper s'était accroupi pour défaire une des vis du côté des gonds.

Je me glissai si doucement sur le siège que la voiture ne bougea pas et je déplaçai le levier des vitesses de la position « arrêt » à celle de « marche ». La voiture frémit légèrement. En même temps j'écrasai la pédale de l'accélérateur.

J'entendis le bruit mat de la porte qui le projetait violemment en l'air, tournai le volant et filai vers l'entrée du parking.

A six mètres du bout, je freinai brutalement et les deux portières arrière claquèrent en se fermant. Par la glace arrière, j'aperçus Harper essayant de se remettre debout. Je fermai ma portière, accélérai de nouveau et bondis sur la route. Une seconde plus tard j'avais franchi la première moitié de l'allée circulaire quand une voiture devant moi me força à ralentir. Dans le rétroviseur je vis Harper courir vers la station de taxis. Je klaxonnai bruyamment et la voiture se rangea vivement. J'atteignis le bout de l'allée, et débouchai sur la grand-route.

J'avais parcouru environ un kilomètre et demi quand l'Opel me croisa. Je lui fis de grands signes de bras comme un fou mais ne ralentis pas. Je n'avais qu'une idée en tête : fuir Harper.

Je continuai à foncer droit sur Istanbul jusqu'au moment où j'aperçus dans le rétroviseur l'Opel qui me suivait. Alors seulement j'osai m'arrêter.

Ce n'est pas ma faute s'il leur fallut si longtemps pour me rattraper !

XII

— Le chef n'est pas content de vous, m'annonça Tufan.

J'avais sur le bout de la langue de lui dire que son chef pouvait bien aller se faire f..., mais je me retins.

— Vous avez récupéré les objets volés, lui rappelai-je sèchement, vous avez le nom et le signalement des voleurs et vous connaissez les circonstances du vol. Que vous faut-il de plus ?

— La femme et les trois hommes, fit-il d'un ton rogue.

— Allez vous faire fiche ! Ce n'est tout de même pas moi qui les ai laissés filer dans cet avion pour Rome, répondis-je.

— C'est à cause de votre bêtise que cela est arrivé. Si vous n'aviez pas perdu la tête, et si vous vous étiez arrêté tout de suite en voyant l'Opel au lieu de filer comme un fou, ils seraient sous les verrous à l'heure qu'il est. Au contraire, ils ont pu voir mes hommes d'assez près pour se rendre compte de leur erreur. Vous nous avez laissés sans nouvelles et avant que nous ayons pu reprendre contact avec vous, nos gaillards naturellement s'étaient envolés !

— On peut les faire arrêter à Rome, et les faire extrader.

— Il faut une preuve suffisante pour justifier une procédure d'extradition.

— Vous l'avez. Je vous ai raconté ce qui s'était passé.

— Pensez-vous que votre témoignage ait une valeur quelconque auprès d'un tribunal italien ? reprit-il. C'est vous qui avez introduit en fraude les explosifs. Et qui peut confirmer votre histoire du vol qui a suivi ? Votre dossier à l'Interpol vous rend très suspect. Quel tribunal acceptera d'extrader quatre personnes sur un témoignage aussi peu valable que le vôtre ? Il vous rirait au nez !

— Et Giulio, et Enrico ?

— Ils ne sont pas idiots, ils prétendent n'être au courant de rien. Ils ont loué un yacht. Ils effectuaient une petite croisière de nuit. Des types dans un caïque les ont hélés parce que leur moteur était tombé en panne. Ils les ont pris à bord et débarqués à Silivri. Est-ce un crime ? Demain matin il faudra bien que la police les relâche. Nous ne pouvons rien faire de plus. Vous avez eu le grand tort, Simpson, de ne pas exécuter les ordres qu'on vous avait donnés.

— Quels ordres, juste ciel ?

— Ceux que je vous ai donnés ici même. Je vous ai demandé de nous envoyer des rapports. Vous ne l'avez pas fait. Il est fâcheux que le paquet à cigarettes que vous avez laissé tomber dans le garage n'ait pu être recueilli, mais vous avez raté d'autres occasions de nous tenir au courant. Vous pouviez le faire à Silivri. Vous auriez pu laisser tomber votre licence de guide en franchissant le poste de garde. Vous avez manqué d'imagination. Nous n'avons pas le choix, nous devons abandonner l'enquête.

— Y compris l'enquête au sujet de l'attaque du poste de garde ?

Il prit l'air plus compassé que jamais.

— Les journaux l'ont déjà officiellement présentée comme une tentative ratée menée par des éléments dissidents pour faire sauter un train.

Impossible de répondre poliment à cela ! Je me contentai donc de hausser les épaules et de regarder par-dessus sa tête le tableau représentant l'abdication d'Abdul Hamid.

Il se leva comme pour mettre fin à notre discussion et lissa de sa main le devant de sa tunique :

— Vous avez de la chance que mon chef ne soit pas absolument mécontent de la tournure de cette affaire. Le Bureau est rentré en possession du montant d'un vol très important dont la Police criminelle n'était même pas encore avisée. Cela prouve que nous ne sommes pas à la merci des événements mais que c'est nous qui les dominons, c'est nous qui les prévenons même. Votre rôle n'a pas été entièrement dépourvu d'utilité. En conséquence, mon chef a décidé de vous offrir une gratification.

— Je pense bien. De combien ?

— De cinq mille livres, et vous êtes autorisé à les changer au tarif officiel en dollars ou en livres sterling.

Je crus un instant qu'il se trompait.

— Cinq mille livres, major ? Vous voulez dire cinq mille dollars, n'est-ce pas ?

— Je parle bien de livres turques, répondit-il avec raideur.

— Mais ça ne fait que cinq cents dollars, ou deux cents livres anglaises !

— En effet, c'est à peu près exact. On a aussi tenu compte du fait que vos bagages et effets personnels ont été perdus. De plus, on n'a pas retenu les accusations de contrebande qui avaient été portées contre vous. On enverra à Interpol un rapport favorable à votre nom. Je suis persuadé que vous appréciez la générosité avec laquelle vous avez été traité.

Un coup de pied dans le ventre n'aurait pu être plus généreux.

J'ouvris la bouche pour lui dire que je regrettais de n'avoir pas tenté ma chance en filant à Rome ; mais j'y renonçai. Ces types de la police ne sont vraiment que « pisse et vent... ». Inutile d'insister.

— Vous vouliez dire quelque chose ? me demanda-t-il.

— Oui. Comment vais-je sortir de votre pays ?

— Mon chef a réussi à obtenir du Consul général de Grande-Bretagne qu'il vous accorde une autorisation valable pour un voyage seulement, d'ici à Athènes. Cela n'a pas été sans mal, croyez-le. Le Consul a fini par céder uniquement pour être agréable à mon chef. De plus, on vous a réservé une place dans l'avion des Olympic Airways, qui part à cinq heures pour Athènes. Un représentant du Consulat général vous remettra les papiers nécessaires au Bureau des Olympic Airways à côté de l'hôtel *Hilton*, à trois heures et demie. Si vous voulez bien me dire en quelle monnaie vous voulez toucher votre gratification, un représentant de notre Bureau sera là également pour vous la remettre.

— Je voudrais que ce soit en dollars.

— Parfait. C'est tout, je crois. Vous n'avez pas l'air aussi satisfait que vous devriez l'être.

— Et pourquoi le serais-je ?

Il haussa les épaules.

— Vous pensez peut-être que vous auriez mieux fait de filer à Rome. C'est une erreur. Si ces bijoux étaient sortis de notre pays, nous aurions eu des preuves pour les faire rentrer ; quant à vous, vous auriez été le premier à vous faire arrêter. Pourquoi refuser de reconnaître que vous avez eu de la chance?

— Vous oubliez que Harper a gardé une certaine lettre...

— A quoi lui servira-t-elle désormais ?

— A se venger de moi, évidemment.

Il secoua la tête.

— C'est *vous* qui oubliez quelque chose. Il ne saura jamais avec certitude à quel point vous l'avez trompé et trahi. Moi non plus d'ailleurs, je ne le saurai jamais. Il a tout avantage à ne pas vous dénoncer à la police.

Il sourit légèrement et ajouta :

— Vous voyez, vous avez maintenant tous deux un intérêt commun.

— C'est très réconfortant.

— Vous pourriez même profiter de l'occasion pour devenir honnête. *Travaillez, Simpson car la nuit s'avance.*

J'aurais dû dire son fait à ce cuistre ; mais j'avais peur que cela ne me coutât ma gratification. Une miette vaut mieux que pas de pain du tout. Je lui décochai une espèce de grimace des plus déplaisantes à la façon de Harper, en essayant de la charger de tout mon mépris. Mais je crois que cela ne lui fit ni chaud ni froid. Il avait la peau aussi dure que celle d'un éléphant.

C'est le sergent de service qui m'escorta cette fois-là jusqu'au portail. Il me tint à l'œil pendant toute la durée du trajet comme s'il craignait que je ne vole un des tableaux.

Devant le Palais Dolmabahçe il n'y avait pas un taxi. Il n'y en a jamais d'ailleurs. Il fallut que je fasse plus d'un kilomètre à pied avant d'en trouver un et cela n'améliora pas mon humeur.

Le représentant du Bureau avait l'air d'un policier en civil. Il me surveilla de près, pendant que je signais le reçu pour mon argent et ne le lâcha pas un instant de peur que je ne le lui arrache. Il ne se laisserait pas berner, lui. Il savait à quoi s'en tenir, quand on a affaire à des escrocs...

Le représentant du Consulat général de S.M. la Reine d'Angleterre à Istanbul était un petit morveux qui me fit signer un papier selon lequel je reconnaissais que le permis de voyage qu'on m'accordait ne constituait pas la reconnaissance d'un droit que j'aurais réclamé ou pourrais réclamer de citoyenneté britannique. Quand je l'eus signé, je lui dis qu'il pouvait bien le fiche en l'air. Mais dans l'avion d'Athènes j'eus soudain une idée.

Je pensais à Nicki et je me demandai si, avant de rentrer à l'appartement, je n'allais pas d'abord lui acheter une étole de fouine. Il y avait longtemps qu'elle m'en réclamait une et je me disais qu'avec des dollars américains, je pourrais acquérir une fourrure de bonne qualité à bon compte, pour trente ou quarante dollars peut-être. Je serais son « chou » pendant un mois au moins... si elle ne m'avait pas laissé tomber pendant mon absence. Je me disais qu'il valait mieux m'assurer d'abord qu'elle était toujours à l'appartement, quand l'hôtesse s'arrêta près de mon fauteuil.

— De quelle nationalité êtes-vous, monsieur ?

— Britannique, lui répondis-je.

Elle me tendit une carte de contrôle à remplir et passa au fauteuil suivant.

J'avais répondu « britannique » sans réfléchir. Pourquoi ? parce que je me considère comme tel, parce que je le suis *vraiment*.

Je sortis de ma poche le permis de voyage poinçonné et l'examinai attentivement. Il y était porté que j'étais bien sujet britannique — et pourtant on m'avait fait signer un papier comme quoi je ne l'étais pas, en réalité. C'est pourquoi le permis de voyage pouvait être considéré comme une reconnaissance de mon droit. Le papier lui, n'avait aucune valeur puisqu'on me l'avait fait signer sous contrainte. On ne peut pas retirer à un homme sa nationalité en contestant simplement le fait qu'il y ait droit. La loi de 1948 est sur ce point très explicite. Vous ne pouvez perdre votre nationalité britannique qu'en y renonçant de votre plein gré. Je ne l'avais jamais fait. D'une manière plus précise, je n'y avais renoncé qu'en demandant ce maudit passeport égyptien. Puisque les Égyptiens disent que ma naturalisation est nulle et non avenue en raison de mes fausses déclarations, eh bien ! je la reconnais nulle et non avenue, une fois pour toute.

Le gouvernement britannique ne peut pas gagner sur les deux tableaux. Ou bien je suis égyptien, ou bien je suis anglais. Les Égyptiens disent que je ne suis pas et n'ai jamais été un de leurs ressortissants. Moi, je suis absolument d'accord. Mon père était un officier britannique. Je suis donc anglais.

Voilà pourquoi je vous ai fait ce récit en toute franchise et sans rien omettre. Je ne demande à personne de m'aimer ni de m'estimer. Cela m'est même égal d'être méprisé si cela peut faire plaisir à quelque rond-de-cuir chicaneur. C'est une question de principe. S'il le faut, je porterai mon affaire devant les Nations Unies. Ils ont tapé sur les doigts des Anglais pour l'affaire de Suez ; ils peuvent bien le refaire pour moi. Je suis peut-être un « agneau bêlant » ; il y a peut-être des gens qui trouvent que je sens mauvais de la bouche ; mais j'en ai marre de bêler. A partir de maintenant je vais mordre.

J'adresse au gouvernement britannique un solennel avertissement : dorénavant, je refuse d'être considéré comme une anomalie. C'est bien clair ? Je refuse !

IMPRIMERIE BRODARD ET TAUPIN À LA FLÈCHE
DÉPÔT LÉGAL JUIN 1992. N° 13470 (6340F-5)

Collection Points

SÉRIE ROMAN

DERNIERS TITRES PARUS

R395. Un printemps d'Italie, *par Emmanuel Roblès*
R396. L'Année des méduses, *par Christopher Frank*
R397. Miss Missouri, *par Michel Boujut*
R398. Le Figuier, *par François Maspero*
R399. La Solitude du coureur de fond, *par Alan Sillitoe*
R400. L'Exposition coloniale, *par Erik Orsenna*
R401. La Ville des prodiges, *par Eduardo Mendoza*
R402. La Croyance des voleurs, *par Michel Chaillou*
R403. Rock Springs, *par Richard Ford*
R404. L'Orange amère, *par Didier van Cauwelaert*
R405. Tara, *par Michel del Castillo*
R406. L'Homme à la vie inexplicable, *par Henri Gougaud*
R407. Le Beau Rôle, *par Louis Gardel*
R408. Le Messie de Stockholm, *par Cynthia Ozick*
R409. Les Exagérés, *par Jean- François Vilar*
R410. L'Objet du scandale, *par Robertson Davies*
R411. Berlin mercredi, *par François Weyergans*
R412. L'Inondation, *par Evguéni Zamiatine*
R413. Rentrez chez vous Bogner !, *par Heinrich Böll*
R414. Les Herbes amères, *par Chochana Boukhobza*
R415. Le Pianiste, *par Manuel Vázquez Montalbán*
R416. Une mort secrète, *par Richard Ford*
R417. La Journée d'un scrutateur, *par Italo Calvino*
R418. Collection de sable, *par Italo Calvino*
R419. Les Soleils des indépendances, *par Ahmadou Kourouma*
R420. Lacenaire (un film de Francis Girod), *par Georges Conchon*
R421. Œuvres pré-posthumes, *par Robert Musil*
R422. Merlin, *par Michel Rio*
R423. Charité, *par Éric Jourdan*
R424. Le Visiteur, *par György Konrad*
R425. Monsieur Adrien, *par Franz-Olivier Giesbert*
R426. Palinure de Mexico, *par Fernando Del Paso*
R427. L'Amour du prochain, *par Hugo Claus*
R428. L'Oublié, *par Elie Wiesel*
R429. Temps zéro, *par Italo Calvino*
R430. Les Comptoirs du Sud, *par Philippe Doumenc*
R431. Le Jeu des décapitations, *par Jose Lezama Lima*

R432. Tableaux d'une ex, *par Jean-Luc Benoziglio*
R433. Les Effrois de la glace et des ténèbres
par Christoph Ransmayr
R434. Paris-Athènes, *par Vassilis Alexakis*
R435. La Porte de Brandebourg, *par Anita Brookner*
R436. Le Jardin à la dérive, *par Ida Fink*
R437. Malina, *par Ingeborg Bachmann*
R438. Moi, laminaire, *par Aimé Césaire*
R439. Histoire d'un idiot racontée par lui-même
par Félix de Azúa
R440. La Résurrection des morts, *par Scott Spencer*
R441. La Caverne, *par Eugène Zamiatine*
R442. Le Manticore, *par Robertson Davies*
R443. Perdre, *par Pierre Mertens*
R444. La Rébellion, *par Joseph Roth*
R445. D'amour P. Q., *par Jacques Godbout*
R446. Un oiseau brûlé vif, *par Agustin Gomez-Arcos*
R447. Le Blues de Buddy Bolden, *par Michael Ondaatje*
R448. Étrange séduction (Un bonheur de rencontre)
par Ian McEwan
R449. La Diable, *par Fay Weldon*
R450. L'Envie, *par Iouri Olecha*
R451. La Maison du Mesnil, *par Maurice Genevoix*
R452. La Joyeuse Bande d'Atzavara
par Manuel Vázquez Montalbán
R453. Le Photographe et ses Modèles, *par John Hawkes*
R454. Rendez-vous sur la terre, *par Bertrand Visage*
R455. Les Aventures singulières du soldat Ivan Tchonkine
par Vladimir Voïnovitch
R456. Départements et Territoires d'outre-mort
par Henri Gougaud
R457. Vendredi des douleurs, *par Miguel Angel Asturias*
R458. L'Avortement, *par Richard Brautigan*
R459. Histoire du ciel, *par Jean Cayrol*
R460. Une prière pour Owen, *par John Irving*
R461. L'Orgie, la Neige, *par Patrick Grainville*
R462. Le Tueur et son ombre, *par Herbert Lieberman*
R463. Les Grosses Rêveuses, *par Paul Fournel*
R464. Un week-end dans le Michigan, *par Richard Ford*
R465. Les Marches du palais, *par David Shahar*
R466. Les hommes cruels ne courent pas les rues
par Katherine Pancol
R467. La Vie exagérée de Martín Romaña
par Alfredo Bryce-Echenique

R468. Les Étoiles du Sud, *par Julien Green*
R469. Aventures, *par Italo Calvino*
R470. Jour de silence à Tanger, *par Tahar Ben Jelloun*
R471. Sous le soleil jaguar, *par Italo Calvino*
R472. Les cyprès meurent en Italie, *par Michel del Castillo*
R473. Kilomètre zéro, *par Thomas Sanchez*
R474. Singulières Jeunes Filles, *par Henry James*
R475. Franny et Zooey, *par J. D. Salinger*
R476. Vaulascar, *par Michel Braudeau*
R477. La Vérité sur l'affaire Savolta, *par Eduardo Mendoza*
R478. Les Visiteurs du crépuscule, *par Eric Ambler*
R479. L'Ancienne Comédie, *par Jean-Claude Guillebaud*
R480. La Chasse au lézard, *par William Boyd*
R481. Les Yaquils, *suivi de* Ile déserte, *par Emmanuel Roblès*
R482. Proses éparses, *par Robert Musil*
R483. Le Loum, *par René-Victor Pilhes*
R484. La Fascination de l'étang, *par Virginia Woolf*
R485. Journaux de jeunesse, *par Rainer Maria Rilke*
R486. Tirano Banderas, *par Ramón del Valle-Inclán*
R487. Une trop bruyante solitude, *par Bohumil Hrabal*
R488. En attendant les barbares, *par J. M. Coetzee*
R489. Les Hauts-Quartiers, *par Paul Gadenne*
R490. Je lègue mon âme au diable, *par Germán Castro Caycedo*
R491. Le Monde des merveilles, *par Robertson Davies*
R492. Louve basse, *par Denis Roche*
R493. La Couleur du destin
par Carlo Fruttero et Franco Lucentini
R494. Poupée blonde
par Patrick Modiano, dessins de Pierre Le-Tan
R495. La Mort de Lohengrin, *par Heinrich Böll*
R496. L'Aïeul, *par Aris Fakinos*
R497. Le Héros des femmes, *par Adolfo Bioy Casares*
R498. 1492. Les Aventures de Juan Cabezón de Castille
par Homero Aridjis
R499. L'Angoisse du tigre, *par Jean-Marc Roberts*
R500. Les Yeux baissés, *par Tahar Ben Jelloun*
R501. L'Innocent, *par Ian McEwan*
R502. Les Passagers du Roissy-Express, *par François Maspero*
R503. Adieu à Berlin, *par Christopher Isherwood*
R504. Remèdes désespérés, *par Thomas Hardy*
R505. Le Larron qui ne croyait pas au ciel
par Miguel Angel Asturias
R506. Madame de Mauves, *par Henry James*
R507. L'Année de la mort de Ricardo Reis, *par José Saramago*

R508. Abattoir 5, *par Kurt Vonnegut*
R509. Comme je l'entends, *par John Cowper Powys*
R510. Madrapour, *par Robert Merle*
R511. Ménage à quatre, *par Manuel Vázquez Montalbán*
R512. Tremblement de cœur, *par Denise Bombardier*
R513. Monnè, Outrages et Défis, *par Ahmadou Kourouma*
R514. L'Ultime Alliance, *par Pierre Billon*
R515. Le Café des fous, *par Felipe Alfau*
R516. Morphine, *par Mikhaïl Boulgakov*
R517. Le Fou du tzar, *par Jaan Kross*
R518. Wolf et Doris, *par Martin Walser*
R519. La Course au mouton sauvage
par Haruki Murakami
R520. Adios Schéhérazade, *par Donald Westlake*
R521. Les Feux du Bengale, *par Amitav Ghosh*
R522. La Spéculation immobilière, *par Italo Calvino*
R523. L'homme qui parlait d'Octavia de Cadix
par Alfredo Bryce-Echenique
R524. V., *par Thomas Pynchon*
R525. Les Anges rebelles, *par Robertson Davies*
R526. Nouveaux Contes de Bustos Domecq
par Jorge Luis Borges et Adolfo Bioy Casares
R527. Josepha, *par Christopher Frank*
R528. L'Amour sorcier, *par Louise Erdrich*
R529. L'Europe mordue par un chien
par Christophe Donner
R530. Les hommes qui ont aimé Evelyn Cotton
par Frank Ronan
R531. Agadir, *par Mohammed Khaïr-Eddine*
R532. Brigitta, *par Adalbert Stifter*
R533. Lune de miel et d'or, *par David Shahar*
R534. Histoires de vertige, *par Julien Green*
R535. Voyage en France, *par Henry James*
R536. La Femme de chambre du Titanic
par Didier Decoin
R537. Le Grand Partir, *par Henri Gougaud*
R538. La Boîte noire, *par Jean-Luc Benoziglio*
R539. Le Prochain sur la liste, *par Dan Greenburg*
R540. Topkapi, *par Eric Ambler*
R541. Hôtel du lac, *par Anita Brookner*
R542. L'Aimé, *par Axel Gauvin*
R543. Vends maison, où je ne veux plus vivre
par Bohumil Hrabal
R544. Enquête sous la neige, *par Michael Malone*